Дарья Дезомбре

СЕТЬ ПТИЦЕЛОВА

Москва
2019

УДК 821.161.1-312.4
ББК 84(2Рос=Рус)6-44
  Д26

Оформление серии *А. Саукова*

Под редакцией *О. Рубис*

Редактор серии *А. Антонова*

Дезомбре, Дарья.

Д26   Сеть птицелова : роман / Дарья Дезомбре. — Москва : Эксмо, 2019. — 384 с.

ISBN 978-5-04-100271-8

Июнь 1812 года. Наполеон переходит Неман, Багратион в спешке отступает. Дивизион неприятельской армии останавливается на постой в имении князей Липецких — Приволье. Вынужденные делить кров с французским майором и военным хирургом, Липецкие хранят напряженное перемирие. Однако вскоре в Приволье происходит страшное, и Буонапарте тут явно ни при чем. Неизвестный душегуб крадет крепостных девочек, которых спустя время находят задушенными. Идет война, и официальное расследование невозможно, тем не менее юная княжна Липецкая и майор французской армии решают, что понятия христианской морали выше конфликта европейских государей, и начинают собственное расследование. Но как отыскать во взбаламученном наполеоновском нашествием уезде след детоубийцы? Можно ли довериться врагу? Стоит ли — соседу? И что делать, когда в стены родного дома вползает ужас, превращая самых близких в страшных чужаков?..

УДК 821.161.1-312.4
ББК 84(2Рос=Рус)6-44

ISBN 978-5-04-100271-8

Памяти Антона

Мы были дети 1812 года.
Матвей Муравьев-Апостол

Челобитная Митрополиту Тобольскому и Сибирскому преосвященному Антонию иеромонаха Мисаила духовного приказа Вознесенского монастыря об удалении от монастыря умалишенного N. 1794 года апреля 27 дня.

Ваше высокопреосвященство, премилосердый отец наш!

Покорнейше прошу благоволить к нижайшей просьбе моей, учинив отеческое милосердие. Согласно указу всемилостивейшей Государыни нашей, принимаем мы в обители до десяти заблудших душ мужеского полу в не целом уме для духовного исцеления и вразумления.

Так, прошлым сентябрем привезен был к нам человек средних лет, наружностию и манерами весьма приятный, большой охотник до игры в шахматы, чем сразу и расположил к себе отца игумена. Не отказываясь от монастырской работы, человек этот мало-помалу спознался с крестьянами окрестных деревень, давая им советы простые и дельные. И вскоре прошел слух о великой мудрости оного, и так о двадцати человек за день приходили под окно его кельи. Но к кому приходили они? Не к монастырскому травнику и не к его преподобию, а к безумцу! Однако ж, установив плату за свои советы по десять копеек медью, сей последний весьма помог скудной монастырской кассе, и, стыжусь признаться, мы с отцом игуменом были весьма довольны столь неожиданному источнику дохода нашей скромной обители.

Третьего же дня, после повечерия, отец игумен, вернувшись к себе в келию, совершил немыслимое: выпрыгнул в окно с веревкою вкруг шеи и через то повесился. Невозможно и представить себе, как сей пастырь, столь чи-

стый духом и помыслами, позабыл о святом служении и совершил грех, равного которому нет. Позор, навлеченный на обитель чрез оное деяние, безмерен, и сам я таковым внезапным, какового во всю жизнь мою со мною не случалось, несчастьем столь поражен был, что несколько времени провел в беспамятстве. А пришед в себя, самолично осмотрел келию игумена и не нашел в ней ничего, что могло бы повлечь за собой проступок столь страшный. Его преподобие не получал в тот день писем, и единственное, чем занял свой невеликий досуг, — игрою в шахматы. Шахматная доска с неоконченною партиею осталась стоять на столе, а принюхавшись, мне почудился в воздухе аромат лавандовой воды, коей, пренебрегая монастырским запретом, пользовался N. Впервые, по слабому рассуждению моему, пришла мне мысль присмотреться поближе к нашему новому постояльцу, у коего не приметил я по сю пору ни единого признака повреждения рассудка.

Ныне же, отправившись по хозяйственной надобности в селение, ближайшее к обители, выслушал я старосту — и похолодел. В том селении за единый месяц первый мужик заколол рогатиной отца своего, второй удушил кушаком жену, третий же до смерти прибил малолетнего сына-калеку. Ужас объял все естество мое, Ваше высокопреосвященство, егда узнал я, что оные трое душегубов бывали в нашей обители, где получали советы от безумца.

Воротившись, сыскал я последнего в курятнике за кормлением птицы. Подошед, взял за руку (а была она холодна, точно смерть) и вопросил со всею строгостию:

— Отчего лишил себя жизни отец игумен?

Безумец же, подняв на меня недвижны очи, сощурил вдруг один глаз, оскалился, аки пес, и рек:

— Il a perdu[1].

---

[1] Он проиграл (фр.).

ГЛАВА ПЕРВАЯ

В Польше хлеба больше.
Поговорка

Князь настоял, а княгиня не смела перечить.

— Негоже подарки государевы оставлять без присмотра, — горячится погожим майским днем двенадцатого года его сиятельство: в этот день Джон Беллингам стреляет в английского премьер-министра. Там же, в палате лордов, заседает Джордж Гордон Байрон, опубликовавший пару месяцев назад первые песни «Паломничества» Чайльд Гарольда. Четвертый президент Американских штатов собирается объявить Англии войну за независимость. Плачет в своей лэндпортской колыбели младенец — Чарльз Диккенс. Бетховен пишет Седьмую и Восьмую симфонии, братья Гримм готовят к выходу том волшебных сказок. Мэттью Мюррей строит первый коммерческий паровоз для Мидлтонской железной дороги, а в Стаффордшире Томас Веджвуд — человек, чья фамилия известна князю и княгине лишь по прелестным фарфоровым чашкам, уж десять лет как трудится над созданием будущей фотографии...

Но сидящая напротив супруга княгиня вряд ли доживет до своего дагерротипного изображения (да и зачем оно нам — темное, не оставляющее пространства воображению?), навсегда оставшись в веке полупрозрачной акварели. Она опускает глаза, отказываясь озвучить тайную причину своего нежелания ехать в Трокский уезд, а князь все говорит и говорит — да все не то, что хочет услышать супруга (весьма частый случай частного супружеского бытия).

Через полуоткрытое окно деревянного особняка в переулке близ Большой Дмитровки майский ветер доносит запах сирени из сада и дубленых кож — с Охотного ряда. Густо пахнет и навозом — но вонь эта является парфюмерной константой любого крупного города эпохи, и нос княгини даже не отмечает ее, как не чувствует загазованного воздуха современный москвич.

— А что доход маловат в сравнении с великорусскими деревнями, — продолжает излагать ненужное его сиятельство, — так забрось, как ляхи, имения, оставь арендаторам и останешься сам — с носом. Sublāta causa, tollitur morbus.[1] Без хозяина и дом — сирота (как многие просвещенные дворяне, князь с легкостью женит латынь с народною мудростью).

Княгиня же, перебирая унизанной кольцами рукой домашнее свое платье, размышляет не о хозяйственных нуждах его сиятельства, а о своих, знакомых матерям каждой девицы на выданье, обязанностях. Она знает — нынче летом государь, а значит и весь императорский двор, будут в Вильне. А дочь ее, княжна Авдотья, вздыхает Александра Гавриловна. — выезжает вторую зиму, однако успехи ее в свете, увы, невелики. Скромнее, чем ожидала княгиня, учитывая положение семьи и даваемое за княжной приданое. За масленичные балы княгиня смирилась было с тем, что дочери не суждено составить блестящую партию. Однако возможность сойтись с лучшими петербургскими фамилиями в обстановке, далекой от столичной чопорности, вновь оживляет ее матримониальные мечты: она переводит серые прозрачные глаза свои на князя и он наконец читает в них согласие.

---

[1] С устранением причины устраняется болезнь (*лат.*).

— Вот и славно, княгинюшка, вот и славно, — целует он супругу в еще нежно-розовую со сна щеку и быстро — покамест та не передумала — выходит из гостиной.

* * *

И никто, никто не потрудится объяснить Александре Гавриловне, что ежели государь и доберется до дальних и пыльных границ безбрежной своей империи, то лишь оттого, что многолетние слухи о войне с Буонапартом подтвердятся. А значит, и Вильна, и все западные губернии окажутся на самом что ни на есть передовом рубеже наполеоновской армии. Впрочем, сам князь следом за графом Федором Васильевичем был свято убежден, что войне с «Буонапартием» не бывать. Давние приятели по Англицкому клубу, Ростопчин с Липецким с неделю как со вкусом обсуждали выгодный мир с турками: Бессарабия присоединена к России, гордый росс, как исстари, встал на брегах Дуная. Мир, мир!

А Буонапарте — что?

— Не хватит у корсиканского выскочки наглости замахнуться на Россию-матушку, — повторяет то и дело князь. — Чай, не наполетанское королевство — откуси да выплюни.

«И не Пруссия, Австрия, Португалия и Италия», — начнет перечислять сидящая рядом с французским романом дочь его Авдотья. Но только про себя. Одно перечисление успехов «маленького капрала» приводило у старшего Липецкого к разлитию желчи и дерганью старой, полученной в турецкой же кампании, колотой раны в правой ляжке. «Далеко шагает, пора унять молодца!» — цитирует он старика Суворова, заканчивая сими златыми словами любые дискуссии о Буонапарте.

А Авдотье (как, впрочем, любой барышне ее круга) был симпатичен свежеиспеченный император: вознесшись ниоткуда, он усмирил революцию и покорил полмира, а покорив, бросил его к ногам вдовы Богарне. Помилуйте, есть ли на свете что-нибудь романтичнее? Наполеону по-

11

везло быть воплощением романтического героя в эпоху культивирования романтизма, — заметим, два с лишним века спустя никто из полководцев так и не смог его в том переплюнуть. И пусть развод двух любящих сердец немало нашу княжну опечалил, но (как писала Авдотья сердечной подруге Мари Щербицкой) трагедия императора в том и состоит: прежде вынужден он думать о процветании подвластной ему империи, и лишь засим — о личном.

Тем временем из Петербурга, из кругов, весьма близких к Аничкову, плыли в старую столицу эпистолярные сплетни: мол, сам государь Александр Павлович дважды отказал Буонапарту в супружеском — и морганатическом! — счастии. Сначала в руке великой княжны Екатерины, а два года спустя и великой княжны Анны, спешно обрученной с принцем Оранским, — лишь бы не досталась наглому корсиканцу. И об этом тоже жалела Авдотья, ибо сей отказ полностью рушил ее надежды увидеть блестящего Буонапарте средь ликующей толпы где-нибудь неподалеку от Успенского собора. О пышной императорской свадьбе мечтала княжна, не о войне.

О войне она и не думала.

* * *

Сборы в имение каждый год повторялись с привычностью кошмара. Степенный московский дом Липецких перевернут был вверх дном — двигали мебель, снимали картины и зеркала, наполняли доверху дорожные сундуки. Княгиня металась по комнатам, вздымая юбками неизбежный при великом летнем переселении сор из оберточной бумаги, веревок и сена (им прислуга обкладывала посуду и хрупкие безделушки из гостиной). Теснились во дворе подводы — какие пустые, какие уже просевшие под господским скарбом. Перекрикивались с бестолковой в предъотъездной суете дворней возницы. Жмурились, отмахиваясь от мух, разбитые лошади с подвод. Свесив языки и тяжело дыша, лежали под экипажами дворовые собаки.

А в господском доме беспрестанно что-то падало, звенело, хлопало. Хозяйская рука раздавала оплеухи щедрее обыкновенного. Николеньку с дядькой, от греха подальше отправили на прогулку по Тверскому, старшие же брат с сестрой сидели тише мышей на широком подоконнике отцовской библиотеки меж тяжелыми гардинами и зеленоватым оконным стеклом, деля меж собою крепкое берсдорфское яблоко. Они грызли яблоко, сохраненное с прошлого урожая в сухих и прохладных подвалах московского дома, и лишь переглядывались, услышав особенно громкий маменькин взвизг: совсем юные, вчерашние дети — хоть одна, ежели завтра замуж навсегда оторвется от родимого дома, а второй не сегодня-завтра отправится умирать за Отечество. Но покамест Алексей перелистывал любимых своих философов, а Дуня, сдвинув рыжие брови, вчитывалась в брошюрку некоей Олимпии де Гуж (опусы Олимпии, почти двадцать лет запрещенные во Франции, тайно были вывезены Алексеем на дне сундуков из Европы).

«О, женщины! Когда же вы прозреете? — читала княжна Липецкая, девятнадцати лет от роду, а молодой князь Липецкий, двадцати двух годов, прятал улыбку, видя ее озадаченное лицо. — Что получили вы от Революции? Или вы боитесь, что наши французские законодатели снова спросят: "Женщины, а что же у вас общего с нами?" — "Все", — ответите им вы». Авдотья растерянно оглянулась на брата, но тот сделал вид, что крайне увлечен Phänomenologie des Geistes[1]. Сдержав пораженный вздох, она вернулась к книге.

— «Довольно прятаться за спиной у мужчины! Что есть брак, как не могила доверия и любви?» — продолжала мятежная Олимпия. Дуня испуганно вздрогнула. Могила?! Доверия и любви?!

Тем временем за стеной библиотеки происходила сцена, вполне иллюстрирующая страстные воззвания мадам де Гуж. Утомленная сборами Александра Гаври-

---

[1] «Феменология духа» (*нем.*) — работа Г.В.Ф. Гегеля.

ловна в сердцах не удержалась и выдала не успевшему укрыться в Англицком клубе папеньке истинную причину своего нежелания отправиться на лето в бывшие польские земли — в Трокский уезд.

— Бесстыдники! — подбородок княгини дрожал от возмущения. — Вводят своих любовниц в порядочный круг, возят на балы!

Княгиня отчаянно ревновала: о ту пору полячки имели репутацию роковых соблазнительниц. А российские орлы — недавние покорители Польши — с легкостью ловились на крючок и вознаграждали себя за военные победы. Почитая (всуе) супруга отчаянным ловеласом, княгиня не желала вновь оказаться рядом с обольстительной приманкой. И пусть в барском доме и в ближайшей к дому деревне барыня «искоренила искус», заселив их людьми из своего калужского имения, опасный соблазн так и витал в воздухе западных губерний.

— Ангел мой, Господь с тобою, — преодолевая некоторое сопротивление, князь прижал седеющую голову ее сиятельства к своей груди. И пока супруга что-то жарко шептала в его бархатный жилет, замер, потерянно глядя в мертвый зев камина. Он знал, что сильно виноват перед женой. Но знал также, что амурные дела не имеют к его постыдной тайне никакого отношения. И что уж лучше прослыть ветреником, чем открыть своей Александрин страшную истину.

* * *

Наконец провожаемые толпой дворовых во главе со старой нянькой, со слезным поцелуем приложившейся к барынину плечу, с Божьей помощью выехали со двора и медленно, вслед за такими же вереницами семейных помещичьих обозов покатились в сторону летних своих резиденций. Княгиня расправила юбку дорожного платья и вздохнула, оглядываясь на городской свой дом. Она знала, что прислуга, в последний раз истово перекрестив бар на дорожку, вмиг изменит

14

строгому домашнему распорядку: праздный лакей сядет у крыльца бренчать на балалайке, горничные примутся точить лясы у ворот. Мимо них, щелкая орешки, будут прохаживаться приказчики из ближней лавки. Москва на лето плотно захлопнет ставни, опустеет и притихнет. В садах за бланжевыми, охряными, кофейными фасадами станут заливаться разве что соловьи да голосить по барским прудам лягушки, вырастет вдоль мощеных дорог никем не скашиваемая трава... И еще явственнее станет ее деревенская суть.

Вглядимся вслед за княгиней из окна дорожной кареты назад и мы. И вздохнем — но о другом. Через четыре месяца той Москвы, которую знает ее сиятельство, не станет.

ГЛАВА ВТОРАЯ

Цвети, в виду двойной лазури
Родных небес, родной реки
Затишье, пристань после бури
И мрачных дней, и дней тоски.

Петр Вяземский

В то время планета наша весила на несколько миллиардов душ меньше, небеса населяли лишь птицы да ангелы, землю — исключительно натуральный, а не искусственный — разум. И потому та жизнь кажется нам сейчас более наполненной свободным пространством, воздухом и покоем. Мы смотрим на нее через призму времени, полного живописных нюансов, — у картинки отсутствует четкость, но сила воображения делает прошедшее в сто раз привлекательнее нашей отфотографированной и растиражированной реальности. Оглядываться, писал Бродский, занятие много более благодарное, чем смотреть вперед. Добавим: попытка заглянуть в далекое прошлое помогает забыть настоящее — тем и ценно.

И вот мы пристально, до рези в глазах, всматриваемся в растекающиеся во все стороны от древней столицы пылящие караваны. Подобно современным дачникам, московские баре отбывают в летние свои резиденции — подобно, однако с бо́льшим размахом. По Литовскому тракту, через Смоленск, всю тысячу без малого верст, едут они без спешки, со всевозможным комфортом располагаясь в шатрах и палатках, откушивая чем Бог послал — а точнее, предусмотрела кухарка: жареной телятиной и индейкой, пирогами с курицей и мясом, сдобными калачами с запеченными в них целыми яйцами. Останавливаются у гостеприимной провинциальной родни дней на пять... А после вновь трогаются в путь, в тщетной попытке спастись от вездесущей пыли плотно задергивая шторки безразмерных карет.

Перед каретой, в которой сидели трое младших Липецких, мерно покачивался высокий кузов родительского экипажа. Алексей, с серым от пыли лицом, дремал. Николенька, дюжий и неуклюжий, как медвежонок, с детской радостью приветствовал каждый замеченный издалека верстовой столб. Одна Авдотья не могла ни заснуть от жуткой тряски, ни должным образом сосредоточиться на иной, после страстной Олимпии, книге. «Женщина рождена свободной и равной в правах мужчине, — крутилось в ее голове, и Дуня все не могла понять, как ей к этому относиться. — Мужчины, способны ли вы быть справедливыми? Этот вопрос задает вам женщина. Вы не можете приказать ей молчать. Скажите мне, кто дал вам право унижать мой пол? Ваша сила? Ваши таланты? Взгляните на нашего Мудрого Творца, на величие природы, к гармонии с которой вы стремитесь, и, если сможете, найдите еще хоть один пример такого же деспотизма».

Дуня смотрела на создание нашего Мудрого Творца за окном экипажа и, размышляя над мадам де Гуж, день ото дня чувствовала, как постепенно теплеет воздух вокруг.

И вот, спустя три недели после выезда из Первопрестольной, перед умиленным взором путешественников возникли родные леса и пущи. Зашелестели сады: уже отцветшие, но здоровой июньской зеленью обещавшие хозяевам недурной урожай сапежанских груш, мирабели и шпанской вишни.

Дуня любовно вглядывалась в живописные холмы, взблескивающие солнечной искрой в низинах озера с замшелыми валунами: разнообразный пейзаж, ничего общего не имеющий с калужским их имением, где в обе стороны от дороги уходила одна плоскость вызревающих полей. Здесь же, в бывшей Речи Посполитой, владения непокорной шляхты были розданы преданным великорусским родам, и жизнь текла хоть и провинциально-сонно, но все-таки иначе, чем в российской глубинке. Сама шаткость, недавность принадлежности этой земли к империи придавала ей нерусскость, отличную, как и здешний пейзаж, от горизонтали российских степей. То была вполне европейская, не режущая глаз экзотика, как легкий польский акцент во французском у местной аристократии. Это-то и нравилось Авдотье, никогда не выезжавшей за границу (скучные воды не в счет).

Сейчас она, отбросив дорожную скуку, приподнявшись над сиденьем и высунув голову в окно, на спор с младшим братом ждала, когда за следующим поворотом покажется Приволье: сначала ворота, а за ними — начисто выполотая к барскому приезду и посыпанная светлым речным песком, по обе стороны обсаженная старыми липами подъездная дорога. В конце ее вырастала громада главного дома. Огибая внушительных размеров крыльцо, поднималась к палладиевскому фасаду о четырех колоннах парадная лестница. Дом, будто корабль, торжественно вплывал в липовую аллею. Правое и левое крылья здания откинуты были назад, другая сторона усадьбы служила уютным пристанищем для семьи и друзей. Замкнутый мир, построенный вокруг круглого пруда и спускающегося к речке парка с беседкой.

— Вон, вон ворота! — вскричал Николенька.

И правда, показались ворота, наследие непокорного пана, которому раньше принадлежали и эта земля, и этот дом, пусть и изрядно перестроенный маменькиными (и итальянского архитектора) стараниями.

За воротами с поросшими мхом львами уже собралась дворня, и Авдотья затормошила погруженного в немецкий роман старшего брата:

— Алеша, мы приехали, приехали! Да оторвись же ты, смотри, красота-то какая!

18

Брат послушно перевел глаза от готических строк к зелени подъездной аллеи: меж стволов старых лип мелькал во всполохах солнца травяной ковер в россыпи мелких белоснежных маргариток, а дальше, по левую руку от приезжих, темнела знаменитая на весь уезд роща с трехсотлетними дубами.

* * *

По приезде каждый занялся своими делами: батюшка уединился в курительной с управляющим, матушка раздавала приказы разбирающей пожитки дворне.

— Акулька, аккуратнее, не разбей! — доносилось с крыльца. — Ах, Боже милостивый, что с тобой нынче, Кондрашка, неси это на кухню!

Стараясь не попасться матери на глаза, трое младших Липецких прокрались мимо неплотно затворенной двери кабинета. Оттуда слышен был сухой стук костяшек деревянных счет и бубнящий голос Андрея, барского управляющего:

— За мельницу — тысяча рублей. Залогов из казны обратно — десять тысяч. Сена можно продать семь тысяч пудов — кладем по сорок пять копеек за пуд. Из сих денег десять тысяч в Совет за Приволье...

Алеша, поморщившись, потянул сестру за руку — дела хозяйственные вызывали у него явное отвращение. Николенька уже бросился вперед, более всего на свете боясь, что родители усадят его за зубрежку стиха из Сумарокова, а то и за чтение «Истории России». Гувернер его, месье Блуа, остался страдать от инфлюэнцы в московском доме, и младшее сиятельство не без оснований надеялся, что с известной ловкостью сумеет избежать частых педагогических порывов любящих родителей. Радостно помахав старшим брату с сестрой, он вылез прямо из французского окна в малой гостиной и вприпрыжку побежал на псарню — осматривать свежий щенячий помет. Алеша же с Авдотьей вместе прошли через центральную ротонду к низкому широкому крыльцу с другой стороны дома, где, не сговариваясь, взялись за руки.

— Ах, Алеша, как хорошо! — Дуня глубоко вздохнула и зажмурилась.

Началось привольное лето. Хотелось, как Николенька, вприпрыжку обежать все знакомые места — от ручья с резным мостиком до лебединого домика и ежевичных зарослей внизу у речки.

— Погоди, — протянул брат, отпустив ее ладонь. — Неужто думаешь резвиться, словно неразумное дитя?

Дуня даже не обернулась, заранее зная, что он собирается сказать.

— Ведь мы тут по твоей милости, ма шер. Больше никаких игр в горелки. Вспомни-ка лучше о запертых в сундуках муаре и гризете да о тоскующих по казармам бравых уланах да гусарах! Каков выбор нынче в Вильне: сам государь и гвардия!

— Сам вспомни-ка лучше о колете своем да рейтузах! Больше никаких философов, братец! А то натянул бы мундирчик и отправился б со мною в Вильну повидать будущих товарищей!

И зная, что теперь-то уж они, наверное, испортили друг другу настроение — donnant donnant[1] (взялся язвить, так уж сестра тоже за словом в карман не полезет), — Дуня показала ему беззлобно язык и сбежала по пологим ступеням в сад.

* * *

Ужинать сели засветло, распаренно-ленивые после смывших многодневную пыль ванн и переодетые в чистое. Расположились вчетвером (Николенька с дядькой столовничали на детской половине) за круглым столом в малой столовой. Ставни по Дуниной настойчивой просьбе были приотворены, впуская вместе с июньской мошкарой-кровопийцей медово-свежий запах жасмина

_____
[1] Услуга за услугу (*фр.*).

и приторный — бенгальских роз. Поглядывая в высокие окна на нежнейший закат за речкой, привычно выискивали среди розового и золотого блистающую нездешним светом комету.

Что предвещала она, отчего светила бедой в очи? Все — от простолюдина (откровенно) до государя (втайне) — веровали, что небесное тело не просто так возникло на божественном небосводе. Это был знак, но что он означал, было неведомо. Хорошего, по русской традиции, не ждали. Хорошего, по той же традиции, и не произошло.

В вечернем свете, чью мягкость не могло испортить даже висевшее на горизонте страшноватое небесное тело, маменька с папенькой — он в старом мундире своего полка, она — в не туго затянутом витым шнуром капоте — казались братом и сестрой. Столь похожими супругов делают лишь многие годы совместной жизни. Да и обращались они меж собою давно уже с родственной нежностью — чуть нервной у маменьки, снисходительной — у отца. Казалось, если идеальная пара и ссорилась, то лишь по причине карточных долгов отца (впрочем, необременительных для их изрядного состояния) и мелких вспышек ревности матери. Еще одним семейным камнем преткновения оказалось полное отсутствие интереса старшего сына к военной службе. Четыре года в Гёттингенском университете, выторгованные Алешиным молчаливым упрямством и маменькиными слезами, не оградили его полностью от исполнения долга дворянина. И потому перспектива службы висела над Алешей подобно дамоклову мечу.

Следующей в списке родительских забот стояла дочь: канонам красоты не соответствовала, кротостью нрава не отличалась. И потому могла более рассчитывать на свое немалое приданое, чем на страсть претендента. Тема замужества, вздохнула про себя Авдотья, еще не раз будет поднята маман за семейным обедом, но — тут Дуня встряхнула влажными после мытья рыжими кудрями — пусть! Все равно впереди череда беззаботных дней, прозрачных и душистых, как свежий липовый мед. Домашние радости и невинные удовольствия средь сельских красот. Ведь то, что в столицах являлось невозможным и предосудительным, в деревне было и возможно, и прилично. Возможно — не размышлять часами о своем дневном туалете, прилично — не делать замысловатых причесок. Рано ужинать и рано ложиться. А также кататься верхом, купаться, как нагреется в июле вода в купальне, и читать (Авдотья еще в апреле заказала себе книги у де Морея и теперь с нетерпением ждала их приезда: как бы не побились).

После ужина княжна, поцеловав папенькину руку и получив от него ответный поцелуй — как клюнул в лоб, — ушла к себе. Дунина девушка, Настасья, заплела ей на ночь косу.

— Опять... — вздохнула барышня, вглядываясь в посмевшие высыпать за время пути ненавистные веснушки.

В те времена и еще сто с небольшим лет с момента описываемых нами событий, правила оставались незыблемы: ручки и лица крестьянок были черны от загара, прачек и кухарок — красны, и только барышни были белы, как лелейные лилии, ибо не знали работы, а знали, во всякое время года — перчатки и шляпки с капорами (расскажи кто нашей княжне о современных уловках искусственного загара и модных на парижских подиумах фальшивых же веснушках, Авдотья бы ему просто не поверила).

— Небось, — отвечала тем временем на вопросительный взгляд хозяйки Настасья, позевывая и мелко крестя рот. — Огурцом выведем. Никто и не приметит. — И добавила: — А косу вашу ореховым отваром полоскать станем, так потемнеет.

Авдотья с надеждой вскинула глаза: неужто есть надежда сменить отвратительный рыжий на благородно-каштановый?

— Все женихи наши будут! — подмигнула ей Настасья в зеркало. — Давайте, барышня, в постель. Утро вечера мудренее.

И, чувствуя, как Настасья подтыкает вокруг нее одеяло, Авдотья мгновенно провалилась в сладкий сон.

Лучи летнего солнца через щели в портьере добрались до Авдотьиной постели, жаркой полосой легли на щеку, отразились от бока медного чайника — полыхнули в глаза.

Дуня проснулась. Чай в постели в неге июньского утра — вот оно, начало ее долгого счастливого лета.

Отставив чашку, Авдотья зажмурилась и, блаженно потянувшись, кликнула Настасью. Та вбежала, раздернула гардины. Дала хозяйке умыться, поднеся под конец кусок льда с ледника, чтоб та натерла им щеки: для нежного девичьего румянца. Настасья же помогла застегнуть пуговки легкого голубого платья.

— Сундуки-то ваши, барышня, еще не все разобрали. То, что есть. Да вам и идет. — Настасья усадила хозяйку перед зеркалом.

Авдотья взглянула на разрумянившуюся безо всякого льда Настасью. Вот уж кто хороша: ровные брови вразлет, блестящие черные глаза и тяжелая каштановая коса. Для Дуни не было секретом, почему маменька определила ей в девушки эдакую крестьянскую Венеру: Александра Гавриловна рассчитывала, что расцветающая мужественность Алексея не пропустит хорошенькой горничной. Мальчики должны становиться мужчинами и лучше уж с проверенной девушкой в доме, чем с особами с определенной репутацией на Сретенской горке. Настасья была не против: молодой барин ей нравился, а кому не придется по нраву такой молодец? И нарочно сталкивалась с Алексеем в коридорах, будто невзначай прижимая его к стене налитым бедром. Впрочем, мечтательный Дунин брат, к великой Настасьиной досаде, не обращал на ее демарши ни малейшего внимания.

И вот сейчас Настасья расчесывала вьющиеся волосы юной княжны — рыжие, тонкие, некрасивые — и вздыхала про себя. Где справедливость? Почему вся краса в семье досталась старшему? Мужчине, а не девице, для которой она в тысячу раз важнее? Сама Дуня также с привычным неодобрением вглядывалась в маловыразительное свое лицо, в очередной раз констатируя: никто не возьмет ее по любви! Уж больно дурна.

Тут стоит отметить — век девятнадцатый, романтический, унаследовал от рационального восемнадцатого четкость определений — вплоть до описания «истинной» красоты. Шаг влево и вправо, который мы держим за оригинальность, не признавался. Так, «Словарь любви» господина де Радье педантично перечислял все тридцать признаков идеальной красавицы, где на первом месте была заявлена «молодость», а на последнем, тридцатом, «скромная походка и скромное поведение».

И с тех пор любая просвещенная девица сверяла по сему словарю совершенную внешность со своей, несовершенной.

Авдотья будучи сама с собою честной нашла у себя более двадцати расхождений из тридцати — включая то самое «скромное поведение». Увы, лицо княжны было совершенно не во вкусе ее эпохи, чтобы убедиться в этом, достаточно изучить поэтические описания той поры.

> Я помню очи голубые,
> Я помню локоны златые, —

пел Батюшков.

Ему вторил Баратынский, почти слово в слово повторяя навязчивый идеал:

> ... Власы златые
> В небрежных кольцах по плечам,
> И очи бледно-голубые.

До появления первой романтической брюнетки — Татьяны Лариной — оставалось еще тринадцать лет. Немудрено, что Авдотья не на шутку комплексовала: где златые локоны? Где нужного цвета очи? Рот слишком велик. Подбородок — остер. Плюс широкие, доставшиеся от отца мужские брови, тогда как в моде были тонкие, с еле заметным изгибом. Выщипывать их, по введенной Руссо моде на естественность, было не принято, так что бедная моя княжна застыла меж Сциллой и Харибдой —

24

необходимостью соблюдать натуральность и тем трагическим фактом, что ее натуральность не подпадает под идеал.

А покамест Дуня привычно кручинилась, Настасья заколола последнюю шпильку в узле на затылке. Нетерпеливо дернув головой на попытку пригладить влажной ладонью мгновенно выбившийся легкий вихор, — и так сойдет! — мельком улыбнулась Настасье и выбежала из комнаты.

Завтрак был уже подан: на круглом столе кипел самовар; на подносе лежала целая горка домашнего печенья; рядом — нарезанный ломтями холодный ростбиф. Кроме ростбифа (папенька любил завтракать плотно) подавали горячее молоко, кашу, теплый хлеб, яйца и мед. Княгиня заваривала китайский чай в высоком чайнике и разливала домашним с густыми сливками, сама сливочно-нежная в утреннем белом шалоновом[1] капоте и в придерживающей косу кружевной головной накидке. По обе стороны от нее сидели старший сын и супруг. Алексей, судя по платью, успел совершить утреннюю прогулку и нынче держал в руках книгу в красном кожаном переплете. Дуня мельком глянула на название — то была поэзия, что верно более, чем тяжеловесная философия, соответствовало нежному июньскому утру. Сергей Алексеевич, в халате и в бумажном[2] колпаке, уж допивал свою широкую, похожую на полоскательную, чашку.

— Хорошо ли спалось, душа моя? — поцеловала Александра Гавриловна дочь в лоб и, не дождавшись ответа (разве можно плохо спать в Приволье?), продолжила начатую с мужем беседу: — С завтрашнего дня и начнем. С Дзенгелевских и Габих?

Отец поморщился: соседей-шляхтичей своих он недолюбливал, как и они его. С поляками, говаривал князь, должно иметь мягкость в приемах и твердость в испол-

---

[1] Шалон — разновидность легкого шерстяного сукна.
[2] То есть хлопчатобумажном.

нении. Впрочем, и Александра Гавриловна чувствовала себя с польскими соседями скованнее, чем с Щербицкими и Дмитриевым. Но делать нечего: кроме репутации доброго соседа, визиты вежливости важны были и для получения свежих новостей и сплетен: те, что приходили вместе со столичными газетами, запаздывали почти на месяц. А государь уже в Вильне...

Догадавшись по материнскому смущению о ее мыслях, Дуня пожала плечами:

— Мы с Алешей могли бы, как спадет роса, поехать к Щербицким. Через лес это верст семь, не боле. Узнаем все новости и вернемся к чаю. Да, Алеша?

Брат рассеянно кивнул, как всегда, склоняясь перед живой настойчивостью сестры. Ехать он не желал — стоило ему появиться в любом из соседних имений с девицами на выданье, как мамаши принимались задавать ему многозначительные вопросы о будущем, папаши — хлопать по спине, а их дочери — жеманно улыбаться.

Тем временем княгиня обменялась с Дуней предостерегающим взглядом: Мари Щербицкая лет с двенадцати была влюблена в Алешу, но маменька к той семье относилась с осторожностью: в Петербурге Щербицкие жили на Английской набережной, на широкую ногу, но дела их, по слухам, были весьма расстроены, имения перезаложены, а приданое обеих дочерей таяло на глазах, проматываемое отцом, помешанным на трюфелях и прочих гастрономиях. Надежды на получение наследства также были невелики: дед Щербицкий столь страстно любил французскую оперу, что вот уж пять лет сожительствовал в роскоши с французской же певичкой. Однако Дуне, лишенной матримониальных расчетов, казалось, что девицы Щербицкие чудо как хороши. Кроме того, всю зиму они с Мари и Анетт обменивались письмами, комментируя кавалеров на рождественских и масленичных балах. Но ведь в письмах всего не напишешь...

— Что ж, — решилась княгиня, — дело хорошее. Развеетесь. Алешу от книг оторвешь. — И мать повернулась к супругу: — А я займусь теплицей, мон шер.

26

Сказано — сделано. Бодро выехали: Алеша — на своей рыже-чалой английской лошадке, Дуня — на ласковой мышастой Ласточке. Не доезжая до ворот, свернули с аллеи к дубовой роще. Там лошади пошли шагом.

— Ну неужели тебе совсем, совсем не нравится Мари? — не унималась Дуня, заглядывая в мечтательные, серые, как и у нее, глаза брата. Блики солнца дрожали на бежевом фраке, но цилиндр оставлял все лицо, кроме подбородка, в тени. И, близоруко щурясь, она видела лишь улыбку, весьма ироничную. — Или тебе нравится Анетт?

— Барышни Щербицкие похожи на черных галок, — сказал Алеша, легонько шевельнув поводьями. — Болтают так много и так неумно, что я, ма шер, сразу начинаю подле них страдать мигренью. Согласись, сложно в таком состоянии сделать выбор.

— Неправда! — пылко вступилась за подруг Авдотья. — Мари схожа с мадам Рекамье, а у Анетт дивный цвет лица и зубы, как жемчуг.

— Еще добавь про уста, как кораллы, — засмеялся Алексей.

— И добавлю! И глаза — ты заметил, какие у обеих глаза? И ровные брови, и щеки с ямочками. (Девицы Щербицкие, как уже понял читатель, почти полностью подпадали под идеальный образ из «Словаря любви»). — Дуня опустила глаза на руки в лайковых перчатках, от обиды на судьбу слишком крепко сжав поводья.

— Так ты едешь к нашим записным прелестницам, чтобы в очередной раз увериться, что ты дурнушка?

— И вовсе нет! Они мои подру...

— Они твои соперницы, mein Herz[1], — перебил Алексей. — По крайней мере, покамест ты не найдешь себе мужа. А вот к чему тебе с ними соревноваться?

— О чем это ты?

— Вряд ли когда-нибудь твои глаза станут небесно-голубыми, а уста — коралловыми, — безжалостно припечатал брат. — Но у тебя есть Приволье.

---

[1] Сердце мое (*нем.*).

— При чем тут, скажи на милость, Приволье? — нахмурилась Дуня.

— Приволье. И дом в Москве. И калужское имение. Все эти сотни крестьянских душ, и пахотные земли, и сады...

— Я не понимаю тебя... — Она даже остановила подрагивающую ушами кобылу — будто и Ласточка не могла уразуметь, куда клонит молодой хозяин.

— Ты независима, mein Herz, — цокнул брат, понукая и свою, и сестринскую лошадок, — ты богата. Так к чему выходить замуж, коли сама знаешь, что некрасива и суженый станет волочиться за одним твоим приданым?

Дуня не отвечала, с трудом сдерживая слезы. Неужели даже любящий брат не способен найти в ней достоинства, которых не замечают чужие равнодушные глаза? И все же, все же... Алешины слова эхом перекликались с размышлениями мадам Олимпии.

— Можешь заняться управлением имением, — продолжал тем временем он. — Я с удовольствием предоставлю тебе эту честь после смерти батюшки. Иль заделаешься новой мадам де Сталь. Николенька, к вящей радости папá отправится маршировать в гвардию, а мы будем делить хлеб и кров. Собираться за ужином и иногда за обедом...

— Ты, похоже, уже все обдумал? — Авдотья неверяще смотрела на брата. Нет, не случайно он привез ей в Москву брошюрку Олимпии. — А как же дети? Или для тебя нет супружеского счастья? Пусть прошла страсть, но остается нежная привычка, и...

Алексей поморщился:

— Да-да, я помню. Это когда супруги окончательно и бесповоротно погружаются из поэзии в область прозы? Он целует тебя в щеки, ты его в лоб, а разливая ему чай, ты прихлебываешь немножко, чтобы знать, довольно ли он крепок и подслащен. Иногда ты садишься за клавикорды, а супруг, облокотясь на стул, слушает тебя с умилительным вниманием, переворачивая листы нотной тетради. Все? А, нет, совсем запамятовал о резвящихся в саду маленьких ангелах. Довольно тебе?

— Так что ж? — обиженно взглянула из-под шляпки Авдотья. — Мадам де Гуж права? И брак — могила доверия и любви?

Алексей пожал плечами:

— Нет, это ты лучше скажи: зачем учила географию и мировую историю? Поверь, mein Herz, все твои претенденты в мужья искренне убеждены, что если женщине и нужна грамота, то разве что для написания любовных посланий!

— Неправда! — вспыхнула Дуня. — Смолянки учат и математику, и химию, и физику, а за одну из них сватался сам Гаврила Романович!

— Еще одно подтверждение моей правоты, — пожал плечами брат. — Сколько их, Державиных, на всю Россию-матушку? А остальные, лишь узнав о девице, что та «грамотница», обегают ее за версту!

— Да? А я уверена, что мадам де Гуж, хоть и грамотница, а вышла замуж и уже воспитывает внуков! — выпустила последнюю стрелу Авдотья. И пожалела.

— Мадам де Гуж, — усмехнулся Алексей, — отказалась от блестящей партии, поскольку во Франции жена обязана получать одобрение мужа, прежде чем печатает свои произведения, а для нее сие было неприемлемо. И бабушкой стать она не успела.

— Отчего же?

— А оттого, mein Herz, что Революционный трибунал отрубил ей голову.

Некоторое время они ехали в тишине. Дуня молчала, впечатленная судьбой Олимпии и той печалью, что звучала в голосе брата. А меж тем судьба наделила его всеми дарами: умом, внешностью, положением в обществе... «Возможно, — думала она, — в Германии он, подобно юному Вертеру, полюбил? И сейчас Алешино сердце разбито?»

— Судя по твоему молчанию, mein Herz, шансы мои на сельскую идиллию а-ля Руссо невелики, — прервал ее мысли брат. — Ты, вопреки возможному счастию, исполнишь положенную роль жены и матери. А я отправлюсь на войну с персами или вот еще — с французом. И мне оторвет ядром ногу, а лучше уж — сразу голову.

— Не говори глупостей! — Дуня была рада, что разговор ушел в сторону. — Не будет никакой войны, а твоя дурная голова не нужна даже турецкому ядру...

Последнюю фразу она крикнула, пустив свою лошадь в галоп — только бы не продолжать страшного разговора. Мысль, что брат может погибнуть или вернуться калекой, была невыносима. Ни картечь, ни удар сабли не смели изуродовать этого лица с правильными античными чертами. С грустью подумалось, что мечта о любви, которую она лелеяла в глубине души, была невозможна для нее, дурнушки. Зато более чем доступна красавцу Алеше. И вот парадокс: похоже, ему она вовсе и не нужна.

* * *

Анетт и Мари тотчас же увлекли Авдотью в малую гостиную, предоставив Алексею обсуждать со старшим Щербицким герцога Ольденбургского с графом Аракчеевым. Скрываясь за дверью, Дуня почувствовала себя виноватой: Алешино лицо чуть не позеленело от предстоящей дискуссии на ратные темы — войну он ненавидел, чем вызывал в лучшем случае недоумение, а в худшем — пренебрежение среди патриотически-восторженной молодежи. Увы! Здесь, в Трокском уезде, никто не мог, да и не желал поддерживать беседу о «Über das Erhabene»[1].

— Надобно успеть поболтать, покамест не позвали к обеду... — усадила Авдотью в кресло Мари. Княжна оглядела подруг скорым, но цепким взглядом. Москва неплохо снабжалась модным товаром, но между Кузнецким мостом и Невским проспектом все еще существовал некий зазор, и Дуне никак нельзя было выказать себя провинциалкой. Никаких «Журналь де дам» не требова-

---

[1] «О возвышенном» (*нем.*) — эстетический трактат Ф. Шиллера.

лось: кивая сестрам, Авдотья впитывала ультрамодные детали, чтобы после поделиться ими с верной Настасьей. — У нас столько новостей!

— Мы вчера были в Вильне! — выпалила Анетт. — Видели государя!

— Граф Беннигсен устроил праздник в своем имении в Закрете!

— Бал был блистательный — и туалетами, и освещением. Светло, как днем!

— А сколько цветов, Эдокси!

— У каждой дамы по букету у куверта!

Авдотья, переводя взгляд с Анетт в розовом на Мари в бледно-лиловом, некстати вспомнила нелестную характеристику, данную братом. Нет, конечно, не галки, а райские птицы, но...

— А у графини Закревской из декольте выпала грудь — прямо в тарелку с заливным! — перебила ход ее мыслей Мари. — Сама Закревская! И с грудью среди телячьих мозгов!

— Так не поверишь, она даже не прервала беседы с прусским посланником — обтерла ее салфеткой и уложила обратно в платье! Ни на йоту конфузливости — настоящая светская львица!

— А еще был фейерверк и катание на лодках! — продолжала захлебываться впечатлениями Анетт.

— И государь, ах, какой красавец, Эдокси! Стройный, высокий, глаза голубые, белокурый!

— А как ему идет форма Преображенского полка!

— Уже месяц живет в Вильне, и, право, город не узнать! Весь день он на смотрах и маневрах, вечером увеселения...

— А как же Буонапарте? — прервала поток славословий Дуня.

— Все говорят о войне как о деле решенном! — отмахнулась от неприятного вопроса Анетт.

— Папа́ твердит, что если что и начнется, то и закончится тут, в западных губерниях. Нет никакой опасности для собственно русских земель. Наши молодцы дадут решительное сражение, и Наполеону ничего не останется, как сдаться, — пожала плечами Мари, явно повторяя слово в слово сказанное папенькой.

— Если наша гвардия сражается так же хорошо, как танцует... — мечтательно добавила Анетт. — Ах, Эдокси, мы ни разу так хорошо не проводили время, как этим летом! Даже масленичные балы в Аничковом, хоть и никакого сравнения, но зато чопорные, а тут видишь государя так близко, никто не кичится, все наслаждаются катаниями в открытых колясках, и теплыми летними вечерами, и музыкой...

— А впереди еще все лето! Подумай только, Эдокси! — И Мари облизнула губы, как кот перед сливками. — Целое лето!

* * *

По будням у Щербицких накрывали приборов на сорок. Взлетали парусами белоснежные скатерти. Звенел, ударяясь о русское серебро, французский фарфор. Слуги без суеты расставляли бутылки и графины (никаких дешевых цимлянских вин и самодельного шампанского из смородины! Из Петербурга загодя были отправлены в усадьбу токай и рейнвейн, малага и мадера, а также вездесущая вдова некоего Клико). Одновременно со звоном брегета Щербицкого-отца раздался звук колокольчика, и дворецкий провозгласил: «Кушание подано». Счастливый родитель Анетт и Мари — Лев Петрович — первый занял место во главе стола. Подле него, прошелестев платьем, села супруга. А далее — дочери, гости, приехавшая навестить дальняя родня и приживалки, столь древние, что продолжали по моде изящного и пошлого XVIII столетия туго стягивать себе талию, и чуть поскрипывали при ходьбе (в описываемую краткую эпоху к страстному дыханию возлюбленных не добавлялся много менее романтичный скрип корсета — единственно по той причине, что корсет был отменен и женщины, как рабы, извлеченные со своей галеры, пару десятилетий дышали свободно). Слуги ловко отодвигали стулья, на которые опускались более или менее объемные седалища. На противоположном от сына конце стола поместился отец Льва Петровича — согбенный годами, но не нравом генерал Щербицкий со своей французской певичкой, кою прочие дамы привычно игнорировали. Мельком перекрестившись — как говорится, машинально — приступили к трапезе. Лакеи бросились разносить тарелки по чинам, зажевали уста, загремели приборы, полилась, разбавляя благородное вино, в бокалы сельтерская (в жесте, который безжалостно осудят современные сомелье, в то время не было ничего провинциального: водой разводил рейнвейн Байрон, ему вторил, разбавляя шампанское, один из Людовиков). Фимиам от телячьих волованов смешивался с запахом душистой кельнской воды (от всех мужчин) и ароматом резеды (от большинства дам) — тем, кто алкал разнообразия парфюмерных ароматов следовало запастись терпением. Примерно еще на полвека. В разных концах стола пошла своя беседа

— Год высокосный, мон шер, всего ожидать можно... Как в Каракасе земля тряслась[1] — так бы и с нами, грешными...

— Мужик нынче пошел умный — ни в какую работу употреблять меня уж не извольте, говорит, а оброк положите, какой сами знаете. Вот я и положил...

— ...сия дама пишет весьма занимательно, однако ж предпочла остаться анонимом — подписывается «Леди»...[2]

Всякий раз, как лакей вносил новое блюдо, сквозняк приподнимал легкую штору высокого окна, трепетали воздушные рукава ампирных платьев дам и легкие, как пух, старческие бакенбарды Щербицкого-отца.

Напротив Авдотьи оказался еще один добрый их сосед — барон Габих. Очень высокий, с длинным яйцео-

---

[1] 26 марта в столице Венесуэлы, городе Каракасе, произошло разрушительное землетрясение.
[2] Речь идет о первой публикации Джейн Остин, романе «Чувство и чувствительность».

бразным голым черепом, он вечно щурил черепашьи глаза, даже когда не держал в руках лорнета. Барону было за сорок лет, однако он еще очень молодил себя и под идеально пригнанным фраком явно носил корсет (талия в те годы считалась таким же мерилом и мужской привлекательности, как нынче развитый трицепс). Авдотье Габих был любопытен: хотя бы тем, что никогда не говорил глупостей. В отличии, к примеру, от хозяина дома — мужчины не великого ума, сосредоточенного большею частию на жизни своего желудка.

— Алмаз кухни! — кипятился, перекрывая прочие голоса, Лев Петрович. — Почему же нельзя найти его в российских дубровах? Неужто наши хавроньи глупее итальянских?

Габих с непроницаемым лицом кивал, а лакей серебряной лопаточкой перекладывал с блюда на тарелку севрского фарфора ломтик заячьего паштета.

— Возьмите, барон, к примеру, сей паштет! Ведь каково бы ни было его основание, наполненный трюфелями, он становится как табакерка, осыпанная бриллиантами!

— Трюфли! — хмыкнул старик Щербицкий с другого конца стола. — Неспроста их свиньи в грязи ищут. — Он недобро сощурился. — Зря стараешься, не выйдет амуров у французского foie gras[1] с православной кулебякою!

Рядом сидевшая певичка-француженка испуганно взглянула на старика, и тот успокаивающе накрыл ее белоснежные полные пальцы своей увитой синими венами рукою. Все дамы за столом, кто с усмешкой, кто с брезгливой гримасой, не преминули заметить этот жест. А Авдотья обменялась смеющимся взглядом с братом — сам старый генерал и был той самой кулебякой, живущей во грехе со своим французским деликатесом.

— А как по мне, ничего лучше штей нет, а без них и телячья похлебка сгодится, а то и рассольник с курицей! —

___

[1] Ф у а г р а (жирная печень) (*фр.*). Специальным образом приготовленная печень откормленного гуся или утки.

продолжал генерал. — А бабка сего (тут, отлепившись от французской ручки, кривоватый от артрита перст указал на хозяина дома) гурмана, покойная Марфа Яковлевна, так и вовсе без каши дня не могла прожить. Обожала ее — и манную, и пшенную, и крутую, и размазню, с изюмом, с грибками, с мозгами да со снеточками...

Мари, чуть закатив глаза (разговор все дальше уходил от изысканной гастрономии), заметила:

— В прошлом году папа хотел натаскать наших гончих на грибную охоту. Давал щенкам лизать свои руки в трюфелях и выбирал самых к делу пригодных. И что вы думаете? Ни единого гриба не нашел — все сызнова выписал из перигорских лесов.

— К слову, о трюфелях, — пригубил барон венгерское. — Как вы знаете, император — их большой поклонник.

— Государь? — вскинулся Щербицкий, ободренный неожиданной поддержкой своей невинной страсти в высоких сферах.

— О нет. Я говорю об императоре Буонапарте.

— Этот воссевший на престоле Людовика маленький поручик имеет такое же право на императорство, как и я, — нахмурил брови Щербицкий и, кашлянув, добавил: — Впрочем, коли так, ему нельзя отказать во вкусе.

Габих чуть склонил яйцеобразную голову.

— О да. А также в наличии непобедимой армии.

Анетт с Мари переглянулись с недовольными гримасками — никакая трюфельная тема не могла перебить тему военную, если за столом собиралось более двух мужчин.

— Похоже, Европа, колыбель христианской цивилизации, оказалась слишком мала для его амбиций. — В беседу неожиданно включился Алексей, и влюбленная Мари тотчас отложила вилку и стала слушать его с повышенным вниманием. — Это будет нашествие галлов — вслед за Алексадром Великим и Карлом XII.

— Именно! — воинственно закивал Щербицкий-отец. — А что нашли вместо сокровищ? Сырую могилу!

— Могил будут тысячи, — негромко, глядя на растекающиеся по тарелке остатки желея, ответил Алексей. — И как бы весь цвет русской аристократии в них
не оказался. — Он помолчал. — Долго еще Россия станет
оправляться от нашествия сего. Так, может, попытаться
решить дело миром, покамест еще не поздно?

Алексей обвел мечтательными глазами сидевших
вкруг стола — но встретил лишь упрямо выставленные
вперед патриотические челюсти. Еще чуть-чуть, испугалась Авдотья, и они обвинят брата в трусости, и только
хотела поднять голос в его защиту, как...

— Поздно. — С противоположного конца стола Алексею улыбался Габих — от змеиной улыбки повеяло, как
сквозняком, угрозой. — Прошлой ночью войска Буонапарте перешли Неман.

За столом все замерло — ни звона приборов, ни звука дыхания. Габих с намеренной медлительностью промокнул крахмальной салфеткой тонкий рот, перевел
глаза с побледневшего Алеши на приоткрывшего рот
хозяина дома. А Дуня только удивилась про себя: не на
черепаху стал похож барон, а на птицу. Да. На грифа,
сидящего высоко на скале и оглядывающего долину
в поисках падали.

— Началась война, господа.

ГЛАВА ТРЕТЬЯ

В Тильзите Россия поклялась на вечный союз с Францией и войну с Англией. Ныне нарушает она клятвы свои и не хочет дать никакого изъяснения о странном поведении своем, пока орлы французские не возвратятся за Рейн, предав во власть ее союзников наших. Россия увлекается роком! Судьба ее должна исполниться. Не почитает ли она нас изменившимися? Разве мы уже не воины аустерлицкие? Россия поставляет нас между бесчестием и войной. Выбор не будет сомнителен. Пойдем же вперед! Перейдем Неман, внесем войну в русские пределы.

Наполеон Бонапарт

Я не положу оружия, доколе ни единого неприятельского солдата не останется в царстве моем. Не остается нам ничего иного, как, призвав на помощь Свидетеля и Защитника правды, Всемогущего Творца Небес, поставить силы наши против сил неприятельских. Не нужно мне напоминать вождям, полководцам и воинам нашим о их долге и храбрости. В них издревле течет громкая победами кровь славян. Воины! Вы защищаете веру, отечество, свободу. Я с вами. На зачинающего Бог.

Александр Первый

Есть нечто странное, почти неестественное в доверии человека миру, который, казалось, не дает на то никаких оснований. Откуда берется в нас эта счастливая бездумность, эта уверенность в порядке вещей, в незыблемости цивилизации? Неужели, задаем мы себе снова и снова бессмысленный вопрос, накануне катастрофы наши предки не чувствовали угрюмой поступи рока за спиной? В июне 1941-го? В июне же — 1812-го? Мы смотрим на умиротворенные лица на акварелях позапрошлого века, смеющиеся — на черно-белых фотографиях века прошлого. «Бегите! — стучим мы в непроницаемое стекло времени. — Спасайтесь! За вами — девятый вал, он раздавит вас, не оставив ничего живого!» Но они не слышат нас. А тем временем за нашей собственной спиной набирает глухую силу следующая волна...

Алексей с дядькой своим, Фомичом, добрались до Вильны за день до вхождения неприятеля. Город был в панике. Будто и не предполагалось годами столкновения с Буонапарте, будто не затем государь со свитой добрался до Вильно. А война вдруг явилась в полный рост, и француз оказался в нескольких верстах от усадьбы генерала Беннигсена: там, где еще совсем недавно царствовала в свете сотен свечей прелесть убранных бриллиантами обнаженных плечей польских и петербургских красавиц, блистало по-театральному пышным блеском золото гвардейских эполет, раздавался мелодичный звон хрусталя и шпор.

Нынче же ужас и растерянность были повсеместными. Вся светская толпа в сопровождении более тысячи обозов эвакуировалась атаманом Платовым из города по дороге на Минск через Новогрудок. Густое облако пыли, сопровождавшее движение множества копыт и повозок, не позволяло определить глубину колонны. Знойное марево усугублялось пожаром — горели подожженные Платовым же провиантские магазины и склады. Грозились сей же ночью сжечь и мосты через Вилию, на которых в полной давке пытались разойтись экипажи. Вельможи с влажными от пота лицами прижимали надушенные носовые платки к носам — тревога, будто вирус, носилась меж каретами: панический страх перед гением Наполеона овладевал всеми. С потерянной тоской вглядывались столичные чиновники на маршировавшую рядом отступающую армию. Колонны шли ровным строевым шагом — в войсках настроение было, напротив, приподнятым. Люди на днях получили двойное жалованье. В армию прибыли свежие офицеры, свежие солдаты, свежие лошади. Тысячи людей с мерным топотом и бряцанием штыков двигались по загроможденной повозками дороге: чуть потускневшая от пыли пехота, расфранченная кавалерия в синих, красных, зеленых мундирах; артиллеристы, сопровождавшие подрагивающие на лафетах до медного блеска пушки. Глядя на вьющуюся до горизонта тяжелую ленту отступающей армии, Алексей чувствовал в сердце странное помертвление: ему казалось, он уже умер. Умер еще до того, как впервые пошел в атаку. Едет рядом с гусаром с глупым лицом, будто герой средневековых преданий, бледный призрак некогда живого рыцаря.

А гусар рядом, распространяя вкруг себя запах кельнской воды (явно имеющий целью заглушить ароматы вчерашней попойки), так явно любовался красивой формой своих ног под натянутыми чикчирами и был таким пошлым и таким живым, что Алексею захотелось вдруг завести с ним ничего не значащую беседу о пустяках и так очнуться от напавшего на него наваждения. Но он все не знал, как начать разговор. Тогда гусар с выражением пресыщенной скуки сам повернулся к Алексею. Встретившись глазами и поклонившись, молодые люди представились друг другу — сквозь обожаемый французским императором о-де-колонь на Алексея и верно пахнуло зубровкой.

— Нынче многие отбились от своих частей — бежим, как зайцы. Впускаем наполеонову гидру в Россию-матушку. Так недолго и войскам поддаться унынию. Здесь, на границе следует драться с неприятелем! Как полагаете? — И широко улыбнулся, с легким пренебрежением глядя на красавца барчука в новеньком с иголочки мундире.

Тут только заметил Алексей, что голубые глаза гусара верно бешеные: будто за этой ясной голубизной таилась бессмысленная и неостановимая в своей бездумности веселая ярость, которой только дай повод — пойдет рубить, колоть, и резать.

И почувствовал, как пустота внутри уступает место физической тошноте — Алексей снова ощущал себя живым, но ощущал прескверно. Отстав под надуманным предлогом от гусара, он тронул лошадь чуть в сторону и его вырвало на серую от пыли траву на обочине. Фомич подал чистый платок, покачал головой: эх, барин, барин... Обтерев рот, Алексей вернулся на дорогу и ехал остальную часть пути шагом, рядом со своим дядькой, не произнеся более ни слова.

На закате утомленные долгим переходом лошади потребовали отдыха. Один за другим зажглись в поле близ дороги костры биваков. От солдатских привалов потянуло гречневой кашей и щами. В офицерских же кружках слышался смех, хлопки вылетающих пробок от шампанского, ругательства по-французски, переборы гитарных струн, так и не вылившихся в песню. В быстро густеющей южной ночи горела синим пламенем подожженная с ромом сахарная голова для жженки.

Алексей, вежливо отказавшись присоединиться к будущим своим товарищам, отослал Фомича чистить и поить лошадей, поужинал пирогами с телятиной, от которых вместе со сдобным духом будто пахнуло безмятежностью Приволья, запил чаем и, закутавшись в плащ, заснул.

* * *

Слухи стекались в Приволье, как ручейки в озеро: Александр с армиею покинул Вильну. Французы вошли в него освободителями. Говорили, что весь город высыпал на улицы: крыши, башни и колокольни были покрыты зеваками, чающими первыми увидеть императора. В окнах домов тех улиц, по которым проезжал корсиканец, были выставлены ковры, знамена, вензеля его. Польские дамы, приветствуя, махали ему платками, а новонареченный президент города, генерал Ляхницкий, самолично отдал с поклоном золотые ключи[1] от городских ворот.

Через Вильну безостановочно проходили войска: кирасиры в блестящих латах на исполинских конях, мамелюки в чалмах, с кривыми и широкими саблищами на боках, смуглые, гортанно смеющиеся испанцы... А за ними — австрийцы, баварцы, саксонцы, пруссаки, вестфальцы и хорваты. И завершением, апофеозом — величественная старая гвардия: медвежьи шапки, грудь, украшенная крестом Почетного легиона, рукава с множеством шевронов... Все это было похоже скорее на парад, чем на войну.

— Почему они не дерутся?! — бросал тем временем возмущенно в Приволье ложку в овсяный суп[1] Николенька. — Почему впускают француза?!

Князь был темен лицом, княгиня заплакана, Авдотья бледна как полотно.

— Французы — молодцы, — сухо бросил Липецкий скорее себе, чем сыну. — Идут в атаку храбро, при рукопашной стоят до последнего, стреляют метко. Сколько мы их положили под Пултуском, Прейсиш-Эйлау, Фридландом — не сосчитать. А все лезут. — И добавил, помолчав: — Бить неприятеля надобно, объединив армии.

Князь справедливо полагал, что отступление вызвано необходимостью воссоединить разрозненные по бескрайним границам империи силы. Войска имелись и на севере, близ только что отхваченной у шведов Финляндии, и на юге — у берегов Турции и Персии.

— Барклай свое дело знает, — успокоительно кивал его сиятельство скорее самому себе, чем испуганным домашним. — И шведа бил, и турка, и француза. — И закончил горько, с нажимом: — И поляков.

О да, поляки.

Одно дело — турки. Война с ними, как хронический насморк, была и будет вечным аккомпанементом российской внешней политики — со времен Ивана Грозно-

---

[1] В XIX веке — овсяная каша.

го и до Брестского мира. В более философском смысле, конфликтуя с Византией, Россия столетие за столетием все пыталась исторгнуть из себя Восток, прилепившись к Западу. Задача, увы, по сию пору не решенная.

Иное дело — братья-славяне. Пусть никто не рассчитывал, что изрядный кусок Речи Посполитой, ставший частью империи всего семнадцать лет назад, проявит чудеса верности российскому престолу (как тут заодно не вспомнить, чем окончился для России раздел Польши полтора столетия спустя?). Губерния так и оставалась польской, польскими были и губернаторы. Но русские дворяне чувствовали себя в ней вполне вольготно: общались с соседями, устраивали свадьбы между семьями, вместе пировали, танцевали и играли в вист. Да что там западные губернии! Разве Петербург не был центром польской аристократии? Разве не заседала шляхта в русском Сенате? А шляхетские отпрыски разве не зачислялись в кадетские корпуса, а знатнейшие — в привилегированный Пажеский корпус, откуда шла прямая дорога в гвардию?

Видеть столь мгновенное предательство было невыносимо. Поляки явно предпочитали французскую оккупацию русской. Обмен визитами меж дружественными всего неделю назад домами прекратился.

— Зашевелились чертовы ляхи, — рассказывал приехавший на следующий день к Липецким сосед Верейский, уединившись с князем в курительной. — Уже в открытую препятствия чинят при покупке провианта и фуража для отступающих русских полков. Говорят, цены их не устраивают. Скоро-де некто другой, более щедрый, заплатит им вдвое. Вот, полюбуйтесь-ка! — И он бросил на стол свежий номер «Литовского вестника». — Во всех виленских костелах служат торжественные молебствия по случаю «победоносного движения армии Наполеона». Да-с! Пишут-де, «цепей больше нет! Можно свободно дышать родным воздухом. Сибирь уже не ожидает вас, и москали сами принуждены искать спасения в ея дебрях». Каково, князь, читать сие?

Читать сие было крайне неприятно. Но не это оказалось самым грустным. Как-то мгновенно собрался и отправился в свой полк Алеша — Дуня не успела даже толком с ним попрощаться. Отец дал сыну традиционное напутствие перед отъездом: беречь платье снову, а честь смолоду. И даже не позволил заплаканной княгине проводить сына до ворот. Так и стояли потерянно вчетвером на крыльце: хмурый папенька, рыдающие Дуня с Александрой Гавриловной, мелко крестя удаляющуюся конную фигуру, и Николенька с детскими злыми слезами в глазах — отчего уродился он так поздно? Вот и на эту войну не попал! А князь, так и не дождавшись, когда всадник исчезнет за поворотом — тьфу ты, бабьи слезы, — втолкнул их в дом и лишь потребовал за ужином подать ерофеича, а выпив рюмочку, вздохнул:

— Что, княгинюшка, спущен корабль на воду; отдан Богу на руки?

Чем вызвал новый поток слез своих домашних.

* * *

В ужасах войны кровавой
Я опасности искал,
Я горел бессмертной славой,
Разрушением дышал;
...Друг твой в поле появится,
Еще саблею блеснет,
Или в лаврах возвратится,
Иль на лаврах мертв падет!..

Денис Давыдов

Tout hussard qui n'est pas mort a trente ans est un Jean-foutre.

Antoine Lassalle[1]

Проснулся он будто от звука детской хлопушки. Трап-та-та-тап! — раздавалось вокруг; заспанный Алексей резко сел, с обидой чувствуя, как уходит в холодный

---

[1] Всякий гусар, что не погиб до тридцати, ничего не стоит. (*фр.*)
Антуан Лассаль, генерал кавалерии наполеоновской армии

рассветный воздух накопленное за ночь внутри плаща тепло. Красное солнце вставало над полем рядом с дорогой. Он видел, как, прислушиваясь к наступившей тишине, приподымаются на локтях солдаты. Трап-та-та-тап! — раздалось опять, и тут уже вокруг стали вскакивать, мгновенно очнувшись от утренней дремы, ветераны австрийской и турецких кампаний — они узнали этот звук. Алексей заметил, как охваченные медвежьей болезнью побежали справлять нужду к опушке леса солдаты. Ему приходилось слышать от отца об этой унизительной реакции тела на страх перед боем, но в себе он ощутил лишь постыдную тошноту.

— Французы! — услышал он. — В колонну, к атаке стройсь!

Всем было ясно: их настиг авангард наполеоновской армии. В поднимавшемся от Свенты тумане, впрочем, не было видно ни зги.

Пыль, тяжелая от росы, едва вздымалась под копытами. Егерскому полку, к которому временно прикомандировали Алексея, дано было приказание идти на рысях по дороге. Эскадрон объехал пехоту и батарею, также торопившуюся идти скорее, спустился под гору ближе к реке. Лошади взмылились, люди раскраснелись.

— En avant! Vive l'empereur![1] — вдруг услышал он в тумане впереди и вздрогнул.

С противного берега донеслись первые пушечные выстрелы. Ядро, с шипением взрывая землю, прыгнуло по берегу совсем рядом с его лошадью. Еще секунда — и за мглистой взвесью, будто за полупрозрачным платьем тюль-илюзьон сестры Авдотьи, встала темная колонна огромных коней с сидевшими на них мощными всадниками. Сама внезапность их появления и чудовищные размеры ошеломили Алешу. В разрываемой утренними лучами дымке они казались сошедшей с небес древней армией Вальгаллы. «Полно, не предрассветный ли то кошмар?» — подумалось ему. Но нет, всадники были

---

[1] Вперед! Да здравствует император! (*фр.*)

44

явью — пред ним явились знаменитые кирасиры, тяжелая кавалерия маршала Удино. Последние клочья тумана разлетелись, и глаз смог по достоинству оценить гигантов в блестящих латах с развевающимися на шишаках конскими хвостами. Казалось, легкая российская конница не способна пробиться сквозь грозную стену и страшно было это величественное в своей медлительности движение. Тем не менее гродненский эскадрон, не тормозя переходящей в галоп рыси своих лошадей, и сотня Донского казачьего полка Родионова врезались во француза.

Машинально осадив лошадь, Алексей увидел впереди в мгновение ока смятую французскими латами русскую кавалерию. Сзади затрещал ружейный огонь — пули визжали вкруг него, проносясь в самой малости от рдеющих щек. Ему чудилось — он видит их полет. Впереди началась страшная кавалерийская резня: сталь заскрежетала о сталь — загуляли сабли, закричали, раздавая и получая удары, всадники, из свежих ран хлынула кровь, но Алеше отчего-то казалось, что двигаются они все медленно, будто во сне. Ужас охватил его. Вокруг плясала смерть. Сотреся землю рядом, тяжело упал прямо перед ним раненый кирасирский конь — чудовище весом не менее тонны. Алексей содрогнулся вместе с падением этого тела, вдохнул пахнущий кислым порохом и железистым запахом крови воздух, и на него будто нахлынуло безумие, подсмотренное в глазах давешнего гусара. Денис Давыдов изрек бы по этому поводу нечто весьма поэтическое, но с приобретенным за двести лет опытом военных действий, мы знаем, что безумцем Алеша не стал: это адреналин разнес по молодому телу бездумную ярость. Отдаваясь гулом в ушах, сердце князя разогналось до 175 ударов в минуту. Сузились, ограничивая доступ кислорода, сосуды. Иными словами, мозг его сиятельства, до отказа забитый философскими штудиями, отключился. Повторимся: князь не стал безумцем. Он превратился в животное.

Дрожа от возбуждения каждым членом своим, будто взявшая след породистая гончая, до боли смыкнув челюсти, он с силой ударил своего жеребца, пустив его в освободившуюся от упавшего коня брешь в рядах кирасиров. Страх ушел — он был наконец свободен. Свободен — и оттого непобедим, князь летел, как на пир, в середину сечи! Ясно и крупно, как в театральный лорнет, он увидел лицо ближайшего французского офицера — раскроенную от подглазья до губы щеку, дергающийся слезящийся глаз. Это изуродованное лицо уже не могло, не имело права жить. В нем не было ничего пугающего, ничего от воина Вальгаллы. И оттого, ни секунды не раздумывая, Алеша бросился на офицера.

Горячий аллюр рыси перешел в галоп, и лошадь Алексея, заразившись от хозяина его неистовством, скаля зубы, ударила грудью со всего размаха жеребца француза, сбив того с ног. С громким ржанием, потерявшимся в шуме боя, упавший конь придавил хозяина. Тот закричал — у несчастного были раздавлены ноги — и стал совершенно беспомощен. Алексей, в том же упоении бешенства, поднял саблю и ударил ею француза по голове — крест-накрест, еще и еще раз. Лицо офицера уже было залито кровью, изо рта пенились кровавые пузыри, он закрыл глаза, даже не пытаясь защищаться, а Алексей, крича, но не слыша собственного крика, склонился о левое стремя, навис над ним и все рубил по не защищенным латами рукам и шее в синем мундире, пока они не превратились в сплошное месиво. Кровавый пузырь из рта офицера лопнул. Француз был мертв.

В то же мгновение Алексей вдруг почувствовал слабость и тепло у виска и, с удивлением на себя самого вдруг сползши влево, соскользнул с кобылы, с которой еще несколько минут назад был одно целое. Ударилась о подрагивающую землю голова, в глазах потемнело. Он уж не видел ничего, не различал ни воплей, ни звона оружия, не чувствовал дыма и привкуса селитры в воздухе. Он лежал, будто под тяжелым слоем воды, и испытывал похожее на сновидение чувство. Недавнее бешенство отхлынуло, оставив одну странную растерянность. Совсем рядом с его лицом лежал тот самый мертвый кирасир с залитыми кровью закрытыми глазами и распахнутым кровавым ртом. А дальше, над ним, продолжали рубиться какие-то люди, однако все они казались лишенными цвета, серыми, неважными. Он чувствовал, что умирает, и не желал их видеть, отвлекаться на них. Застонав и сам не расслышав своего стона, Алексей повернул голову вверх и попытался успеть додумать что-то очень значительное. Что ж это было? Не долг, не любовь к Отечеству, что привели его сюда, — они оказались обманом. Ничего не оставалось на этом поле, кроме озверения человека. И за этим, а вовсе не за любовью здесь и сошлись и русский, и француз. Хуже того: как Алеша ни тщился, он уже не мог вспомнить, что означали вещи еще более важные — Добро, Красота, Истина. Мир войны был не просто далек от них — он отталкивал от себя живую человеческую душу. «Ежели по Гегелю, — думал Алексей, не обращая внимания на горячую кровь, часто капавшую из пульсирующего виска прямо в ухо, — мышление и бытие тождественны. Но что творится с мышлением, когда его окружает такое бытие?»

Отчаявшись сам дойти до ответа, он, подобно другому литературному герою, пристально вглядывался в бледное, еще не налившееся голубизною небо. Но, в отличие от князя Андрея, успокоение не снизошло на Липецкого: небеса над ним оказались пусты. Пусты, как давно покинутый дом. И поняв это, он просто закрыл глаза.

ГЛАВА ЧЕТВЕРТАЯ

Кто сей путник? И отколе,
И далек ли путь ему?
По неволе иль по воле
Мчится он в ночную тьму?

Петр Вяземский

Шли дни, а от Алеши не было вестей: брат пропал, как камень, брошенный в воду. И пусть этот отступательный поход в разгар летнего тепла не мог считаться пока ни опасным, ни даже тяжелым, Александра Гавриловна и Дуня не спали ночами, воображая себе всякие ужасы, могущие случиться с их нежным книжным мальчиком. Князь, видя это, злился: «Забыл о вас Алексей, дуры, вот и не пишет! А если и печалится, то разве что о том, что надобно ему будет выходить из обжитой квартиры, от хорошенькой панны...»

И верно: кроме отсутствия в доме старшего брата и тягостного чувства нависшей над огромной страной беды, ничего в Приволье не поменялось: все так же деловито жужжали шмели, сыростью дышал барский пруд, созревала в теплицах садовая земляника. И казалось, гидра наполеоновских армий, так и не шевельнув занавес летнего зноя, обойдет Приволье стороной. Что запах жасмина оградит от всех несчастий, да и что нет их вовсе, этих несчастий, пока...

* * *

Первое горе случилось в ту грозовую ночь. Дуня проснулась от внезапного ливня, забившего тяжелыми струями в окно, и конского ржания. Спали все чутко: ночью оживали убаюканные дневным зноем страхи. Растолкав примостившуюся у порога на войлоке[1] Настасью и выгнав ее поглядеть на крыльцо, Авдотья застала в коридоре испуганную мать в чепце и ночной сорочке. Еще пять минут потребовалось, чтобы обнаружить пустую постель младшего брата с сумбурной запиской, где говорилось про честь русского оружия, конечно же. За беглецом тут же выслали отряд во главе с управляющим. В смертельном беспокойстве дождались хмурого рассвета; к тому времени княгиня уже выплакала глаза и выпила до дна флакончик гарлемских капель, а князь все не мог избавиться от приступа надсадного кашля и лишь зло топал больной ногой — с тоски и беспокойства ныло полученное от турка штыковое ранение в правую ляжку.

Дуня, обхватив себя руками, стояла в домашнем платье у окна гостиной и смотрела в высокое окно, чтобы первой заметить сквозь пелену зарядившего ливня небольшую игреневую кобылку Николеньки — Дидону. Но вместо этого на подъездной аллее показался неизвестный на крупном вороном жеребце. Темный всадник шагом двигался к дому, и вскоре Дунин глаз заприметил детали: укутанная в плащ-пелерину фигура, высокий кивер и жалкий под дождем мокрый султан. Порыв ветра приоткрыл грудь незнакомца — красные шнуры на темно-синем, золоченые пуговицы. Не пытаясь смахнуть со щек и усов попавшие на них дождевые капли, всадник спешился у высокого крыльца и поднял глаза прямо на окно гостиной, у которого, будто загипнотизированная мистиком Калиостро, стояла Авдотья. Отпрянув за

---

[1] Сенные девушки спали на полу у порога в господскую спальню.

жаккардовую гардину, она успела отметить, что всадник прибыл не один — там, где серое полотно дождя почти скрывало львов на старых въездных воротах, теснились тени. И их было много, очень много.

* * *

Та ужасная ночь — на 17 июня — дорого далась и наполеоновским войскам на марше: от неожиданного в летнюю пору яростного дождя с градом и снегом пали тысячи лошадей. В кавалерийском лагере земля покрылась трупами не перенесших холода животных. Эта буря была знаком, морозным дыханием судьбы. Но знак, как водится, разгадали слишком поздно.

Николеньку вернули в тот же день. Мальчишка взмылил свою кобылу скачкой через поля, а переправляясь через реку, пустил вброд там, где брода не было. Дидона завязла в суглинке. Сумку, куда брат сложил пару белья и хлеб с куском лимбургского сыра, унесло течением. И его бы, дурака, унесло, если б вовремя не подоспели. Домой он вернулся за спиной управляющего Андрея — мокрый, дрожащий крупной дрожью, так и не заметивший, что Приволье теперь оккупировано врагами.

Батюшка вышел беседовать с офицером и вернулся с безрадостным известием: к ним на постой явился конный артиллерийский дивизион француза: всего около двухсот пятидесяти человек и пятьсот животных. Да две батареи по двенадцать орудий. К если не хорошим, то утешительным известиям можно было отнести обещание офицера: мародерствовать его молодцы не собирались. Фуража для лошадей — по три гарнца овса и по двадцати фунтов сена — ежедневного рациона, отпущенного еще в Данциге, им пока доставало с лихвой. Хмыкнув, батюшка заметил, что конная артиллерия, очевидно, пользовалась особенным расположением императора: люди и лошади были полны сил и здоровы. Майор и полковой хирург собирались расположиться в левом, гостевом крыле имения и по возможности не беспокоить хозяев.

— Наполеон ждет покуда в Вильне письма от государя Александра Павловича и еще надеется на мир, — заявил князь на следующий день за ужином. — А его Великая Армия замерла вместе с ним, прислушиваясь к шуму российских дубрав. Это затишье перед грозой, — витийствовал батюшка, отрезая себе изрядный кусок холодной буженины под луком.

Княгиня вопреки обыкновению своему, не подала к вечерней трапезе ничего горячего; Александре Гавриловне было не до обсуждения меню и даже не до войны с Буонапарте: у Николеньки вторые сутки держался сильный жар. Он бредил. Матушка с Дуней весь день провели у его постели, вечером их сменяли Настасья с Николенькиным дядькой. Последнего матушка винила, что старый пес не знал о побеге питомца, и приказала высечь на конюшне, где за экзекуцией бесстрастно наблюдали французские солдаты. В тот же вечер послали за дохтуром Левандовским и на другой берег реки — к известной на весь уезд травнице. Новости пришли неутешительные. К отчаянию маменьки и отвращению князя, выяснилось, что Левандовский записался в полковые врачи в польский корпус Понятовского, а травница сама лежала в жару и никого к себе не пускала. Врача еще можно найти было в Вильне, но вряд ли стоило рассчитывать на его приезд. На дорогах нынче с равной легкостью расставались и с кошельком, и с головой — наступающая армия не всегда отличалась любезностью «нашего француза», как меж собой называли Липецкие остановившегося у них командира. Так, дворня приносила неутешительные вести из соседних деревень: разношерстная наполеоновская солдатня грузила полковые повозки вместо провианта награбленным имуществом, потехи ради выламывала двери и окна, крушила мебель, забирала скот и травила посевы, скармливая незрелые хлеба лошадям. Однако вкруг Приволья «их» майор выставил часовых, и в деревне Липецких, где расположился дивизион артиллеристов, все пока было тихо и пристойно, без происшествий.

Авдотья же если и выходила из дома, то только со стороны сада — там возможность пересечься с вражескими артиллеристами была минимальна. Забравшись в беседку, тщилась она читать романы, но романы были по преимуществу написаны французами и на языке неприятеля: о ту пору российский читатель знал Шекспира и Байрона, Гете и Ариосто исключительно во французских переложениях. И потому, проникнутая духом патриотизма, моя княжна с сердцов[1] отбросив книжку, вставала над обрывом, уставившись на ленивые воды речки, являя собой прелестную картину в развевающемся на летнем ветерке легком платье. И так проводила часы, жалея лишь об одном: что не успели они сняться с места и вернуться домой, в Москву, прочь от земель лицемерных поляков. И еще вспоминала о своей беседе с Алешей тогда, в лесу. Как не хотел брат идти на войну, боялся вражеского ядра, а вот теперь у нее самой под боком французские пушки. Покамест, по счастию, в чехлах.

Ночью Николеньке стало хуже — он кричал в бреду: «Пропустите меня, я адъютант главнокомандующего!» И все метался, а потом вдруг замер на мокрых простынях и почти перестал дышать, лишь подрагивали сизые, как у покойника, веки. Тут уж кричать стала княгиня, и князь увел ее в спальню, а Дуня приказала девушкам сменить простыни на сухие, а закрыв за ними дверь, осталась у постели брата молиться. «Владыко Вседержитель, — горло ее сжималось рыданием, слезы отчаяния застилали глаза, — брата нашего Николая немощетвующа посети милостию Твоею, простри мышцу Твою, исполнену исцеления и врачбы, и исцели...» Но, изредка поглаживая ледяные пальцы брата, Авдотья отчего-то знала, что молитва не помогает и что ее еще вчера веселый, похожий на резвящегося щенка братец ускользает все дальше и дальше... Туда, где он — адъютант команду-

---

[1] Здесь: в сердцах.

52

ющего всех небесных ратей, скачет на белом коне чрез небесные кущи.

Под утро, чувствуя, что задыхается в душной, пахнущей уксусом и шалфеем комнате, Дуня решила выйти на крыльцо проветриться. И тут Николенька застонал тихо и жалостливо, а когда Дуня подбежала и склонилась над усыпанным бисерным потом родным лицом, сказал вдруг четко, будто и вовсе не в бреду:

— Она мертва, вы что, не видите?! Снимите же ее с плота!

— Кто мертв, Николенька? Кто на плоту? — зашептала Авдотья, но брат не очнулся: глаза были все так же плотно сомкнуты и бледные губы больше ничего и не произнесли.

И, приняв последнюю фразу за продолжение болезненного бреда, Авдотья выпрямилась, запахнула капот и, беззвучно прикрыв за собою дверь, вышла.

* * *

Над парком вставала заря, пахло дымом от деревенских печей и сыростью с речки. Утренний каскад птичьего пения, торжество рождающегося дня обрушились на Дуню подобно обвалу — за ее спиной умирал младший брат, старший был на войне и, возможно, уже погиб. «Я одна», — подумала Дуня и почувствовала, как невозможно стало вдохнуть полный прохладной влаги утренний воздух. Одна. Она запрокинула лицо к светлеющему небу, на котором горела страшная комета, но слезы все равно текли, скапливались в углах по-детски дрожащих губ.

— Мне бы хотелось помочь вам, мадемуазель, — услышала Дуня и вздрогнула.

Перед ней стоял давешний офицер. Папа́ говорил его чин: майор? Капитан? Она уже ничего не держала в памяти, кроме заострившегося Николенькиного лица.

И чтобы не разрыдаться, зло, как дворняжка, ощерилась:

— Вы уже помогли мне, месье. Благодаря войне, начатой вашим императором, мы не можем найти врача. Мой брат... — Голос ее задрожал, и Дуня даже притопнула ногой, раздражаясь на свою слабость в ненавистном присутствии. И от злости смогла произнести страшные слова: — Он умирает, месье. И ни вы, ни я... никто уже не может ему помочь.

— Мы — нет. Зато ему может помочь Пустилье, — сказал сей майор иль капитан, склонив набок курчавую голову. В продолговатых, агатовой черноты глазах француза плескался жидкий блеск — как у готового тотчас же пуститься резвым галопом породистого аргамака[1]. Он был невысок — едва ли на полголовы выше самой Авдотьи. Узкое смуглое лицо будто только и служило обрамлением главному — выдающемуся носу.

«Каков урод!» — успела подумать Дуня, прежде чем поняла, что ей пытается объяснить артиллерист на своем куртуазном французском.

— Полковой лекарь? — переспросила она.

— Военный хирург. И очень знающий врач, — чуть поклонился француз. — Если угодно, я сейчас же попрошу его осмотреть вашего брата.

— Боже мой! Да, конечно! — Она птицей встрепенулась и вбежала с крыльца в дом: — Маман! Маман!

И только влетев в маменькину спальню и выпалив новость неприбраной княгине, вдруг покраснела, потому как поняла, что не только не поблагодарила уродливого артиллериста, но даже не узнала его имени.

---

[1] Южная порода лошадей.

ЗА ДВАДЦАТЬ ЛЕТ ДО ОПИСЫВАЕМЫХ СОБЫТИЙ

Его Высокопревосходительству, действительному тайному советнику графу Лубяновскому коллежского советника Кокорина донесение.

От мая 28-го 1792 года.

На N-ской заставе мне довелось лично допрашивать две беглых семьи, включая малолетних детей, всего 28 душ. Сии несчастныя бежали из имения Л., что в N-ском уезде, по причине, как они говорят, лютости хозяина своего. Два месяца, терпя крайнюю нужду, пробирались оне лесами к границам Империи, покуда не были пойманы и допрошены лично мною и коллежским секретарем Телегиным.

По словам сиих беглых, деревенский староста не раз обращался в город за помощью к уездному стряпчему, принося жалобы на жестокость помещика своего. Однако хода делу не давали, а, напротив, старосту отправили обратно к господину, где оный староста был порот, а впоследствии затравлен псами до смерти.

С той поры жалобы прекратились, но не прекратились жестокости, и не токмо самого помещика, но и супруги его, отличавшейся особой свирепостью к сенным девушкам. Неожиданным же в сих свидетельствах оказалось следующее обстоятельство: барыня у беглых была иногда «черненькая», а в другой раз «беленькая». И так выяснилось, что у N. имелись две жены. Последние «на шестую седьмицу друг дружку и поубивали через крысиную отраву». По словам беглого лакея, сам барин на ужине присутствовал и был сим обстоятельством весьма доволен. За всем тем вдовство ввело его в еще пущую лютость. Вызванный на пограничную заставу с целью медицинского осмотра лекарь нашел у беглых следы зубов на плечах, множество знаков от розог, струпья на ягодицах и следы прошиба на голове.

Таким образом, показания беглых о жестокостях сомнений не вызывают. Однако должно получить подтверждение двоеженству N. и единовременной кончине обеих женщин. Был сделан запрос к уездному предводителю дворянства, князю К., и в военную коллегию на послужной список вышеобозначенного помещика...

ГЛАВА ПЯТАЯ

> Война — это не отношения между людьми, но между государствами, и люди становятся врагами случайно, не как человеческие существа и даже не как граждане, а как солдаты; не как жители своей страны, а как ее защитники...
>
> *Жан-Жак Руссо, 1762 г.*
> *Об общественном договоре*

В описываемые нами годы базовой дисциплиной в Московском медицинском университете являлась, как ни странно, философия. Врачебная же наука тогда еле держалась на собственных слабых ножках. Едва избавившись от диктата религии, она нуждалась в новой подпорке: и потому соединение с философией кажется нам уже недурным шагом вперед. Вдобавок, учитывая имевшиеся малые возможности (первые лекарственные препараты из чистых химических веществ появились в арсенале медиков лет через тридцать), врачам часто оставалось разве что философствовать. Надеялись на здоровую природу: то, что мы ныне называем иммунитетом.

Николеньке повезло — он попал к знающему доктору. Абсолютно седой, круглый, как Колобок, Пустилье был врачом нового образца, выкормышем революции. Исследуя гильотинированные трупы (отличный, пусть и мрачноватый материал для любознательного ученого!), он отказался верить в догмат о животворящем духе, что приводит в действие мертвую массу тела. Не желал он, по примеру своих старших коллег, и выводить из больного хворь с помощью бесконечных кровопусканий и рвотных. Вместо этого француз тщательно пальпировал своего юного пациента, а после прикладывал к неровно вздымающейся груди мальчика свернутый трубочкой лист бумаги (первый стетоскоп изобретут только через четыре года, а пока управлялись подручными средствами). Расслышав все необходимое, выдавал хинин и собственноручно изготовленные жаропонижающие и отхаркивающие микстуры.

Микстуры ль тому виной, или здоровый юный организм, но вскоре Николенька пошел на поправку. Теперь Пустилье, навещая больного, проводил большую часть времени за обсуждением с ее сиятельством детского меню, полностью одобряя в сем вопросе выбор княгини: поменьше мяса — бульон предпочтительнее для обессиленного после болезни детского желудка. Никаких «возбуждающих напитков» — чая и кофе. Утром габерсуп[1]. Весь день — обильное питье (отвар лопуха и молочная сыворотка). Умеренность в обед: одно мясное или рыбное блюдо и десерт. Молоко с хлебом или каша — на ужин. Ягоды — на полдник. В соответствии с принципами Руссо — ни сахару, ни духов[2]. Александра Гавриловна суетливо кивала, и записывала за доктором слово в слово — золотым карандашиком в хозяйственный блокнот, который неизменно носила на поясе. Николенька возмущенно морщился, но до поры до времени в споры с маменькой не вступал.

Тактичный доктор ходил к больному не в военном мундире, а в синем суконном сюртуке, и вид имел сугубо светский, что шло весьма на пользу выздоравливающему. Однако ж стоило последнему оправиться, как он стал дичиться французского лекаря, держа себя с ним надменно и холодно, покуда Авдотья однажды не сделала

[1] Овсяный суп с сухофруктами.
[2] Здесь: пряностей.

тому выговор: мол, изволь-ка держать себя любезнее — доктор тебе как-никак жизнь спас! Николенька, заалев, аки маков цвет, в ответ на замечание отвернулся к стене, процедив нечто неразличимое по-русски. А Пустилье, сделав вид, что не приметил обернувшейся к нему филейной части пациента, с веселой улыбкой похлопал княжну по руке:

— Полноте, мадемуазель. Я не в обиде, был бы здоров. Нынче молодым людям всей Европы хочется в бой: бить неприятеля. А военные медики всех армий знают, что руки и ноги у любой нации отрывает одинаково, да и контузит французов и русских одним манером, вуаля.

И, насвистывая старинный мотивчик «Как я вышел в мой садок собрать розмарину», Пустилье, и, поклонившись барышне и выздоравливающему, вышел из комнаты.

— Война войной, — заявил за ужином папенька, — но промеж европейскими дворянами элементарной любезности никто не отменял.

И в благодарность послал через камердинера свежей дичи к «оккупантскому» столу. В ответ французы презентовали Липецким пару почтенных бутылок кларета, весьма подходящих для «разгона крови» после барчуковой болезни. На отличный кларет княгиня ответила несколькими банками собственноручно сваренного варенья из первой садовой земляники, а апофеозом обмена любезностями послужило приглашение французов на ужин.

— Я просто не могла повести себя иначе, — оправдывалась перед возмущенной дочерью Александра Гавриловна. — Мы, в конце концов, не дикари. — И добавила последний, неопровержимый аргумент: — А ну как наш Алеша окажется в руках француза? Разве не хотела б ты, чтобы к нему отнеслись с христианским состраданием?

Николенька вскочил со стула:

— А я не просил их меня спасать! — и выбежал из комнаты.

Маменька перевела глаза на Авдотью: та, помолчав, пожала плечами. Она хоть и не просила о помощи, приняла ее. И неужто жизнь младшего брата не стоила ужина с неприятелем?

Вместе с Настасьей выбрали платье — полупрозрачный тюль-иллюзион на атласном чехле цвета слоновой кости. И пока Настасья, высунув от усердия язык, вязала ей волосы в тугой узел, Дуня пригорюнилась. Платье было любимым, и она надеялась танцевать в нем с гвардейцами Преображенского полка — защитниками Отечества. А станет делить трапезу с вражеским артиллеристом. Но, сдержав тяжкий вздох, решила: так что ж? Разве древние греки не изобрели для подобных насмешек судьбы слово «парадокс»?

Ужин, впрочем, прошел на удивление удачно: обливная рыба с желеем так покорила гостей, что те пообещали завтра же выслать солдат — наловить свежих окуней в речке для княжеского и французского столов. Бараний бок с гречневой кашей тоже поймал свою минуту славы. И доктор, и офицер повели себя весьма деликатно, не произнеся ни единого слова о войне или Бонапарте. Офицер даже представился как штатский — де Бриак. Де Бриак оказался виконтом, младшим сыном в большой семье из Гаскони.

— Болотистая скучная земля, — пожимал он плечами в ответ на расспросы княгини. — Поверьте, ваше сиятельство, вы никогда не захотели бы жить там по собственной воле. На сиих бедных равнинах соглашается расти одна просовая рожь — и то после долгих уговоров. Крестьяне, отчаявшись получить урожай, пасут на полях овец, чтобы те хоть как-то удобрили их пометом. — Авдотья поморщилась: что за беседа за обеденным столом? Но гасконца ничто, похоже, не стесняло. — Отец мой тщился вырастить там рис и тутовые деревья. Но эксперименты наши заканчивались плачевно: болота сии, как оказалось, родят одну малярию.

— Расскажите же, Бриак, — вступил в беседу Пустилье. — Расскажите, что сумели сделать!

Офицер пожал плечами:

— Я подумал, что ежели выкопаю несколько прудов, то так осушу болота. Или по меньшей мере создам пейзаж, более приятный глазу. Начал с тех, кои можно было бы видеть из окон родового замка, — увы, княжна, ничего романтического, мрачная и холодная громада, прибежище толп пауков. Я немало развлекался, чертя будущие пруды на картах: один в форме бабочки, второй — в форме львиной головы. Несколько лет, пока крестьяне копали их по моим чертежам, вкруг замка стояла непролазная грязь. — Он усмехнулся. — Впрочем, благодаря ей я избежал множества неприятных визитов. Засим пустые полости заполнились водой, а земля окрест впервые за столетия перестала хлюпать под ногами. Прилетели цапли и прочие водные птахи. Мы запустили в пруды форель, а наши наследные поля стали давать урожай таких культур, о которых мы ранее и не помышляли.

— К примеру, табак! — с воодушевлением встрял Пустилье.

— Выгодное дело... — задумчиво покивал князь, а Авдотья отвернулась.

Боже мой, какой контраст с их бравыми гусарами, у которых в головах одни карты, да волокитство! Но пусть уж лучше бахвалятся, что попадают с тридцати шагов в туза, иль гасят свечу пулей. Лучше слушать о кутежах до рассвета, чем о посевах и выгодных вложениях... Да! Пусть это будет почти непристойно и смешно, чем по-купечески скучно!

— То, о чем я говорю, кажется вам пошлым, не правда ли? — уставился на нее острый нос француза. — Вы не знали бедности, княжна, и никогда не узнаете, Бог даст. А ведь бедность при благородной крови — вещь весьма оскорбительная и, поверьте, куда более вульгарная.

Авдотья застыла. Замерла вилка, что перекатывала последние пять минут остатки бланманже по мейсенскому фарфору. В глазах француза читалась мрачная насмешка, но за ней пульсировало, билось, будто запутавшаяся в паутине мошка что-то еще.

Княжна моргнула, пытаясь понять, в чем дело, но тут француз, на секунду прикоснувшись крахмальной салфеткой к темным губам, отложил ее в сторону. Заскрежетал резко отодвигаемый стул.

— Княгиня, князь, княжна. — Де Бриак легко поклонился, улыбнулся рассеянно чуть выше их голов. — Благодарю за приятный вечер. К несчастью, необходимость вечернего смотра не позволяет нам с Пустилье (несчастный врач, еще не успев покончить со своей щедрой порцией десерта, тоже поспешно встал, громыхая стулом) вполне насладиться вашим обществом. Доброй ночи. — И офицер с доктором вышли из столовой.

Стало слышно, как запел за окном черный дрозд.

— Эдокси, твое поведение абсолютно неподобающе, — через паузу отчеканила Александра Гавриловна.

Князь молчал и, в отсутствие чужих, поморщившись, выпрямил раненую ногу в сторону.

Дунины глаза налились слезами.

— Маменька, да ведь я рта не раскрыла!

— А в том и нужды не было. Довольно вести себя так, будто сидишь рядом со скотником, от которого дурно пахнет!

— А вы ведете себя так, будто он наш благодетель! — Дуня вскочила из-за стола. — Мы воюем с ними! Алексей, может быть, уже ранен, убит такими, как он! — выкрикнула она и сразу пожалела о сказанном, увидев материнское опрокинутое лицо.

— А он и есть наш благодетель, — произнес не громко князь. — Он спас Николя...

— Он христианин! Любой бы сделал так на его месте! — вскинулась Авдотья, как никогда похожая сейчас на своего младшего брата.

— Он еще и благородный человек, Эдокси. Солдаты его берут у наших мужиков только необходимое и честно за него расплачиваются. Они не пьют, не насильничают, дисциплина у артиллериста строгая. Говорят, у французов в армии за грабеж и рукоприкладство — расстрел. За воровство — десять лет каторги. — И князь кивнул, будто подтверждая свои слова. — Каждый раз, когда бонапартовские клячи отправляются пастись в наши поля, он просит на то моего разрешения, хотя в создавшихся обстоятельствах это я должен бы... — Липецкий замолчал и еще более потемнел лицом.

— Нам повезло, что именно он остановился у нас на постой. — Маменька положила руку на батюшкину и сжала ее утешительно. — Дай-то Бог, чтоб корсиканец не собрался скоро наступать. Неизвестно, кто следующим пройдет через Приволье...

* * *

Утром Авдотья сама вымылась с ног до головы холодной водой с одеколоном, заколола косу и села в капоте у открытого окна. Она смотрела в дышащий утренними туманами сад — по канонам той поры романтической барышне вменялось в обязанность невинное наслаждение природными красотами хотя бы пару раз за день (предпочтительно на заре и на закате). А укрощенная природа усадебного парка предлагала нашим предкам целый набор несложных аллегорий. Так, ежели ему хотелось погрустить о судьбах родины, он устремлял свой взор на загодя высаженную с этой целью березовую рощу. Акация олицетворяла бессмертие души, дуб — величие, а скромные камыши у барского пруда — уединение. Благоухающие липовым цветом подъездные аллеи напоминали приехавшему в гости соседскому помещику о райском эфире (не то чтобы он в том нуждался — у соседа, скорее всего, имелась и своя липовая аллея). Авдотья, сама того не подозревая, существовала средь набора садово-парковых клише, коим вторила литература того времени, где герои вечно блуждали под таинственной сенью, слушая журчанье тихих струй. Один трафарет накладывался на другой, делая жизнь предсказуемой и приятной во всех отношениях.

Однако нынче вместо блаженного упоения моя княжна испытывала легкий, но весьма раздражающий зуд потревоженной совести: вчерашний вечер все не шел у ней из головы. Артиллерист, кивала себе Дуня, был верно скучен. Беда, однако, не в нем. А в ней. Она вела себя не подобающе ни своей семье, ни положению молодой хозяйки. Впрочем, вступала Дуня сама с собою в спор, француз ни разу за вечер не сделал пусть избитого, но комплимента, не попросил разрешения записать мадригал в альбом (лет через десять Вальтер Скотт назовет дамский альбом «самой назойливой формой попрошайничества») и нисколько не пытался подвести беседу к темам, ей интересным, будь то парижские новости (тут, признаемся, Авдотью интересовали более всего новости «Пале-Рояль») или роман Шатобриана (пусть даже сама Авдотья считала последнего изрядным занудой). С другой стороны, француз и сам, очевидно, чувствовал себя не в своей тарелке: трапеза их не была типичной для визита, к примеру, соседа-помещика. И каковы, позвольте спросить, правила хорошего тона в общении между оккупированными и оккупантами?

Дуня еще раз глубоко вздохнула, скорчила гримаску и, запахнув потеснее капот, перебросила ноги через низкий подоконник и спрыгнула на окаймлявшую дом дорожку. Поеживаясь от утренней свежести, она огибала белоснежные шары цветущей гортензии (символа скромности и искренности), чувствуя, как промокают от росы атласные домашние туфли. Она шла к беседке, мучаясь от неясного чувства неловкости и смутной обиды: то ли на маменьку, то ли на француза, то ли на себя самою. «Воля твоя, — продолжала беседовать с собою Авдотья. — Ты блажишь и ребячишься. До модных ли шляпок из «Пале-Рояля» сейчас? Не оказаться бы в плезерах»[1]. Она вспомнила узкое, подобное клинку, лицо француза в те несколько мгновений, что он гля-

---

[1] Здесь: в трауре.

дел прямо ей в глаза (что тоже было, entre nous[1], не совсем прилично) — за секунду до того, как тот отодвинул стул и откланялся. Нос его, и верно, весьма устрашающ. Но... Но имелось в сем неправильном лице и быстрых темных глазах некое завораживающее движение — как в поле ржи, беспрестанно меняющем цвет под порывами ветра, и проходящими над ним облаками. Дуня пожала плечами: сложно было отыскать во французовой физиономии хоть что-то красивое (не стоит забывать, что в то время главным секс-символом страны считался молодой государь Александр Павлович — белокурый и голубоглазый, а де Бриак был его полной противоположностью), но ежели бы пришлось выбирать, то Дуня выделила бы рот южанина. Яркие до неприличия губы были изысканного рисунка. Однако одного рта оказалось маловато, чтобы вызвать ее женский интерес. В подобных размышлениях Дуня дошла до обрыва близ беседки и привычно заглянула вниз, туда, где в глухом еще тумане катила прозрачные воды здешняя ленивая речка.

Как вдруг услышала звук срывающихся мелких камней и песка, а через минуту перед ее пораженным взором появилась фигура на карачках в темной суконной куртке и бриджах, впрочем, без шляпы. Мужчина распрямился, отряхнул руки от глинистой земли, поднял голову и замер. Спрятав улыбку, Дуня присела в книксене. Невозможно представить себе встречу более нелепую. Он сейчас и правда похож на скотника. Впрочем, и она немногим лучше пастушки — в старом капоте и мокрых туфлях, рыжая коса растрепана. Не важно (вспомним попавший в заливное бюст графини Закревской!), женщину из высшего общества отличает именно это: умение всегда держать лицо.

— Доброе утро, виконт. Свежо, не правда ли? — Он молчал, деревенщина, и потому Дуня продолжила светским тоном: — Мне хотелось бы попросить прощения

---

[1] Между нами (*фр.*).

за давешнюю грубость. Дело не в вас — я восхищаюсь вашими хозяйственными умениями. Дело... — она растерялась, но лишь на секунду, — дело в войне, месье. Дело в моих братьях и шаткости нашего нынешнего положения. Надеюсь...

Француз все так же хранил молчание, и Дуня решилась поднять глаза от круглых медных пуговиц с лавровым листом на его сюртуке к неожиданно бледной и даже — возможно ли? — испуганной физиономии артиллериста. Будто не ее он тут увидел, а привидение из своего древнего замка.

Она сглотнула:

— Надеюсь, вы сможете меня изви...

— Девочка, — прошептал француз и дернулся лицом. — Ее нашли в речке сегодня утром. Рыбаки.

— Она утонула? — выдохнула Авдотья.

— Боюсь, что нет, княжна. — Он медленно закрыл, а потом вновь распахнул почти черные глаза, в которых Дуня умудрилась увидеть свою нелепую фигуру в капоте — и правда чем-то похожую на привидение. — Ее убили. Точнее, задушили.

— Задушили? — повторила, глядя на него как завороженная, Дуня и сделала шаг назад, даже не заметив, что потеряла одну туфлю без задника.

А де Бриак прокашлялся и через паузу произнес:

— Война войной, мадемуазель, но дети не должны умирать. Вы согласны?

Охваченная ознобом, Дуня смогла только кивнуть.

ГЛАВА ШЕСТАЯ

Крестьянские дети в мороз и слякоть бегают в одних рубашонках или в лохмотьях, босые, по двору и по улице, простужаются и впадают в смертельные недуги. Какой присмотр за ними во время болезни? Не только нет лекарства и свойственной больному пищи — нет даже помещения: больные ребятишки валяются на печи или на скамье! Одно лекарство — баня, которая иногда бывает пагубна, если употреблена не в пору и некстати. Из этого образа жизни выродился смертельный круп в окрестностях Вильны в 1810 году и созрела злокачественная скарлатина! От этих самых причин между крестьянами так часто свирепствуют тифозные горячки, изнурительные лихорадки и кровавые поносы. Расспросите крестьян и вы узнаете, что из десяти человек детей едва вырастает один, много двое или трое.

Ф. Булгарин. Воспоминания

Девочку звали Матрюшкой, мать ее была прачкой, отец — кузнецом. Нашли Матрюшку лежащей на самодельном плоту — неподалеку от тех мостков, где ее мать полоскала на реке белье. Не решившись пойти в избу к воющей прачке, Дуня в сопровождении де Бриака отправилась в кузницу. Кузнец, тощий, жилистый, сидел на лавке рядом со своей закопченой печью. Печь была мертва, но в кузне все равно казалось душно. Пахло холодным пеплом, мужицким потом и железом. Словно

67

орудия средневековых пыток, ожерельем висели по дощатым стенам тиски со струбцинами. Кузнец даже не повернул головы, когда открывшаяся дверь впустила барышню, француза и солнечный свет. Глядя на подстриженную под горшок опущенную голову и густую русую бороду, не ровно выстриженную там, где на нее попали искры из очага, Дуня сглотнула. До боли переплела пальцы. Она знала, что средь крестьянских детей смерть — частая гостья. Но одно дело — смерть при родах или от болезни, и совсем другое — убийство. Что говорить, она не представляла.

— Переводите, — услышала она за своей спиной голос француза. — Вы, как семья, владеющая этими землями, и я, как представитель военной власти, обещаем этому человеку найти того, кто убил его дитя.

Дуня, не оглянувшись, стала переводить. И добавила такое неуместное в этой темной кузнице:

— Мне очень жаль.

Кузнец — Демьян, вдруг вспомнила Дуня, поднял голову, и Дуня впервые увидела его глаза — воспаленные, красные, вряд ли от слез, скорее от многолетнего труда у горящего горна.

— Удушила мою дочку-то. Как пропала — мать все по лесу бегала, аукала. Мимо избы той проходила, а ведать не ведала, где доченька. А та, может, живая еще была... — И он опять уронил голову на руки, а Дуня беспомощно оглянулась на де Бриака.

— Я ничего не понял, кроме того, что он пьян. — Француз вздохнул. — Полагаю, многого нам сейчас от него не добиться. Пойдемте, княжна.

Дуня, как слепая за поводырем, вышла следом за ним под полуденное солнце. После кузни, где несчастье, как пепел, стояло в спертом воздухе, воздух показался ей сладок и свеж. Де Бриак же задумчиво щурился, глядя на раскинувшуюся в некотором отдалении деревню. Кроме привычного для Дуни лая собак и драчливых перекличек петухов, она показалась ей тише обычного.

— Сколько здесь домов? — спросил он.

— Чуть больше двадцати, — ответила Дуня и подумала про себя: и в каждом из них может быть убийца девочек. Что-то показалось ей в словах кузнеца странным, и Авдотья нахмурилась, пытаясь припомнить все в точности. — Он сказал «удушила», — произнесла она вслух и тут же перевела для артиллериста: — «Удушила» — в женском роде. Будто знал, что убийца — женщина. И еще: девочка пропала уже несколько дней как — все думали, заблудилась.

— Вам надобно побеседовать с ее матерью, — вздохнул он. — Матери всегда знают больше отцов.

— Я... я не хочу! — вырвалось у Дуни.

Но, взглянув в лицо де Бриака, осеклась. Шляпы он так и не надел и потому казался каким-то очень домашним — с длинными ненапомаженными прядями иссиня-черных волос, без всякого кокетства заправленными за уши. Потемневшее, будто ставшее еще более смуглым со вчерашнего дня лицо его выражало глухую решимость.

— Поверьте, княжна, никто из нас не хочет заниматься этим делом. Но полиция вашей империи уже не функционирует на занятой нами территории. И Наполеону в его завоевательной кампании нет дела до смерти ребенка. Вы хозяйка вашим людям. Я хочу вам помочь.

— Отчего? — нахмурилась Дуня. — Вам в том какая надобность?

— Потому что это ребенок, — повернулся он в профиль, и Дуня вновь ужаснулась огромному носу. А тот повторил, с глухой убежденностью: — Дети не должны умирать.

— А ежели ее убили ваши солдаты? — закусила губу Авдотья. — В Приволье раньше никогда не убивали — разве что пьяные в драке.

Де Бриак резко развернулся к ней, и она заметила, как заруменились смуглые скулы:

— Поверьте, княжна. Коль скоро выяснится, что виноват кто-то из моих солдат или офицеров... Ему не будет снисхождения.

— Вы его повесите? — тихо спросила Дуня.

Де Бриак пожал плечами:

— Или расстреляю. Для такого ни пули, ни веревки не жаль. — И добавил, легко поклонившись: — Мне бы не хотелось, княжна, втравлять в эту историю вашего батюшку, а тем паче ее сиятельство. Предлагаю пока обойтись собственными силами. Не откажетесь побеседовать со мной и Пустилье? Я прикажу денщику сварить кофе. Кроме того, ваша кухарка любезно поставляет мне масло и свежие... — Де Бриак чуть-чуть замялся, вспоминая заморское слово: — калатчи.

Дуня не выдержала и улыбнулась: вот же нахалка их Марфа — втихую обслуживает французов, да еще и любимыми папенькиными калачами с маком. А вслух сказала:

— Предлагаю поставить самовар в беседке. Через час.

Беседка — нейтральная территория. А часу будет довольно, чтобы сменить капот на пристойное платье и прибрать волосы.

* * *

Оказалось, что и де Бриак времени не терял: в беседке ее уже ждал нарядный офицер в синем, расшитом красными шнурами доломане. При ее появлении он вскочил, по-гусарски щелкнув начищенными до блеска сапогами «а-ля Суворов». Шляпа-двууголка лежала перед ним на столе, взятая только ради франтовства, ибо волосы француза были тщательно завиты, и было бы преступлением водрузить на столь прекрасную голову шляпу, мгновенно примявшую бы тугие локоны и тем испортив все впечатление. Впечатление, задуманное официальным, однако ж уведшее Дунины мысли в далекую от официальной сферы область: во-первых, княжна вновь отметила в уродливом французе некоторую чисто галльскую живость черт, а во-вторых, прямизну ног — редкую для Дуниных соотечественников, где сыны даже лучших родов страдали от последствий татарского нашествия.

Итак, Дуня, смущенная столь церемонной встречей двух сил, светской и военной, была рада присутствию толстяка Пустилье, так и не изменившего своему сюртуку и туфлям. Тем временем красная от натуги Марфа внесла в беседку кипящий самовар. За ней следовали две сенные девушки с подносами, чашками и блюдцами, десертными тарелками, фарфоровой масленкой со свежесбитым маслом, розетками с вареньем и, наконец, тем самым благоухающим сдобой «калатчом». Последним в беседку вошел французский денщик, неся на вытянутых руках серебряный кофейник-бульотку, на выпуклом бочке которого внимательный глаз княжны не преминул заметить инициалы «Е. В.».

Дуня села на свое любимое место, лицом к речке, и тут же пожалела о выбранной диспозиции: речка с недавних пор стала не элементом пасторального пейзажа, но местом смерти. Денщик разлил кофе и вышел. Сенные девушки остались сидеть на специально поставленной для этих целей скамье поблизости — а ну как барышня пошлет в дом за шалью или иной надобностью? Кроме того, их присутствие позволяло Дуне в большей степени чувствовать себя хозяйкой положения. Уверенность, впрочем, мгновенно испарилась после первой фразы Пустилье:

— Мне необходимо осмотреть девочку, мадемуазель. Где сейчас находится труп?

Труп! Дуня вздрогнула. Летом ледники были заполнены доверху требующими свежести продуктами. Помещик, еще мог себе позволить подождать своих похорон с неделю, пока съезжается родня да соседи. Но крестьян хоронили скоро — в течение суток.

— Сейчас — в своей избе, — ответила она. — К вечеру ее понесут в церковь. Там покойница проведет последнюю ночь.

Постепенно смысл сказанных слов дошел до Авдотьи:

— Но что значит «осматривать девочку»?

— Я собираюсь произвести вскрытие, мадемуазель. По методу профессора Биша. Мы, французы, отстали в этом важнейшем вопросе от англичан и итальянцев. К счастью, доктор Биша несколько сократил существующий разрыв...

— Вскрытие? — перебила его неверяще Авдотья, взявшая в беседе унизительную привычку повторять за доктором.

— О да. Необходим внешний и внутренний осмотр. Аутопсия. Видите ли, княжна, в анатомическом театре в Сорбонне медики уже не впервые оказывают помощь парижским префектам. А доктор Биша произвел в лионской городской больнице несколько опытов с использованием электричества, подтверждающих его теории о танатологии, и...

Дернув, как породистая лошадка, головой, Дуня отмахнулась от незнакомых слов ради главного:

— Вам никто не даст осматривать тело. Если вы посмеете это сделать, вся деревня поднимется против вас. («И против меня», — добавила она про себя.) — Наши крестьяне — люди глубоко верующие — не позволят копаться в творении Божием, какие бы благородные цели вы ни преследовали. Признаюсь, — закончила она с вызовом, заметив недоуменный взгляд, которым обменялись полковой врач с де Бриаком, — даже мне эта идея кажется кощунственной.

— При всем уважении, мадемуазель. — вздохнул Пустилье, — кощунством было бы не наказать убийцу. А мертвые... мертвые тоже умеют говорить. Уж поверьте.

Де Бриак явно чувствовал себя неуютно:

— Возможно, мы не имели права просить вас о помощи, княжна. Вы — молодая женщина, и было бы странно, если бы смерть и трупы, м-м-м... входили бы в сферу ваших интересов. Прошу извинить нас с Пустилье. Мы — бывалые вояки и уже многое повидали на своем веку. — И закончил уже твердо: — Забудьте о нашей просьбе. Мы сами попытаемся найти изверга, убившего ребенка.

Дуня с облегчением кивнула — сами так сами, это грубое мужское дело — и встала из-за стола. Вот и славно. Она вышла из тени беседки на солнце и, дойдя до самого обрыва, увидела ту же картину, что и в первый приезд свой в Приволье: речку, извивающуюся внизу, дубраву на другой ее стороне, поля, деревенскую церковь и кладбище. Скоро, подумалось ей, по дороге через мост понесут открытый маленький гроб: девочка легкая, телегу запрягать не будут. Дуня пару раз уже видела деревенских покойников в смертной одежде из белого холста, с пятаками на глазах. «Плакальщицы», — вспомнила она протяжные птичьи крики:

Со восточной со сторонушки
Подывалися да ветры буйные,
Пала, пала с небеси звезда
Распахнитеся да белы саваны!

Как страшно! Авдотья поежилась (бедное дитя!) и медленно двинулась к дому: гулять в саду неподалеку от беседки ей показалось почему-то стыдным. Хотелось укрыться в тени собственной комнаты; Авдотья взошла уж было на крыльцо, когда из-за колонны к ней бросилась женская фигура в синем сарафане и пала на колени так стремительно, что Авдотья бы оступилась, не схвати ее та крепко за руку.

— Прошу, пани, благам че, помогите... — Мешая русские слова с польскими, женщина не переставала целовать Авдотье руки, прижимаясь к ним пылающим лбом.

Прошла пара минут, пока княжна догадалась, кто перед ней: прачка Агнешка, крупная баба с льняными волосами и нежным, будто акварельным лицом, мать несчастной Матрюшки. Выйдя замуж за Демьяна-кузнеца, она приняла православную веру, но даже этим не добилась расположения ревнивой барыни. К барину же, в обход хозяйки, она идти не решалась. Нахмурившись, Авдотья некоторое время слушала сбивчивую речь, понимая, что «млода господини домова» — это именно она, молодая хозяйка, и именно к ней эта женщина с тяжелыми красными руками, так не подходящими к акварельной прелести лицу, обращается за заступничеством и справедливостью.

Авдотья вздохнула.

— Хорошо, — осторожно высвободила она свою зацелованную кисть из тяжелых рук прачки.

— Добже? — так и не встав с колен, вскинула на нее полные слез глаза Агнешка.

— Добже, — повторила Авдотья и сморгнула.

Секунду она смотрела на дверь, ведущую в дом, где лежал, распластавшись на постели, недочитанный роман. А потом развернулась и пошла обратно к беседке. Словно загородив ей дорогу, прачка заставила ее принять единственно верное решение.

— Bien[1]. Будь по-вашему, — сказала Дуня вслух.

Каковы времена, таковы, выходит, и занятия. Отец с матерью лежат при закрытых гардинах — оба страдают от мигрени. У одного головные боли вызваны многомесячными походами с ночевками, проведенными в бивуаках на холодной земле, у второй — женскими недомоганиями. Поделись она с ними новостями, что за сим последует? Отец, раздраженный на свою неспособность держаться, как встарь, молодцом, возьмется пороть деревенских и дворовых. Порка, как известно, — дело богоугодное и даже, возможно, весьма полезное в поисках душегуба, но покамест можно обойтись французовой — как ее? — аутопсией, значит... Значит, раз уж Дунин мудрый ироничный старший брат на войне (как же Авдотье его не хватало!), ей и стоять за безопасность своих людей. А кроме того, отважная Олимпия на ее месте уж точно бы не смешалась, а занялась бы мужским делом. А Алеша бы ее — Дуню, а не Олимпию! — несомненно бы в сем начинании поддержал. Вуаля.

И Авдотья весьма решительно направилась к беседке, где, просочившись сквозь резное дерево, летнее солнце упруго отталкивалось от самовара, ложилось теплыми бликами на круглый, покрытый белой скатертью стол

---

[1] Ладно (*фр.*).

и вовсю играло на золоте галунов носатого артиллериста: будто утверждая победу света надо тьмой. Дуня переступила порог, сама еще не веря в то, что сейчас скажет.

— В Приволье хранится ключ от сельской церкви. А под церковью имеется склеп. — Она встретилась взглядом с де Бриаком: — Нам понадобятся свечи, господа. Мне не хотелось бы жечь церковные.

* * *

Николенька лег в постель рано, Дуня сама перекрестила мальчику лоб и задула свечу. На обратном пути осторожно приоткрыла дверь в полутемную родительскую спальню: окна были открыты, но завешаны длинными маркизами, которые только сейчас, к вечеру, перестали поливать студеной колодезной водой — для охлаждения летнего зноя. На полу по четырем углам с той же целью стояли кадки со льдом. Воздух был душист от расставленных в изобилии по комнате резеды и тубероз, любимых цветов маменьки.

Авдотья с минуту постояла, борясь с желанием растолкать отца и поведать о своей авантюре. Но, отказавшись от сих мыслей, легким шагом прошла в отцовский кабинет, выдвинула ящичек (второй слева) отцовского орехового бюро в золоченой бронзе, вынула ключ — длинный, вершка четыре, тяжелый, и сама эта тяжесть была как Авдотьина вина. Согревая железо в кулаке, она вышла в сад. Скрипя гравием, дошла до конюшен, где ее ждала загодя оседланная Ласточка.

Луна освещала громаду притихшего имения, замершие, точно солдаты на параде, старые липы подъездной аллеи. Дабы не спугнуть спящую дворню, Авдотья полпути к подъездным воротам провела кобылу под уздцы, и вскоре за замшелыми каменными львами послышалось приветственное ржание французовых коней. Пустилье, и де Бриак, оба весьма схожие покроем сюртуков с местными помещиками, тихонько переговариваясь, курили трубки. «Если не откроют рта, — подумалось Дуне, — то могут и сойти за таковых». Впрочем, Авдотьина репутация, будь она узнана, в любом случае была бы испорчена навсегда.

К счастью, путь им предстоял недолгий: минут через десять все трое спешились и, оставив лошадей в березовой роще неподалеку, медленно пошли к темному храму. Скромная одноглавая церковь была сработана лет десять назад на барские деньги — православная, она предназначалась для перевезенных с калужских земель крестьян Липецких.

С большим, чем надобно, скрипом растворились тяжелые двери. На Авдотью пахнуло ладаном, медовым воском и, слегка, розами от елея. Детский гроб стоял посреди храма; подойдя прямо к нему, Авдотья почувствовала еще один приторный душок, схожий с тем, что издают надолго забытые в вазе гниющие цветы. Плотно обвязанное серым платком остроносое личико казалось совсем крошечным.

Де Бриак притворил дверь. Доктор зажег свечу, поднеся ее ко гробу, и, отвернувшись, трубно высморкался, спрятал белый платок в карман жилета.

— Кажется, она сейчас заплачет, — прошептал де Бриак. — Невыносимое зрелище.

Дуня кивнула — скорбно сомкнутые синеватые губы обвиняли лично ее, хозяйку, помещицу, — это она не сберегла. На сизоватых веках лежали тяжелые медные пятаки.

— Вы не покажете, княжна, где спуск в склеп?

Только сейчас Авдотья заметила в руках у де Бриака свернутую попону, а у Пустилье — объемный кожаный саквояж. И поежилась.

— Вам... вам нужна будет моя помощь?

— Только посветить, — поторопился успокоить ее де Бриак. — А после вы понадобитесь нам тут, наверху, чтобы предупредить, если кто-то решится нагрянуть сюда ночью.

Тело пришлось вынуть из гроба — пусть и маленький, тот не проходил вниз по лестнице. Де Бриак нес мертвую девочку на руках, Дуня отводила глаза от узких голубоватых ступней, то и дело задевавших каменную кладку. Церковный склеп служил складом — лестницы для побелки, мешки с мелом, большой стол по центру. Пахло тут пылью и холодным камнем. Француз опустил девочку на стол и, расстелив рядом попону, аккуратно переложил тело поверх темного сукна. Доктор открыл саквояж, холодно зазвенели выкладываемые на стол железные инструменты...

Дуня развернулась и побежала наверх, в тепло деревенского храма. Липецкие никогда здесь не молились — на то у семьи была домашняя церковь, но сейчас она бросилась на колени перед поблескивающими в полутьме образами.

— Помяни, Господи Боже наш, — запричитала княжна шепотом. — В вере и надежде живота вечнаго новопреставленную рабу Твою...

Простит ли ее саму Господь за то, что с ее попустительства делают сейчас в церковном подвале два француза? Права ли она и нужна ли мертвой девочке справедливость? «Ведьма! — услышала она. — Чертова ведьма! Гореть ей в аду!»

«Это мне. Мне гореть в аду...», — подумала Авдотья, спрятала горящее лицо в ледяных ладонях. Но через секунду, подобрав подол, вскочила с колен, готовая броситься в подвал и немедля остановить ту самую аутопсию... И вдруг поняла, что голоса раздаются вовсе не у нее в голове, а за стенами церкви. Дуня застыла, глядя на пустой детский гроб: сейчас их застанут — и немудрено, как же иначе, ведь Матрюшкины мать с отцом должны читать заупокойную всю ночь — до утренней литургии! Вся дрожа, она вновь опустилась на колени — но теперь чтобы приникнуть глазом к замочной скважине.

Мимо церкви шла толпа — темная, угрожающая, ощерившаяся горящими головнями.

— Нежить! — пьяно кричали мужики. — Детогубица!

Дуне показалось, что она узнала в толпе высокую жилистую фигуру. Кузнец. Авдотья бросилась к лестнице, ведущей в склеп.

— Виконт! Доктор! — крикнула она вниз, где в свете свечей плескались на стенах две тени. — Пора уходить!

Но мужчинам в подвале понадобилось еще четверть часа, чтобы привести девочку в порядок, аккуратно одеть, завязав тесемки погребальной рубахи, натянуть покров и вернуть тело в гроб. И все это время княжна дрожала аки осиновый лист, каждую секунду ожидая тяжелого стука в дверь храма, пока наконец крики не растаяли в душной темноте, а к Дуне не вернулась способность соображать: она поняла, *к кому* на самом деле спешила воинственная толпа.

«Удушила мою дочку-то...» — вспомнились ей слова кузнеца.

Выскользнув из зябкой церкви в молочное тепло летней ночи, они дошли до березовой рощи. Кони приветствовали хозяев тихим ржанием.

— И куда они направились, мадемуазель? — Де Бриак был бледен, на лбу под лунным светом блеснула испарина — в чем бы ни заключалась та самая «аутопсия», помощь доктору далась ему нелегко.

— Думаю, нам надобно за кладбище. Она живет на краю леса. — И пояснила двум растерянным мужчинам: — Знахарка, травница. Все деревенские — и наши, и соседние, даже поляки — ходили к ней заговаривать зубную боль, грыжу, чирья или золотуху.

— Однако. Женщина широких познаний, — усмехнулся Пустилье. — Полагаете, ей угрожает опасность?

— Мне кажется, они решили, что убийца — именно она.

— Глупости и суеверия! — Де Бриак тронул своего жеребца, и все трое пустились бодрой рысцой вдоль реки.

* * *

Стоило им обогнуть сельское кладбище, как они увидели хижину знахарки. Добрый бревенчатый сруб за высокими зубьями частокола, что каждую весну поправляли благодарные деревенские мужики. Ныне те же мужики, обложив дом по периметру сухоломом, молча смотрели на стену из пламени. Подъехав, сквозь треск и вой огня Авдотья услышала еще один звук и переглянулась с де Бриаком — монотонный вопль внутри огненного кольца казался нечеловеческим. И все же это кричал человек. Женщина. Боже, она же горит там заживо! Не дожидаясь помощи своих провожатых, Авдотья спрыгнула с лошади, шагнула вперед.

— Сейчас же тушите огонь! Слышите?!

Никто к ней даже не повернулся. Дуня гневно сдвинула брови: да как они смеют! Людской круг словно защищал внутреннее кольцо пламени. Стоявшие мужики почудились ей каменными застывшими истуканами, а огонь, напротив, полным ликующей жизни. Довольным. Сытым. Авдотья сделала еще шаг, и ее толкнуло обжигающим воздухом. На секунду Дуня задохнулась, а потом в ней взметнулась ярость на всегда таких кротких деревенских, будто враз сменивших молодую хозяйку на нового, властного барина. «У-у-у-у!» — гудел огонь, оглушительно трещало сухое дерево, пригоршни искр взлетали в ночное небо, и вой травницы за пылающими стенами казался созвучной тому гулу и треску нотой.

— Пропустите! — Дрожащими от злости и испуга пальцами Дуня развязала свой плащ англицкой шерсти, только на Пасху купленный в лавке на Кузнецком мосту, и набросила его на горящий плетень, словно на бешеного зверя.

Мужики будто впервые ее увидели — с растрепанной косой и с пунцовыми от жара щеками, — но тут в доме что-то хрустнуло, и те вновь как по команде отвели глаза, в которых плясало пламя, к избе.

— Посторонитесь, княжна! — вдруг услышала она за собой французскую речь и чуть не попала под ноги де-бриаковскому жеребцу.

Тяжелые копыта ударили в ослабленный огнем плетень, как раз поверх Авдотьиной накидки. Тот повалился, освободив лаз в раскаленной стене. Жеребец с испуганным ржанием встал на дыбы — мужики от неожиданности сделали шаг назад. А француз, осадив коня, спрыгнул сам и, закрыв лицо плащом, толкнул дверь избы, выпустив наружу облако сизого чада. Авдотья замерла, глядя в раскрывшийся зев, из которого продолжал медленно, будто нехотя, выходить дым. И тут только княжна поняла, что во всей этой инфернальной картине чего-то не хватает. Оглушенная происходящим, она растерянно оглянулась: что же изменилось? Вот толпа застывших мужиков, вот чад из дверей, вот гул и скрежет огня. И лишь всмотревшись в ставший пеплом, а недавно столь модный свой плащ средь мерцающих углей, она услышала ее — тишину за говором пламени. Знахарка больше не выла.

И это отсутствие крика оказалось страшнее, чем сам крик.

ГЛАВА СЕДЬМАЯ

> Подруги милые! в беспечности игривой
> Под плясовой напев вы резвитесь в лугах.
> И я, как вы, жила в Аркадии счастливой,
> И я, на утре дней, в сих рощах и лугах
> Минутны радости вкусила;
> Любовь в мечтах златых мне счастие сулила;
> Но что ж досталось мне в сих радостных местах? —
> Могила!
>
> *Константин Батюшков*

Авдотья считала себя весьма современной барышней — в конце концов, она была ровесницей революции, а последние дают изрядного пинка многим областям знания — от законодательства до искусства и мод. Сама же французская революция являлась порождением философской мысли (революции поначалу всегда происходят в мозгах и лишь потом — на баррикадах), а философы Просвещения пребывали в уверенности, что в несчастьях человека виноваты лишь внешние «обстоятельства» — а значит, их можно переломить. Отсюда и революция. Мысль эта эволюционировала со временем, но следует помнить, откуда вился тот ручеек, окрасивший Россию 17-го года жестокостью и кровью: идя сквозь XIX столетие к его чистому прозрачному верховью, мы встретим французских энциклопедистов в напудренных париках.

Авдотья не могла догадаться, к чему приведет ее страну французская философия, зато теперь она знала, что человек и верно жестокое животное. За сутки она потеряла невинность сердца, увидев и смерть, и смертельное же равнодушие. Получалось, что человек вовсе не так разумен и благ от природы, как казалось месье Руссо, и значит, следует возвращаться к отвратительной средневековой доктрине о его греховности как части божественного плана... Это было потрясением.

Замерев, она смотрела, как прискакал в сопровождении отряда солдат Пустилье. Пожар потушили, мужики разошлись по домам: так же молча, даже не оглядываясь на обугленную избу. Словно и не они поджигали, не они стояли и наблюдали за гибелью знахарки в огне. Ибо когда, кашляя и задыхаясь, де Бриак вынес тело старухи во двор, она уже была мертва, и даже кудесник Пустилье, приложив зеркальце к темному провалу рта, лишь покачал головой. Он же, Пустилье, предложил Авдотье воспользоваться свободной комнатой в их крыле дома. О приличиях думать уже не приходилось, и Дуня со вздохом согласилась. Денщика послали за водой, и он вернулся с полным кувшином и скандализированной Настасьей. Та, в свою очередь, засновала между барской и гостевой половиной, и в результате Дуня сменила пропахшее гарью и безнадежно испорченное платье на домашний капот, а растрепанную косу — на простой узел на затылке. Критически оглядев себя в зеркале, Дуня согласилась с собой же, что могла бы выглядеть и лучше, но, учитывая опыт нынешней ночи, все вполне пристойно.

— Платье, коли хочешь, оставь себе, — кинула она Настасье, выходя из комнаты.

И краем глаза отметила, как та вспыхнула от удовольствия: Настасья была кокетлива и перешивала себе из вышедших из моды или, как вот нынче, испорченных туалетов барышни себе то кофты, то юбки.

Небо над парком уж совсем посветлело, еще час — и пробудится маменька, станет торопить девушек с самоваром. Но пока она еще может пробраться через центральную ротонду незамеченной. Следовало, однако, поблагодарить обоих французов. Держа спину чрезвычайно прямо, Авдотья толкнула дверь, чтобы попасть в гостевой салон, откуда уже доносился запах кофе.

— Господа... — начала она.

И осеклась: оба мужчины, присевшие за маленький круглый столик у высокого окна, мгновенно вскочили, склонив головы в поклоне. Майор и доктор тоже успели умыться и переодеться, но на Дуню вдруг пахнуло гарью. Гарью и смертью. И она со стыдом почувствовала, как задрожали ноги, а воспаленные от дыма и огня веки защипало от внезапных слез.

— Княжна, — вскинул на нее блестящие глаза де Бриак,. — несмотря на столь бурную ночь, позвольте пожелать вам доброго утра и выразить восхищение вашей храбростью. Редкая девица, столкнувшись с подобными обстоятельствами, проявила бы вашу стойкость духа...

Он вдруг замолчал, заметив ее слезы, и, сделав два шага вперед, взял Дунину руку и поднес к губам. И Авдотья с ужасом поняла, что еще чуть-чуть — и ее столь тщательно умытая физиономия расплывется в некрасивой гримасе. И дабы спрятать лицо, по русской привычке поцеловала француза в голову. От затылка виконта пахло пудрой и кельнской водой, призванной всуе заглушить запах гари, но сквозь эти запахи пробивался еще один. Дуня на секунду замерла, пытаясь определить, какой же? Пока, порозовев, не поняла, что так пах сам де Бриак, и от интимности этого запаха быстро выдернула руку.

— Вы устали, — вздрогнув от ее внезапного жеста, негромко сказал он. — Вам необходимо выспаться. Но сначала — подкрепиться.

Француз широким жестом указал на столик с уже знакомым Дуне кофейником, оставшейся со вчерашнего ужина тонко порезанной холодной телятиной, хлебом и свежими яйцами.

И Дуня хотела было сказать, что есть не желает, а разве что выпьет французского кофию, но через пять минут, стараясь более глядеть на розовощекого Пустилье, чем на сумрачного де Бриака, почувствовала зверский аппетит. И, пользуясь пришедшей из Франции же модой на природную естественность, порешила — раз уж провизия за оккупантским столом все равно происходит из батюшкиного имения — подкрепиться двумя яйцами и толстым куском хлеба.

Пустилье, подливая ей в кофе густых сливок, по-отечески кивал головой, рассказывая, как обработал уксусом ожоги на ногах виконта и сделал повязки с лавандовым маслом.

— Чудесное средство, мадемуазель, правда, майору придется носить сапоги на два размера больше, но до кокетства ли нынче...

Тут уже де Бриак прервал своего полкового врача:

— Сии детали, — сказал он, — порозовев, вряд ли заинтересуют княжну.

А Дуня, забыв о собственном смущении и великодушно желая выручить майора, перевела беседу на недавнее происшествие.

— Все это ужасно, — сказала она. — Но, возможно, мужики знают больше, чем мы? А ежели дело тут не просто в суеверии и травница и впрямь виновата? — Мужчины молчали, и Дуня продолжила задавать сама себе вопросы: — А удушение в воде было частью какого-то ритуала? Я слыхала, знахарки лечат «трясцу» — лихорадку — около осины, ибо та «вечно трясется». А от струпьев на лице — деревенские зовут их «летучий огонь» — выводят на улицу и дожидаются первого зажженного в селении огня. Что, ежели девочка чем-то болела, а знахарка пыталась ее вылечить... от водянки, к примеру?

Она переводила взгляд с Пустилье на де Бриака. Оба сидели, опустив глаза. А де Бриак, похоже, еще и покраснел узкими щеками.

— Господа, — нахмурилась Дуня, отложив второй ломоть хлеба. — Вам стало известно нечто, о чем я не знаю?

— Во время аутопсии... — начал Пустилье и запнулся.

Княжна почувствовала, как счастливое чувство сытости сменяется липкой тошнотой. «Мертвые умеют говорить». Мертвая Матрюшка что-то поведала им в церковном подполе. Но Дуня была вовсе не уверена, что желает слушать. И похоже, что эти двое не слишком стремятся ей рассказывать. Бросив тоскливый взгляд на рассветный парк, Дуня выдохнула и снова повернулась к собеседникам.

— Продолжайте, доктор, — сказала она.

— Голова девочки была обрита, — начал Пустилье. — И если в ваших местах нет такой традиции, значит, это сделал убийца, и сделал длинным лезвием наподобие складной бритвы. — Дуня задумчиво кивнула: она видала такую у отца и брата. — Кроме того, на коже девочки имелись порезы, произведенные, возможно, тем же лезвием. — Пустилье полез во внутренний карман своего сюртука и вынул записную книжку в кожаном переплете. — Вот, мадемуазель, — открыл он ее на середине.

Дуня взглянула на страничку, изрисованную доктором этой ночью в церковном склепе. Порезы схожи были с узором — завиток, напоминающий и изгиб волны, и меандр с греческой вазы. Она подняла на де Бриака ошарашенный взгляд:

— Кто станет так резать кожу ребенка?!

И впрямь — злое колдовство.

— Еще вот это.

Пустилье встал и выдвинул верхний ящик орехового секретера. В руках у него оказался холщовый мешочек. Предмет, который вынул, развязав тесемки, доктор был совсем мал, но, увидев его, Дуня против воли расплылась в улыбке. Гаврилова лошадка! Маленькая, грубо струганная, выкрашенная в две краски: красную и черную. Радость помещичьих и деревенских детей, награда за терпение на уездной ярмарке.

— Откуда она у вас? — потянулась Дуня к игрушке.

— Вам она знакома? — поднял седеющую бровь Пустилье.

— Конечно. Их вырезает деревенский калека, Гаврила. — Дуня взяла лошадку и сжала ее в ладони. — Папа́ покупал их у него из жалости: сначала нам с Алешей, потом Николеньке. — Она замолчала, увидев, как переглянулись Пустилье с де Бриаком. И вдруг поняла.

— Где вы... где вы нашли ее, доктор?

— Кто-то, — прокашлялся Пустилье, — кто-то засунул игрушку девочке глубоко в горло. Я сам нащупал ее по чистой случайности: думал, это ветка или листья.

Дуня, нахмурившись, положила лошадку на стол.

— Что-то еще? — еле слышно спросила она и добавила уже громче: — Вы узнали что-то еще?

Де Бриак весьма пристально глядел в уже пустую чашку — будто высматривал в кофейной гуще свою будущность.

— Не думаю, что вам, княжна, стоит вдаваться в такие... подробности. — Он прокашлялся, но так и не поднял на нее глаз. — Довольно того, что сей факт полностью снимает подозрения со знахарки.

— Что?.. — начала Дуня и замолчала, чувствуя, как лицо заливает краска.

Над девочкой надругались, поняла она. Так, как делают испокон веков солдаты наступающих армий с женщинами покоренных земель. Но тут была не баба из деревенских. Ребенок. Видно, снасильничавшему самому стало стыдно перед Богом за сотворенное зло. Так стыдно, что тот удушил ее, убив с ней и свой грех.

Так вот почему они были так смущены. Дуня поднялась из-за стола.

— Значит, это один из ваших солдат. — Губы ее дрожали, но голос был ледяным. — Один из вас.

Офицеры вскочили вслед за ней, Пустилье открыл было рот, чтобы что-то сказать, оправдаться... Но красный как рак де Бриак, сомкнув челюсти, молча смотрел в пол. И это постыдное молчание было откровеннее любого признания.

Изо всех сил стараясь сдержать подступающие рыдания, Авдотья ровным шагом вышла из комнаты. И лишь оказавшись в центральной ротонде, где на нее с укором смотрели со стен лица предков, бросилась на двустворчатую дверь в свою половину дома, распахнула ее и побежала, уже не сдерживая слез, вперед.

* * *

За завтраком Авдотья сидела в горькой растеряности: о ночном происшествии следовало рассказать отцу с матерью, но решиться на это было нелегко. И как же ей не хватало Алеши! Брат нашел бы способ, отыскал нужные слова. Дуню же охватывал ужас при одной только мысли о выражении матушкиного лица: ночь, деревенская церковь, двое малознакомых мужчин... И ее дочь, княжна Липецкая, помогающая им вскрыть труп. Кроме того, Авдотья понимала, что несомненная вина в детоубийстве французских солдат ставит его сиятельство перед непростым выбором. Помещик — отец крестьянам и их заступник. Но как князь сможет защитить своих людей супротив целого вражеского дивизиона? Был, конечно, и еще один выход для дворянина: разрешить дело поединком. Но, расставшись со старшим братом и едва не потеряв младшего, Дуня не могла и помыслить о возможном дурном исходе дуэли для батюшки. А в том, что де Бриак — отличный стрелок, она отчего-то не сомневалась.

— Что, душа моя, сидишь пригорюнившись? — прервал ход ее рассуждений Сергей Алексеевич. — По балам скучаешь да по подружкам?

Дуня подняла на него глаза и уж набрала было воздуха, дабы признаться в содеянном, как в дверь столовой тихо постучали. И на трубное князево «Entrez!»[1] на пороге появился Андрей-управляющий с просьбой переговорить с барином по очень важному вопросу наедине, засим следовал поклон в сторону расслабленной с утра княгини и Авдотьи, у которой сразу тревожно засосало под ложечкой: не о вчерашней ли ночи собирается доложить его сиятельству управляющий?

— Ступай за дверь, обожди меня, — кивнул Липецкий, наливая себе последнюю за утро чашку кофию, а Дуня, порозовев от того, что собирается сделать, отодвинула стул.

---

[1] Войдите! (*фр.*)

— Что ж ты и не поела ничего, голубушка? — ласково взглянула на дочь Александра Гавриловна.

— Не выспалась, — ответила Дуня. И не соврала.

Княгиня, щедро намазывая маслом сдобный срез калача, кивнула:

— Все полная луна. И у меня в полнолуние не мигрень, так бессоница. Иди-ка, приляг хоть на час, ма шер.

Освободившись от родительских внимательных глаз и совсем ненужного ей второго завтрака, Дуня легким скорым шагом направилась в соседнюю с отцовским кабинетом библиотеку. Она знала: дверь между двумя помещениями никогда не закрывалась наглухо. Так, княжна проводила немало дождливых августовских дней, читая под бубнящий голос Андрея: сколько рабочих стадов да на сколько посевных выпасено. Сколько собрано с десятины пудов овса, сколько пшеницы. Сколько пришло за мельницу, сколько за сено. И ни разу не выказала ни малейшего интереса к помещичьим делам. Но сегодня — сегодня другое дело. Взяв для прикрытия солидный том «Dictionnaire universel de la noblesse de France»[1], Дуня со скучающим видом села на подоконник, плотно задернула тяжелую гардину. И вовремя. Через библиотеку, прихрамывая, прошел батюшка с почтительно следовавшим за ним Андреем.

— ...А французы, выходит, пытались помешать бесчинству?

— Истинно так. Майор ихний прямо в избу к ней прорвался, чуть сам себя не спалил, ан поздно: старуха уж Богу душу отдала. — Последовала пауза, Андрей, очевидно, перекрестился. — Или диаволу.

— Ты, Андрей, вокруг да около не ходи, — Дуня услышала, как князь прочистил и зажег себе трубку. — С чего вдруг кроткие мужики мои войной на знахарку пошли? Она ведь, поди, лет сто им все хвори заговаривала?

— Так-то оно так, барин. Вот только слух пошел, будто старуха девочек крадет. Волоса им бреет и по воде

_____

[1] Универсальный словарь французских дворянских родов (*фр.*).

88

на плотах пускает. А после их волосами оборачивается, молодильное зелье пьет и...

— Постой. Что значит — по воде пускает?

— Вроде душит их кто, девок-то. Бабы говорят, водяной подарок принимает.

Авдотья услышала, как князь презрительно хмыкнул.

— Бредни бабские да суеверия. Война идет, аракчеевские пушки палят, девятнадцатый век на дворе, а все туда же, водяной им мерещится. — Отец помолчал. Побарабанил пальцами по столешнице. — А за то, что не пришел ко мне сразу, как первая девочка пропала, всыпать бы тебе с двадцать пять горячих!

— На то ваша барская воля, Сергей Алексеич, — обиженно громко втянул носом воздух Андрей. — Только вот извольте видеть: Фроська-то, Федора-кучера дочка, что о позапрошлом августе утопла, вроде как случайно с мостков в реку упала. Когда нашли ее, сильно уж была порченая, не понять ничего, одно слово — утопленница. А со второй уж разговор иной: на плоту плыла, не червивая, волоса-то обриты. И самая шеечка вся в синяках...

— Так что, тоже думаешь, это дело рук ведьмы?

— Да какой же нелюдь на ребенка руку-то поднимет? Басурмане разве? Так их о позапрошлом годе еще здесь и не было.

— А о сем годе и урядника не найти, — вздохнул князь.

Растерянность его сиятельства была вполне понятна. В мирные времена осмотр мертвецов в подвластных их сиятельству селениях возлагался на сотских старост: будь то покойники удавленные, замерзшие или утопшие. Иногда при осмотре бывал местный священник и обязательно — врач из губернской управы. От врача в губернскую же канцелярию шел по покойнику непременный рапорт. По закону старосте следовало отослать мертвеца с письменным уведомлением в госпиталь или в полицейскую управу, где штадт-физик уже приступал к анатомированию в секционных покоях. Да, но помещик к подобным делам имел мало отношения, процедура шла своим чередом...

Сергей Алексеевич вздохнул: так происходило в мирное время. Сейчас же врача было не отыскать и для осмотра живых, не то что для трупов. «Да и что там уж можно увидеть, что сделать? — размышлял, пожевывая муштрук и хмурясь, князь. — Огонь уничтожил следы, а на подозрении все не забритое в рекруты мужское население деревни...»

Будто подслушав мысли барина, Андрей мелко закивал:

— Так оно и к лучшему, барин, случилось. Аксинья-то травница уже, значит, на том свете. А на этом детишкам покойно будет.

— Что ж, — согласно заскрипел стул под князем. — Actum atque tractatum[1], друг мой.

Андрей почтительно промолчал: фразой этой барин заканчивал почти каждое обсуждение хозяйственных дел, и латынь для управляющего была вроде знахаркиного заклинания, обозначающая точку в беседе. Но Авдотья, замершая за гардиной, поняла: отец в глубине души рад, что его вмешательство не потребовалось. Пусть и мужицким самосудом, но убийца найден и наказан.

Позабыв об увесистом томе, Дуня тихо соскользнула с подоконника. Ей необходимо было увидеть де Бриака. Даже если для этого придется стучаться в его окно, тем самым нарушив последние приличия. Что ж, как сказал бы папá: sic fiat[2]. Или, более подходящее случаю: A la guerre comme a la guerre[3]. И отчего ей вечно приходится оправдываться перед некрасивым майором?

* * *

Но окно де Бриака оказалось широко отрыто — по новой, пришедшей с туманного Альбиона методе, согласно которой помещение надобно было наполнять свежим

---

[1] Сделано и обсуждено (*лат.*).
[2] Пусть так (*лат.*).
[3] На войне как на войне (*фр.*).

ветром полей и дубрав. Прогуливаясь по близлежащим аллеям парка (и получив таким образом возможность изучить с некоторого расстояния комнату артиллериста), Дуня со вздохом разочарования обнаружила, что майор, очевидно, ушел проверять состояние своих людей да осматривать орудия. Авдотья приуныла. Душа ее, как в романах Ричардсона, разрывалась от противоположных чувств. Стыдом за свое скорое обвинение — и радостью оттого, что оно ложно. А раз так (Дуня лелеяла надежду, что француз великодушно простит ее!), значит, они смогут сделаться приятелями. Друг же, подобный де Бриаку, призналась себе Авдотья, был ей сейчас необходим: ведь старшего брата рядом не было — и дрожь пробегала по Дуниному позвоночнику при мысли, что по Приволью уже два года как ходит убийца и насильник.

Пытаясь отвлечься, Дуня даже наведалась к маменьке. После вызванного мигренью вынужденного бездействия Александра Гавриловна преисполнена была с утра неистовой энергии. Неизвестно, куда заведет огромную империю военная кампания с вероломным Буонапарте, но что бы ни случилось, ее сиятельство не свернет с проторенного пути и, как каждый год, заведет свое производство варенья. Авдотья, обыкновенно с легким пренебрежением относящаяся к материнскому хобби (еще одно модное английское словцо, пришедшее из романа Лоренса Стерна), нынче с радостью последовала за ней в оранжерею: рамы в теплицах по случаю жаркого дня были сняты, и аромат созревающих плодов пьянил и довольную Александру Гавриловну в широкополой пейзанской шляпе, и садовника с двумя дворовыми мальчишками, что приставили лестницу к шпалерам и влезали наверх, где фрукты зрели не в пример быстрее.

Начался сбор. Княгиня, обмахиваясь веером, в сопровождении ключницы (крепостной синоним экономки) и Авдотьи, переходила из отделения в отделение, организованные со строгостью по сортам плодов: тут были и персики, и абрикосы, и сливы-«венгерки».

Лучшие Александра Гавриловна с нежностию откладывала на варенье. Остальное, знала Дуня, пойдет на наливки с настойками. Сей же осенью сотни две бутылок, переложенные сеном, отправятся в московский особняк Липецких.

Наскучив оранжереями, Дуня вернулась под сень родного дома. И тут же пожалела: господская половина положительно превратилась в фабрику. Даже в парадных комнатах все столы были нагружены дарами сада, вкруг них сидели сенные девушки: чистили, отбирали ягоду по сортам... И едва успевали справиться с одной грудой, как на смену ей появлялась другая. Чувствуя неловкость от собственной праздности посреди сего трудового исступления, Дуня стянула пару земляничин с одного из столов и так дошла до библиотеки, по счастью, не затронутой садовым безумием, где забрала с подоконника случайно схваченную утром с полки книгу.

В саду, в тени громадной липы были уж сложены из кирпичей четырехугольники горелок. На них, в пылающих на солнце медных тазах, неистово бурлила, вспучиваясь розовой пеной, летняя амброзия. Настасье и Ваське — горничной Александры Гавриловны — было приказано находиться у тазов неотлучно. Задачей их было попеременно снимать пенку на поставленную рядом тарелку белого фарфора.

Отогнав пчел, Дуня взялась за ложку, зачерпнула кончиком липкую ароматную сладость и едва только сунула ее по-ребячески в рот, как услышала позади себя:

— Простите, что докучаю, княжна. Но мне необходимо поговорить с вами.

Дуня выдохнула, быстро облизнула губы и развернулась к французу.

— Вы вовсе мне не докучаете. Напротив, — она легко пожала плечами, прикрытыми от коварного июньского солнца кружевной косынкой-фишю, — я и сама весь день хотела с вами побеседовать... — и запнулась, не уверенная, что майор ее правильно истолкует.

Но тот, похоже, княжну даже не слышал. Нахмурив густые темные брови, он смотрел мимо нее — на бьющее родником содержимое медного таза.

— Я не сумел сказать вам это нынешним утром — мы все были измучены и подавлены ночными событиями, — но верьте: я проведу расследование среди моих солдат и младших офицеров. И если вина кого-нибудь из них будет доказана... Его тотчас повесят — по законам военного времени.

Дуня всмотрелась в выразительную физиономию француза. То ли солнце, то ли смущение окрасило смуглые щеки. Но странно, чем пуще майор заливался краской, тем более лицо его выражало решимость. Словно он сердился на самого себя за слабость. Пчела, согнанная Авдотьей с пенки, вилась живым нимбом вокруг головы в темных кудрях.

Де Бриак поднял глаза и, столкнувшись с Дуней взглядом, выдержал его; темные губы его дрогнули — то ли желая добавить что-то, то ли улыбнуться. Но он промолчал и оставался серьезен.

— Не повесят, — прошептала Авдотья и сама с внезапным вниманием уставилась на бурлящее в тазу варенье, — потому что это сделали не ваши люди.

— Как вы можете быть уверены? — Он покачал головой: если это подачка, то он ее не желал. — Война, княжна, меняет самых лучших из нас...

— Могу. Я могу быть уверена, — перебила его Авдотья. — Потому что это не первый случай. Два года назад в Приволье уже пропала девочка. Ее нашли в реке близ мостков.

В наступившей тишине стало слышно жужжание слетевшихся на варенье пчел.

— Наш управляющий не счел нужным уведомить нас два года назад, полагая сие несчастным случаем. Но...

— Но когда нашли другую девочку, сомнений уже не оставалось, — кивнул де Бриак.

— Прошу простить меня, виконт, за мою пристрастную поспешность сегодня утром.

— Я не могу на вас обижаться, — улыбнулся вдруг он; всплеснулся блеск в темных глазах. — Самые простые решения часто оказываются самыми правильными. Кроме того, хочется, чтобы плохой был чужаком. Тогда наш собственный мир остается в относительном покое, не так ли?

Дуня неуверенно кивнула.

— Теперь, — начала она дрогнувшим голосом, — вы, напротив, можете быть покойны.

— Отнюдь. Теперь, княжна, мы возвращаемся к отправной точке. Согласны ли вы помочь мне найти убийцу?

Авдотья могла только вновь кивнуть — на этот раз с искренней благодарностью. Он не бросит ее один на один с неизвестным убийцей — пусть нынче точно известно, что душегуб родом из ее деревень, а не кто-то из его солдат. От облегчения выскользнула из влажных пальцев и упала в траву обтянутая кожей книга. Француз легко наклонился, чтобы подать ей увесистый том, взглянул на название — и замер.

Дуня почувствовала, как, в свою очередь, краснеет, и было от чего (читатель уже понял, что барышни XIX века краснели, розовели и румянились и без особого на то повода. Следствие ли это литературной традиции той поры иль впрямь юные девушки часто смущались в обозначенную невинную эпоху, что и нашло отражение в толстых романах, — сие нам неведомо).

Де Бриак же протянул ей книгу и, не поднимая глаз, добавил:

— Мы договорились встретиться с Пустилье, чтобы обсудить все уже на свежую голову. Не откажетесь к нам присоединиться?

— Не желаете свежего варенья? — только и могла выдавить из себя все еще алеющая от смущения Авдотья.

* * *

Они сидели втроем в беседке, час дня был что ни на есть романтический: закат. Но трое в беседке не любовались на ежедневное Господне чудо, а пристально

94

глядели на скрученную Пустилье в церковном склепе бумажную папильотку.

— Это песок, — пояснил Пустилье, высыпав несколько белых крупинок на скатерть, — я нашел его под ногтями мертвой девочки. Но дно вашей речки, как я уже удостоверился, выстлано песком много более грубым и темным.

— Значит, девочку убили в другом месте? — нахмурился де Бриак.

— Весьма частый случай, — кивнул полковой лекарь. — То место, где произошло преступление, возможно, днем слишком людно. Или слишком близко от дома убийцы.

Дуня, содрогнувшись, смотрела на белесые песчинки на темно-синей скатерти. В неприятной близости от хрустальной вазочки с вареньем.

— Полагаю, — и Пустилье с неожиданной для его пухлых пальцев легкостью собрал гранулы в кулечек, крепко закрутив его с другого конца, — первым делом стоит выяснить, где в здешних местах водится подобный песок. Вы сами видите: песчинки белые, блестящие и довольно мелкие. — Он улыбнулся и спрятал папильотку во внутренний карман, отчего Дуне сразу стало проще дышать. — Что, впрочем, нередкий случай для песчинок.

— Наша речка впадает в большое озеро. Там должно быть песчаное дно.

— В таком случае предлагаю вам, мадемуазель, предпринять туда прогулку. Как и к любому другому водоему, находящемуся поблизости.

— Кроме того, нам следует поговорить с Гаврилой, — кивнула Дуня. — Что, если он запомнил человека, купившего у него лошадок?

Жестом попросив разрешения курить, Пустилье выбил остатки старого табака из черешневой трубки.

— Не думаю, мадемуазель, чтобы от таких вопросов был толк. Ваш Гаврила нынче любого незнакомца станет держать за злодея. Кроме того, среди злодеев попадаются люди, весьма приятные на вид. Внешность, княжна, обманчива.

— И все же стоит попытаться, — вдруг поддержал ее де Бриак. — Где живет ваш игрушечных дел мастер, княжна?

* * *

Через полчаса, когда солнце совсем скрылось за еловыми верхушками, де Бриак и Дуня уже ехали назад. Экспедиция в ближайшую к имению деревеньку если и дала результаты, то весьма плачевные.

Изба калеки оказалась самой последней на улице и самой же неухоженной. По пыльному двору ходил один облезлый петух. Спешившись и предложив де Бриаку обождать на улице, Дуня, наклонившись, вошла в пустые сени с устланным грязной соломой земляным полом. Сама изба была темна — окна, затянутые бычьими пузырями, пропускали столь тусклый свет, что здесь, казалось, стояли вечные сумерки. Княжне приходилось двигаться чуть ли не на ощупь, с трудом преодолевая желание тотчас же выбежать обратно к петуху во двор — лишь бы прочь от насыщенного давней мужицкой вонью спертого воздуха.

Дуня вынула из-за манжеты платок и, стараясь дышать сквозь надушенную розовой водой кружевную ткань, огляделась по сторонам. Лампада тускло светила пред засиженной мухами иконой. Протянув ладонь, Дуня наткнулась на угол липкого стола, за которым вдоль стены стояла длинная лавка. По полу прошмыгнул резвый таракан, явно живший здесь в совершенном согласии с владельцем. Сам же Гаврила — некогда большой, а ныне высохший мужик — спал бородищей кверху, извергая вместе с руладами запах «гожалки» — местного самогона. Одна рука его, та, кисть которой уже лет десять назад отрубили в пьяной драке, была откинута — грязная культя утыкалась в пол. Груда деревянных заготовок, более или менее напоминающих лошадок, была свалена на столе. Среди них имелись и большие — в четыре, пять вершков. Поежившись, Авдотья подумала, что они вряд ли уместились бы в чьем бы то ни было горле.

Мог ли Гаврила — добрый, несчастный Гаврила — быть убийцей? Дуня помнила деревенские ярмарки и его карие собачьи глаза, как тот смотрел с мольбой и лаской на барских детей, выуживая здоровой рукой из холщового мешка все новых и новых лошадок. Все они были похожи друг на друга: неуклюжей грубой работой, подтеками краски на бочках. Но меж тем в этих лошадках было свое обаяние, коим не обладали ни куклы с искусно расписанными фарфоровыми лицами, ни плюшевые лошадки на колесиках — дорогие отцовские подарки из англицкого магазина на день ангела или на Рождество. Отчего они с Алешей так явственно чувствовали это? Почему выклянчивали каждое лето у папа́ с десяток копеечных коньков и, едва летнее небо затягивалось дождливыми облаками, усаживались играть с ними на полу в детской? Уже уходя, она увидела у торца стола странное приспособление — деталей в полутьме было не разглядеть, но Дуня отчего-то сразу поняла, что эти деревянные тиски служили Гавриле опорой, второй рукой, пока единственная рабочая выстругивала лошадок. Бедный, бедный Гаврила!

Чуть не расплакавшись — что за судьба досталась бедняге? — Авдотья, закусив губу, развязала бархатный кошелек, выложила на грязный стол двугривенный и вышла, наконец, на свежий воздух. Молча дала французу подсадить себя на лошадь, и они шагом тронулись обратно в Приволье.

— Беседы, как я понимаю, не вышло? — наконец спросил княжну де Бриак, минут пять не прерывавший ее молчания.

Дуня покачала головой:

— Нет. Да это и не важно. Не думаю, чтобы он что-то знал.

— Потому что был пьян? — снисходительно улыбнулся майор.

Дуня вдруг почувствовала себя оскорбленной.

— Ежели вы полагаете, — холодно заметила она, — что я покрываю своего крепостного по причине его пагубного пристрастия, то глубоко ошибаетесь. Я часто видела его в деревне и на уездной ярмарке. Он очень несчастный, но не озлобившийся на свою судьбу человек. Поверьте, если бы вы видели, как он живет, вы...

Она замолчала.

— Возможно, оттого он и стал убийцей? — тихо сказал де Бриак. — Не гневайтесь на меня, княжна. Но он одинок и крепок физически. Возможно, умерщвление других сделалось для него способом продемонстрировать миру, что он еще жив, существует и так с ним, с миром, взаимодействует? А насилие — это тоже возможность доказать себе, что он еще мужчина?

— Насилие не может быть доказательством мужественности, — повернула к французу горящее лицо Дуня. — Насилие — это показатель бессилия.

— И между тем это не отменяет мною сказанного. Он одинок. Он калека. Он надругался над девочкой, оставив в ней свою игрушку как тайное клеймо. В горле, будто заткнул навсегда рот. Он убил и запил. Все сходится, княжна.

— Ничего не сходится! — резко натянула поводья Дуня. — Он добрый, безобидный мужик. Это кто-то из тех, кто покупал его игрушки! Кто-то, для кого они, как и для меня, — символ детства и чистоты, надругался над детством и чистотой!

Де Бриак склонил голову:

— Простите. Я доверяю вашей интуиции, княжна.

Дуня тронула Ласточку: косынка-фишю, прикрывающая грудь, вздымалась в такт ее возмущенному дыханию — Авдотья и сама не знала, почему так бросилась на защиту калеки.

Они уже подъезжали к имению, когда майор добавил, будто оправдываясь:

— Женская интуиция, как известно, сильнее мужской логики, ибо дана свыше, тогда как мы оперируем нашим убогим разумением.

О мужчины эпохи! Ни в грош не ставившие женский ум, но свято убежденные, что тот, подобно пустому сосуду, проводит некие таинственные флюиды. Авдотья, увы, еще недостаточно начиталась Олимпии де Гуж, чтобы возмутиться презумпцией своей интуиции над своей же логикой. Она лишь кивнула, скорее прощая неуклюжего вояку за дерзость спорить с ней в вопросе характера ее людей, которых она не без оснований полагала своей собственностью.

А неуклюжий вояка продолжил:

— Если позволите, мы попрощаемся с вами здесь, дабы вы смогли избежать вопросов своих домашних.

И, коротко поклонившись, француз пришпорил своего жеребца. Не дожидаясь, когда де Бриак скроется в густых сумерках, Дуня, закусив губу, ударила хлыстом Ласточку и стрелой полетела по белеющей в полутьме аллее — мимо львов, хранящих барские ворота, туда, где уже лучились теплым светом окна главного дома.

* * *

За завтраком Авдотья объявила, что отправится на прогулку на озеро, и столкнулась с внезапным отцовским сопротивлением:

— Дороги небезопасны, ма шер. Соседи в большинстве своем разъехались. А солдаты, как известно, на постое скучают и мародерствуют.

— Вряд ли они рискнут напасть на собственное начальство. — С деланой беззаботностью Авдотья разломила и намазала маслом свежий калач.

Актриса из княжны вышла так себе: за столом повисла пауза, которую принято называть неловкой. Ее сиятельство переглянулась с его сиятельством «со значением».

— Эдокси, он, несомненно, благородный человек. И наша семья ему обязана. Но разумно ли это?

Дуня вздохнула:

— Чего же тут неразумного, маменька? Разве не видите: самое его присутствие более надежно охраняет меня от бандитов, чем двадцать наших людей.

— Я вижу лишь то, что ты подаешь виконту бессмысленные надежды, ма шер. Это жестоко, тем более по отношению к столь достойному человеку.

Дуня почувствовала, как заливается краской, и с мольбой посмотрела на отца: что за глупости! Пусть хоть он что-нибудь скажет! Но отцовские глаза под щеткой седеющих бровей были серьезны.

— Милая моя, сей де Бриак, похоже, неплохой малый. Но мы воюем. Победим ли или... — Он прокашлялся. — Что бы ни уготовило нам Провидение, вряд ли вам суждено быть вместе. Не стоит разбивать ему сердце.

— Разбиваю ему сердце?! Я? — беспомощно переводила взгляд с матери на отца Авдотья. — Да у меня и в мыслях такого нет!

— В любом случае, — примирительно накрыла своей ладонью Дунину руку маменька, — не следует давать ему повод полагать, что у вас есть будущее.

— Но маменька! Я не давала ему ни единого!.. — чуть не плача, вскочила Дуня со стула.

— Я верю тебе, дитя, — вздохнула мать. — Но между тем он не сводит с тебя глаз.

На секунду Авдотья уж было думала признаться в реальной подоплеке происходящего: мертвая поруганная девочка в реке, Гаврилова лошадка у нее в горле... Однако вовремя осеклась: все ж таки романтическая версия ее отношений с де Бриаком много более невинна, чем стоящая за ней мрачная история совместного расследования.

Вернувшись в свою комнату, Авдотья придирчивее, чем обычно, взглянула на разложенный Настасьей на постели темно-серый рединтот. Возможно ли, что маменька своим нацеленным на выгодное замужество глазом увидела то, что сама Дуня не потрудилась заметить? Сбросив с плеч шлафор, она села в одной рубашке перед зеркалом-псише, по-бабьи подперев кулачком подбородок, и разочарованно вздохнула. Утренний свет лился из высоких окон, не давая разгуляться снисходительности. Скучные серые глаза за ночь, увы, не обратились в голубые. Рот был все так же велик, лицо не радовало глаз идеальным овалом, а, напротив, будто заострилось от последних событий, став еще более угловатым. «Все это глупости», — попыталась улыбнуться своему непривлекательному отражению Авдотья. Но не смогла. Вот ведь: и француз был ей совсем неинтересен, и сам, заметим, с лица вовсе не Ловлас. «Что ж, — бросила она взгляд через зеркало на амазонку на своей постели, — пусть будет серый цвет». В тоскливый цвет глаз. Lasciate ogni speranza, voi ch'entrate[1]. И, снова вздохнув, Дуня кликнула Настасью, чтоб та причесала ее и помогла одеться.

— Небось, барышня, накрутим локонов, позади психейный узел завяжем и ленту голубую проведем — майор ваш, поди, раньше времени сдастся! Так, глядишь, и всего француза побьем.

Авдотья неловко дернулась, отбросила Настасьину руку:

— Да ты в уме ли! Какой «мой майор»?

— Может, был и не ваш, а уж ваш стал, — вновь подхватив прядь хозяйкиных волос, хохотнула довольная Настасья. — Марфа-кухарка божится: глаз с нашей барышни не спускает.

Да что ж это такое! Авдотья чуть не расплакалась. Не хватало еще, вдобавок к материнским подозрениям, сплетен прислуги.

— Будет лясы точить, — холодно сказала она, глядя на Настасью в зеркало. — Никаких локонов — гладко зачеши. Все равно шляпкой примнутся.

И, наблюдая, как Настасья, обиженно поджав губы, делает ей ниточку пробора ровно посередине головы, добавила:

— У нас с майором дело, касаемое до убитой девочки. И ничего боле.

---

[1] Оставь надежду, всяк сюда входящий, — заключительная фраза текста над вратами ада в «Божественной комедии» Данте Алигьери (*ит.*).

Настасья, держа во рту шпильки, только кивнула с самым упрямым выражением на лице: за многие годы совместного бытия Авдотья изучила сие выражение наизусть. Мол, не наше холопье дело разбирать ваши барские воли. А на наш-де роток не накинешь платок. Княжна вздохнула: сколько ни объясняй, строптивицу не переспоришь — только сплетни разнесешь. А Настасья, покончив с прической, молча выложила на столик перед псише атласную коробочку и вышла. Открыв ее, Авдотья вынула на ладонь модные о ту пору в Европе серьги-камеи из голубого агата. Чуть помедлив, вдела в уши — и глаза ее чуть поменяли свой цвет, став дымчато-голубыми. Зеркало вдруг явило ей героиню романа: «Неужто и правда не сводит? — Недоверчиво качнула княжна головой, отчего амуры на камеях колыхнули своими маленькими луками со стрелами. — Вот же глупости!»

* * *

До озера они добрались ранее ожидаемого. Причина была проста: в самом начале пути Авдотья затеяла со спутником беседу, призванную скоротать с приятностию путь, однако приведшую к результатам ровно противоположным. Итак, де Бриак был в мундире, странно шедшим его смуглому неправильному лицу. Амазонка же Авдотьи включала в себя расшитый золотой нитью редингот с двумя рядами золоченых пуговиц в стиле гусарской униформы. Пошутив на тему дамского туалета, ставшего жадным до мужского, Дуня и решилась задать роковой вопрос о «ваших, майор, артиллеристах».

— Едва ли нас можно назвать артиллеристами, княжна, — улыбнулся, сверкнув галльскими очами («Он не сводит с тебя глаз, Эдокси!»), де Бриак. — Мы конная артиллерия.

— Позвольте, в чем же разница? — снисходительно улыбнулась в ответ Авдотья, смутно вспоминая рассказы о самом модном войске в столице: папенька сказывал, что в конную артиллерию назначались исключительно георгиевские кавалеры, молодые люди с протекцией и красавцы. Собственно, именно начиная со слов «красавцы», Авдотья и начинала вслушиваться в отцовские слова за ужином. Однако ежели в России в конную артиллерию брали одних красавцев, то во Франции — Дуня не без иронии скосила глаз на своего спутника — их явно не хватало.

— Огромная разница, мадемуазель, — отвечал тем временем не подозревавший о ее мыслях носатый майор. — Еще совсем недавно тяжелые гаубицы имелись только у пехоты. А пехота, как вы знаете, движется в арьергарде и не способна решить блиц-задач.

— Нет, не знаю, — пожала плечами Авдотья. Выпрямив тонкий стан, согнутое колено лежит на гриве, она вся отдалась ритму движения: следует признать, княжна была отличной наездницей — впрочем, для барышни ее круга верховая езда являлась обязательной частью образования. Грация и мужчины, и женщины в то время проверялась двумя контрапунктами светской жизни — бальной залой и седлом. А с грацией — понятием ныне забытым — в начале позапрошлого века не шутили: много точнее, чем отлично сшитое платье и правильный выговор во французском, она демонстрировала принадлежность к высшему обществу. Вот почему, любуясь ею, де Бриак вдруг почувствовал неясную печаль. А вслух продолжил:

— Конная артиллерия почитается военной элитой, ибо ведет баталию супротив неприятеля, совмещая пушечную мощь с кавалерийской стремительностью. Важное качество на плоских землях, подобных российским...

— Думаю, я услышала более необходимого, — перебила его Авдотья. — Прошу вас иметь снисхождение к моему слабому полу. А также помнить, что упоминая «неприятеля», вы имеете в виду моих соотечественников и моего брата, возможно, уже павшего на поле брани!

Собственный выспренний слог показался смешон ей самой, но одна мысль о брате тревогой сдавила грудь. Любоваться элегантным мундиром француза, слушать его язык, даже просто понимать его стало ей вдруг невыносимым. И, хлестнув Ласточку сильнее обыкновенного, Дуня вырвалась вперед, чувствуя, как отдается в такт каждому перебиву сердца удар тяжелого копыта о мягкую, усыпанную сосновыми иглами лесную дорогу.

Еще четверть часа подобной скачки, мимо высоко уходящих в спелое летнее небо золотых сосновых стволов, и впереди блеснула поверхность озера. Авдотья резко осадила кобылу, и та, изящно переступая тонкими ногами, стала спускаться к воде.

Услыхав за спиной ржание Дебриакова жеребца, Дуня, не поворачивая головы, поняла, что майор попытался попридержать коня, но тот, сбившись с ноги, зачастил и пошел под гору наметом. Краем глаза она увидела, как де Бриак, откинувшись назад, почти лежит на спине своего животного, и этот невольный изгиб его обтянутого мундиром стана был так грациозен (военная элита!), что она вдруг снова разозлилась: зачем понадобилась сия совместная прогулка? Они с Пустилье могли прекрасно добраться до места и без ее участия!

Не дожидаясь галантной руки француза, Дуня спрыгнула с лошади, сдернула перчатку и зачерпнула пригоршню воды, ставшей мгновенно мутной от взметнувшегося к поверхности песка. Расставив пальцы, неотрывно смотрела, как стекают меж ними сверкающие на полуденном солнце струи, пока в ладони не осталось с наперсток тех крупинок, ради которых они здесь и оказались.

— Это не то, — сказала она и отряхнула руку. — Слишком крупен. Слишком желт. — И наконец, обернулась к французу.

Тот стоял очень близко — почти неприлично близко, подумалось Авдотье, для человека, который не приходится ей кровным родственником. Лицо майора было непроницаемым.

— Что ж, прогулка оказалась напрасной, — озвучил он то, что Авдотья готова была высказать сама. Но почему-то это утверждение показалось ей обидным. — И мне жаль, что вам пришлось преодолеть весь этот путь в столь неприятном для вас обществе.

Дуня сглотнула.

— Это не так, — сказала она и хотела добавить положенную случаю любезность, но де Бриак остановил ее жестом ладони.

— Не стоит, княжна. Ваше воспитание нынче утром и так подверглось серьезному испытанию.

И добавил, когда они уже шагом въехали в лес:

— Боюсь, я поторопился записать вас в свои союзники. Война всегда будет стоять между нами. А взаимное доверие в подобных делах необходимо. Прошу прощения за свою бестактность нынче утром. Но боюсь, любая из совместных бесед может привести нас к грустной реальности. Хочу лишь заметить: никаких крупных сражений, кроме арьергардных стычек с русскими войсками, у нас не имелось. Возможно, это облегчит вашу вполне естественную тревогу о брате.

Авдотья молчала — но не потому, что мало чувствовала.

— Мне думалось, — мрачно усмехнулся француз, заполняя созданную Дуней паузу, — что сила личной симпатии двух людей может стать сильнее военной кампании двух империй. Но я ошибался. Война между нашими странами только началась — впереди, судя по молчанию вашего государя и воинственности моего, много крови и много страданий. Погибнут мои люди, возможно, ваши друзья и родня. Да и сам я смертен.

— Нет! — не выдержала Дуня. И тут же замолчала, покраснев.

— Вы прелестно краснеете, княжна, — вдруг рассмеялся, сверкнув зубами, де Бриак. — И мне весьма льстит, — поклонился он, — что вы желаете мне бессмертия.

— Нет, — повторила Дуня, мотнув головой, — я лишь желала сказать, что вы правы. Мы не должны думать о том, что принесет будущее, чем окончится война. Нам следует найти убийцу, потому что мы оба верим во Христа и его заповеди. Потому что мы оба — люди. Прошу вас, — и она, остановив лошадь, протянула к нему руку в узкой лайке, — не отказывайтесь от моей помощи.

ГЛАВА ВОСЬМАЯ

Поверь, мой милый друг, страданье нужно нам;
Не испытав его, нельзя понять и счастья:
Живой источник сладострастья
Дарован в нем его сынам.
Одни ли радости отрадны и прелестны?
Одно ль веселье веселит?
Бездейственность души счастливцев тяготит;
Им силы жизни неизвестны.

Евгений Баратынский

Авдотью разбудил стук в окно. Полоса солнца, обычно припекавшая ей щеку при пробуждении, лежала еще на потолке. Отчего Дуня хоть не сразу, но поняла: утро совсем раннее. Она было вновь смежила вежды, но неизвестная птица продолжала настойчиво стучать клювом о стекло. Рассердившись, Дуня выпростала голую ногу на прохладный пол и заглянула в щелку меж гардин. А заглянув, нахмурилась, потянулась к креслу за капотом. Еще через несколько секунд она отвела штору и распахнула тяжелую створку окна. За ним, на фоне курящегося туманом парка, стоял толстяк Пустилье: в обычном своем сюртуке, зажав двууголку под мышкой. Вид у него был невыспавшийся и крайне смущенный.

— Доктор? Что-нибудь случилось?

— Прошу прощения за столь раннее вторжение, княжна. Но мне срочно нужна ваша помощь: наш майор пропал, — вздохнул он. — А единственный свидетель может объясниться со мной лишь пантомимой...

Тут только за спиной у Пустилье показался сын Марфуши — Петька.

По словам Петьки, как барин полез в одной рубахе ввечеру в лесное озерцо, так головой туда и бултыхнулся. Этот момент Петруша пропустил, ибо ушел за куст по естественной надобности. Зато, прибежав на всплеск, увидел, как француза из озерца выловил другой барин со своим человеком.

— Да что ж за барин? — пыталась добиться от мальчишки толку Дуня. — И ради всего святого, доктор, почему майор решил понырять в столь странный час и в столь странном месте?

Ответы пришли от обоих собеседников на двух языках. Пустилье с унылой лаконичностью произнес:

— За песком, мадемуазель.

А Петруша, распахнув глаза, божился святой пятницей, что чужого барина не разглядел, но тот был с ружьем — значит, вроде как на охоту вышел.

Дуня мало что понимала в охоте, но выбор времени показался ей странен. К тому же, сказала она себе, в военную пору любой может передвигаться с ружьем.

— А что за озеро? — спросила она у Петруши и, узнав, что озеро безымянное, но находится в лесах за привольевскими, повернулась к Пустилье: — У нас и правда есть сосед, Дмитриев. Разделяют два имения те самые леса. Живет бирюком, помешан на охоте. Но за какой надобностью ему майор?

— Понятия не имею. Но намерен выслать отряд, чтобы это выяснить.

— Постойте, — вздохнула княжна. — Я отправлюсь с вами, — Авдотья вздохнула еще раз, — в качестве, м-м-м, нейтральной стороны. Я знаю старика. Он большой сумасброд, но беззлобен. — Пустилье посмотрел на нее с сомнением. — Прошу вас, дайте мне время одеться.

И кликнула Настасью.

Дорога в объезд дмитриевских чащоб шла через поля, и Дуня с высоты своей двуколки не без удовольствия оглядывала нежившиеся под утренним золоченым светом нивы. Еще немного — и все они покроются народом. В высокой густой ржи мелькнет на выжатой полосе согнутая спина в белой рубахе или синий сарафан — там, где мать склонилась над люлькой. Дуня вздохнула: успеют ли они в этом году снять урожай? До урожая ли им будет? Видно, и Пустилье задумался о чем-то подобном, ибо вид имел весьма меланхоличный. С десяток солдат пылили дорогу позади них.

— Если позволите, — заметила Дуня, когда они уже подъезжали к дмитриевскому дому, — оставим ваших людей за воротами. Виновен ли Дмитриев, неизвестно, а страху на него с дворовыми наведем.

Пустилье кивнул и прокричал команду солдатам.

Двуколка въехала на обширный двор, по обе стороны от барского дома уставленный множеством служб: конюшнями, ледниками, амбарами. Все здесь казалось в странном запустении. Сам дом, выстроенный на старом каменном фундаменте, был деревянным, оштукатуренным только снутри. Дуня помнила это поместье хуже, чем остальные соседские, — у холостяка Дмитриева не имелось ни детей возраста Липецких, ни племянников, способных составить хорошую партию.

Несмотря на не слишком ранний час, из людей во дворе оказалась одна девка в затрапезе. Заметив Дунин экипаж, она стремглав бросилась в дом. А еще через несколько минут на пороге появился заспанный лакей, который на просьбу увидеть Аристарха Никитича дыхнул на Дуню перегаром и ответствовал, что барин изволит чай пить. Просит обождать. И зло зыркнул на сидевшего рядом с Авдотьей доктора.

Недоуменно нахмурившись — ведь хозяин уж несомненно признал, выглянув из окон, барышню Липецкую, а к чаю не пригласил, — Дуня заметила в доме странность: в некоторых окнах занавесей не было вовсе, сквозь голые проемы виднелись голые же стены. Ни привычных взгляду зеркал, ни портретов... Но тут на крыльцо, чуть покачиваясь, вышел сам хозяин, и Дуня ужаснулась происшедшей в нем перемене. Аристарх Никитич и раньше являл миру не слишком привлекательную картину: лицо с полными щеками оплывало книзу, в сторону рыхлого туловища с косым брюхом, кое, в свою очередь, держалось на весьма жидких ногах. Зато небольшие глаза выражали трогательную, почти детскую беспомощность и тем мгновенно подкупали присутствующих.

Нынче же сосед испугал Авдотью не на шутку: набухшие веки нависали над налитыми кровью глазами, тощие кривоватые ноги заметно дрожали, отчего подрагивал и внушительный живот, и всклокоченная борода в хлебных крошках. Сюртук Дмитриева был расстегнут, обнажая не первой свежести жилет. Запятнанный галстух был явно повязан впопыхах.

Сходя с двуколки, Дуня оперлась на руку Пустилье, ибо хозяин дома вовсе не торопился помочь гостье. Продолжая опасно крениться то в одну, то в другую сторону, Дмитриев все же сумел осторожно спуститься по ступеням во двор и с трудом согнулся над рукой Авдотьи с влажным горячим поцелуем.

— Княжна, сердечно рад. Какими судьбами? И в столь ранний час... — На Дуню пахнуло давно не мытым телом, и она с трудом удержалась, чтоб не поморщиться.

— Аристарх Никитич, — ответила она по-русски, указывая на Пустилье, — это военный врач, месье Пустилье. Он спас моего брата. — И добавила от смущения: — Прошу любить и жаловать.

Нетрезво перекатываясь с носка на пятку, Дмитриев уставился на француза, ответившего на представление легким поклоном.

— Французишка? Нет, княжна. Ни любить, ни жаловать не просите. Подлое племя. — Он сжал полные губы в горькой гримасе. — Впрочем, извольте сами видеть.

И едва они сделали первый шаг в направлении дома, хозяин резко развернулся к Пустилье, отчего физиономия его еще более побагровела.

— Без вас, голубчик, — и добавил, чтобы быть уж точно понятым: — Sans vous, mon cher. Sans vous[1].

Дуня извиняюще взглянула на врача и кивнула: подождите меня здесь, и Пустилье отступил к двуколке, сохраняя самое надменное выражение лица. Дуня меж тем прошла за хозяином в дом.

Дом с некрашеным дощатым полом был меблирован без лоску самыми простыми диванами из жесткого конского волоса да столами и стульями работы крепостных столяров. Однако ж усадьба была по-своему уютна прелестью любовно обставленного для полного удобства холостяцкого жилья. Нынче же на месте ковров зияли прямоугольники невыцветшей краски. В гостиной на стенах не оказалось ни единой картины. В столовой — ни часов с боем, ни горки с фарфором. Пустота завораживала — особенно при снятых с окон гардинах. Дом Дмитриева будто стал просторнее, но более ему не принадлежал.

— Что... что произошло? — прошептала Авдотья, присев на один из немногих оставшихся предметов — обитый золотистым шелком стул.

— А вы не знали? — Хозяин дома повернулся к ней со странной блуждающей улыбкой. — Они появились неделю назад. Хорваты. Великая Армия, думали мы, а на самом деле вандалы, богомерзкая саранча! Если бы только они разорили мой дом и вытоптали мои поля себе на потеху, княжна, я бы лишь посетовал на превратности войны, но они...

Он отвернулся, и через секунду ошеломленная Авдотья услышала всхлип:

— Но Улита! Они забрали мою Улиту!

Авдотья уставилась на начинающую лысеть макушку помещика. Улита? Кто такая Улита, если Дмитриев — за-

---

[1] Без вас, милейший, без вас (*фр.*).

ядлый холостяк? И вдруг вспомнила злостные сплетни, что поведала ей однажды, вернувшись с именин дмитриевской кухарки, верная Настасья. Аристарх Никитич, имевший среди соседей репутацию если не женоненавистника, то уж точно анахорета, влюбился в собственную ключницу: женщину немолодую, уже к тридцати, с большими серьезными глазами. Говорила Улита мало, низким, грудным голосом, двигалась плавно и с достоинством и много лет отказывала дмитриевскому старосте, рыжему Якову, пока не обратила на себя внимание самого барина. Кухарка нашептала Настасье, что Улита не сразу переселилась из своей каморки в барскую спальню, но продолжала исправно выполнять обязанности экономки, не возгордилась и не отдалилась от прислуги, отчего те весьма благосклонно смотрели на возможную ее вольную и даже брак с барином. «Только вот барин у них в любовных делах уж больно нерешительный, — хихикала Настасья, причесывая барышню на следующий день после кухаркиных именин. — Пока соберется с силенками, уж поздно будет: снесут в церковь по другой надобности». Видно, побоявшись, как бы та от него не ушла, Дмитриев так и не дал своей Улите вольную. И вот теперь ее, вместе с прочим награбленным добром, увезли в своих обозах хорваты.

Авдотья, краснея (тайна была интимной, и не надлежало ей, девице, о ней знать), дотронулась до плеча Аристарха Никитича.

— Слезами горю не поможешь, — тихо сказала она, посадив соседа рядом с собою и с жалостью заглядывая в измученное белым вином[1] и бессонницей лицо. — И обменять важного француза на Улиту не получится. Ничего, боюсь, из вашей затеи не выйдет.

— Это мы еще поглядим, — нахмурился Дмитриев, совсем по-мужицки обтер ладонью заплаканное лицо. — Француз-то ваш — не из мелких пташек. Летает, поди, не низко.

---

[1] Здесь: водкой.

— Но и не высоко, — пожала плечами Дуня. — Или вы и впрямь решили, что наполеоновская армия зовется великой оттого, что легко поддается шантажу? Положим, соберете вы своих мужиков, отправитесь вслед за хорватами... И даже если нагоните и попытаетесь обменять своего пленника на Улиту, полагаете, они дадут вам уйти? А если и дадут, то не вернутся обратно, чтобы предать и дом, и деревни, и людей ваших огню и мечу? Неужто мало вы настрадались, Аристарх Никитич?

— Мало, — тихо ответил, сгорбившись, Дмитриев. — Не могу жить без нее, княжна. Уж простите мне эту слабость.

Дуня молчала, не зная, что и сказать, — в обществе промеж дамами (а уж девицами тем паче!) не принято было обсуждать подобные истории. Хотя из холостых да и женатых помещиков многие постельничали со своими крепостными девками. Девки частенько и не были против — это избавляло от тяжелых работ в поле. А если везло забрюхатеть, то хозяин давал бывшей любовнице вольную, отправив дитя в воспитательный дом и пристроив саму ее замуж за мелкого купчишку или канцеляриста (так, к примеру, поступил со своей крепостной наложницей солнце русской поэзии). Однако Дмитриев, взяв Улиту утехи для, похоже, питал к ней те чувства, которые пристало питать не к крепостной, а скорее к женщине своего круга. А к женщине своего круга в конце сентиментального осьмнадцатого века и в начале романтического девятнадцатого следовало испытывать восторженное обожание, обожествляя своего «милого ангела».

Но стоило Авдотье задуматься над сим парадоксом, как ухо ее уловило в потерянном бормотании Дмитриева нечто странное:

— А ведь нашло на меня, княжна, как помутнение после охоты с дядюшкою вашим, так чуть не сгубил ее, несчастную, а все ревность проклятая.

И увидев, что юная Липецкая вскинула на него удивленные глаза, мелко закивал.

112

— Каюсь, каюсь, как бес меня, старика, попутал: сжал, значит, шейку ее лебединую и, думаю, не очнулся бы, не войди тогда мой Архипка. А она, княжна, ни звука не произнесла, ни словом меня не попрекнула, разве ходила с месяц с повязанным тряпицей горлом. Но уж и под венец со мной идти отказалась наотрез. А теперь вот как вышло...

— Когда... — Дуня неверяще смотрела на трясшегося от более не сдерживаемых рыданий Дмитриева. — Когда пришли к вам хорваты?

— Да уж с неделю назад. Я — за ними. И молил, и оклады с икон семейных снял, и капиталы сулил из дома московского, все без толку: токмо зубы скалили, изверги.

Авдотья вдруг подняла руку и неловко погладила Дмитриева по седым спутанным кудрям.

— Мне кажется, я знаю, что делать, — сказала она.

Через полчаса они уже выезжали со двора, провожаемые подозрительным взглядом дмитриевского лакея (очевидно, того самого спасшего Улиту бдительного Архипки) и сенных девушек. В двуколке с трудом хватало места на троих. На каждом ухабе Авдотья чувствовала плечом руку де Бриака, настоявшего, что будет править. Лицо француза было грязно — он, как никогда, был похож на вольного корсара далеких южных морей. Но дух от майора исходил вовсе не романтический — бедняга провел всю ночь запертым в хлеву. Синий ментик и рейтузы потеряли свой щеголеватый вид, на запястьях краснели следы от веревки. На совсем недавно отполированных денщиком сапогах — следы навоза (напрочь перебивавшие аромат кельнской воды). Крупные красивые губы кривились в бешенстве, француз щурил глаза и поминутно понукал лошадей.

Некоторое время Пустилье с Дуней хранили благоразумное молчание, пока особенно глубокая колдобина чуть не перевернула их коляску. Княжна подпрыгнула и весьма болезненно вновь приземлилась на деревянную скамью, попутно задев грудью плечо майора, от чего покраснела аки маков цвет и, злясь на себя, заявила:

— Если мы сейчас перевернемся в ближайшую канаву, виконт, виноваты будут вовсе не лошади.

— Вряд ли вы станете винить меня за то, что мне хочется поскорее покинуть это место. — Не глядя на нее, он все-таки попридержал коней.

— Тогда мы можем заранее уговориться, что виновата любовь, и покончить с этим! — улыбнулась Дуня.

— Как вы себе это представляете? — наконец развернул к ней узкое, как клинок, лицо француз. — Какое послание я, по вашему мнению, должен написать по поводу помещичьей девки?! И кому? Генералу Богарне?

— Думаю, — пожала плечами Авдотья, — про любовь писать не стоит. А стоит про поведение, неподобающее офицерам Великой Армии. — И не выдержала: — Вряд ли Улита просто подает сейчас чай хорватским наемникам, не так ли? Даже если получится вернуть ее Аристарху Никитичу, то в каком виде?

Они снова замолчали. Де Бриак в раздражении бросил поводья Пустилье, и тот стал править, насвистывая свою любимую песенку про садок и розмарин. Дуня же смотрела на еще парившие под утренним солнцем луга: ей почему-то стыдно было рассказать французам о том, что поведал ей давеча тет-а-тет Аристарх Никитич. «Чуть не удавил в пылу страсти собственную крепостную любовницу! И кто! Кроткий Дмитриев! Однако убить девочку он не мог, — думала она, снова и снова сопоставляя даты. — Слишком уж занят был тем, чтобы отбить свою наложницу у хорватов. Но ежели так, выходит, страшный душегуб — не единственный, кто склонен душить женщин в нашем мирном Трокском уезде».

Тем временем двуколка рывком встала. Дуня с майором подались вперед и с удивлением воззрились на доктора.

— Вам следует умыться, де Бриак, — сказал Пустилье. — Не стоит появляться перед людьми в таком виде.

И верно: в паре саженей от дороги, создавая натуральную границу между землями Дмитриева и Липецких, протекал ручей.

Де Бриак вскинул агатовые глаза на Авдотью:

— Вы позволите? (Авдотья позволила.)

Он выпрыгнул из коляски и спустился к ручью. Вскоре до них донеслись плеск и довольное фырканье. Разом отвлекшись от тягостных дум, Дуня чуть не расхохоталась — столь похожи эти звуки были на те, что издавал при умывании брат Николенька. Но тут почувствовала на себе внимательный взгляд Пустилье и смутилась.

— Какое чудесное утро, княжна! — Сделав вид, что не заметил ее замешательства, толстяк привязал поводья к спинке скамьи. — Нечасто выдается случай поглядеть на господне творение во всей красе. Ежели не возражаете, я пройдусь до усадьбы через лес — уверен, здесь прогулки на час, не более. — И, уже сходя с двуколки, покряхтывая, добавил: — Уверен, что без меня коляска покажется вам куда более комфортабельной!

С легким поклоном приподняв свою двууголку, он перешел проселочную дорогу и, посвистывая, вышел на тропу, петлявшую через луг к опушке дубовой рощи, от которой и правда было рукой подать до барского дома.

Дуня в некоторой растерянности осталась сидеть одна в коляске, размышляя, что имел в виду старый врач, оставляя ее для пущего комфорта наедине с майором, как вдруг поняла, что, кроме журчания ручья, до нее уже давно не доносится более ни звука.

— Виконт! — крикнула она, но ответа не получила.

Похоже, оба француза решили ее покинуть. Причем один из них по-английски — без предупреждения. И это после того, как она вызволила его из хлева, — хороша благодарность!

Кипя негодованием, Дуня, приподняв юбки, спрыгнула в дорожную пыль и побежала к ручью.

Первым она увидела де Бриака — тот стоял без движения, в насквозь мокрой после умывания льняной рубашке, зажав в кулаке шейный платок, коим явно собирался обтереть лицо. На траве рядом был небрежно брошен ментик. Картина, вполне достойная кисти Ватто, не без сарказма отметила было про себя Авдотья, чтобы пересилить неловкость (мужская рубашка в ту невинную эпоху почиталась элементом туалета весьма интимным), но вдруг увидела, как напротив майора замер в столь же напряженной позе неизвестный. А именно — высокий и худой господин в ободранном брокатовом кафтане екатерининского покроя. Волоса незнакомца были подстрижены также по моде осьмнадцатого века, очень коротко, ноги ниже кюлотов — наги и грязны. В руках он держал длинный тонкий прут, и лицо его, сейчас испуганное, с невыразительными чертами (за исключением, пожалуй, мясистой нижней губы), было не лишено приятности. Однако что же это за птица?

— Доброе утро... — начала было любезная Авдотья.

Но неизвестный, едва услышав ее приветствие, уронил прут и бросился со всех ног вдоль ручья. Ловко перескакивая с камня на камень, поскальзываясь, но так и не теряя окончательно равновесия, он вскоре исчез за бесконечными занавесями из веток плакучих ив.

А де Бриак медленно повернулся к Дуне:

— Вы знакомы?

Мокрые темные ресницы его казались стрельчатыми от воды, по выразительному носу текла крупная капля. Дуня только помотала головой.

— Странный тип, не находите? Я спугнул его и сам от неожиданности растерялся. Вы видели его прут? Нищие мальчишки в Париже часто ходят с подобными и весьма ловко с ними управляются. Это нечто между хлыстом и палкой. Можно и ударить, и глаз выколоть.

— Думаю, он им рисовал. — Дуня прошла пару шагов вперед по влажному песку и присела на корточки, не заметив, как замочила в ручье подол. — Смотрите, майор, какие узоры...

Она заметила, как, прежде чем подойти, де Бриак торопливо застегнул ментик и пригладил мокрые развившиеся пряди. А после склонился с ней рядом над песочными письменами.

116

— Не правда ли, — повернула к нему голову Авдотья, — они слегка похожи на узоры в блокноте доктора? Те, что он срисовал с тела убитой девочки?

И резко замолчала, с испугом уставившись на майора.

— Не слегка, — нахмурился де Бриак, — а точь-в-точь.

* * *

Домой они ехали с бо́льшим комфортом — без Пустилье скамья двуколки казалась и правда весьма просторной. Молодые люди не соприкасались меж собою, но некое смущение, — вызванное то ли самой экспедицией Авдотьи по спасению бравого французского майора, то ли купанием того же бравого майора в светлых водах расейских ручьев, — витало над экипажем, хоть говорили они исключительно о песке.

— В ручье он слишком желт.

— А в лесном озере — поверьте, у меня было время его разглядеть сегодня с утра и ощупать в ночи — слишком крупен.

Они помолчали.

— Стоит разузнать, кто сей оборванный Робинзон, — заявил де Бриак. — Вы представляете себе, в каком направлении течет ручей?

— Конечно, — пожала плечами Авдотья. — Сначала вдоль владений Дмитриева. А потом — у Щербицких. — Дуня вспомнила о подругах и приуныла. Скорее всего, они снялись с места на следующий день после облагороженного трюфельным паштетом и отравленного дурными вестями обеда. — Вряд ли они остались в имении, разве что старик Щербицкий мог отказаться сняться второпях. Кроме того, у него подагра. А в ту неделю лили дожди... — содрогнулась она, вспомнив о страшной ночи, когда сбежал Николенька.

— В сырую погоду подагра обостряется, — кивнул де Бриак, не почувствовав ее настроения. — Этот человек, судя по его наряду, и правда похож на слугу старого барина.

— Попытаюсь уговорить папá с маман съездить к графу, — сказала Дуня строго. — Полагаю, днем это безопасно. А вот вас старый Щербицкий вряд ли примет с распростертыми объятиями.

Угол темного рта француза пополз вверх, сложившись в совсем мальчишескую ухмылку:

— Вряд ли после сегодняшней ночи я рискну встретиться безоружным с вашими соседями, княжна.

Авдотья кивнула: так-то.

— Вряд ли и я стану вновь вызволять вас из чужих свинарников, виконт. — И, обменявшись с де Бриаком впервые с момента знакомства искренней приятельской улыбкой, добавила: — А теперь остановите коляску. Думаю, мне удастся пробраться в комнату незамеченной, а если нет — объявлю, что по совету нашего доброго доктора решила совершить утренний моцион.

ГЛАВА ДЕВЯТАЯ

...обозреваю стол — и вижу разных блюд
Цветник, поставленный узором:
Багряна ветчина, зелены щи с желтком,
Румяно-желт пирог, сыр белый.
Раки красны,
Что смоль янтарь-икра, и с голубым пером
Там щука пестрая — прекрасны!

Г. Р. Державин

Врать отцу с маменькой не пришлось — за завтраком никто не заметил ни ее мокрого подола, ни слишком румяных щек. Уговаривать посетить соседей также: вынужденное заточение в имении всем Липецким наскучило и, того более, казалось унизительным подобием домашнего ареста. Николеньку, хоть тот и рвался, решили оставить дома — повторять географию с геометрией. Часов в одиннадцать заложили бричку и, сопровождаемые лаем дворовых псов, тронулась в путь. Солдат неприятеля и мародеров не боялись — от границы Приволья и до усадьбы Щербицких было недалеко.

Солнце стояло почти в зените, дорога пылила, и вскорости невозможно стало дотронуться до раскаленных краев брички; дамы изнывали в кружевной тени зонтиков, лицо отца под шляпой покрылось потом. Общее настроение испортилось. А подъехав к парадному графскому крыльцу, Липецкие и вовсе в грустной растерянности переглянулись: невеликая надежда на встречу с добрыми соседями растаяла.

Дом казался покинутым: окна плотно занавешены, никто из дворни не вышел встречать подъехавших господ. Гости стояли посередь двора, пустого и пыльного, и Дуне вдруг стало до того неуютно, что даже страшно. Княгиня молча промокнула мужу лоб батистовым платком и пожала плечами: ясно, что хозяева в спешке собрались и уехали. Но чтобы не оставили никого присмотреть за усадьбой? Немыслимо! Впрочем, возможно, французы уже прошлись по имению, забрав все, представлявшее для них интерес. Заходить внутрь, дабы это проверить, Липецким не хотелось.

— Что ж... — вздохнул князь. — Визит не удался. Поворачиваем обратно.

— Постойте. — Дуня отказывалась так быстро сдаваться. Пусть не получилось поболтать с Анетт и Мари, но ведь еще осталось главное дело. — Старый Щербицкий живет во флигеле на другом конце парка. Возможно, он все еще здесь?

И, будто в подтверждение ее словам, из-за правого крыла дома вынырнула худая сгорбленная фигура, облаченная, несмотря на удушающий июльский зной, в колпак и бабскую ваточную кофту.

— Ваши сиятельства! — начала фигура дребезжащим голосом. — Неужто здесь остались?! Радость-то какая будет для старого барина! Неделю как молодых в Петербург проводили... А вот добрались ли, бог весть! Пойдемте, отведу вас —прохладным угостим. Такая жара нынче, даже барская подагра отпустила.

Слуга, прихрамывая, побежал вперед, а бричка Липецких медленно покатилась к стоявшему в глубине яблоневого сада двухэтажному флигелю.

Генерал Щербицкий, вытянув на шелковый пуф больные ноги, сидел в покойном кресле перед домом; рядом на ветвях яблони проветривался старый парик его, а перед ним на мраморном столике стояла чашка с брусничным отваром, из которой старик время от времени отхлебывал, брезгливо морща гармошкой верхнюю губу и шевеля огромными, обычно прикрытыми париком, а ныне слишком заметными на лысом бугристом черепе ушами.

Князь помог жене и дочери спуститься с коляски и приветствовал соседа со всевозможной учтивостью. Старый Щербицкий позы не поменял, сославшись на мучившую его которую неделю хворь и преклонные лета, однако приказал Фоке — несуразному своему дворецкому — вынести три стула.

— На обед не приглашаю, — ворчливо заметил Щербицкий. — Повар мой, паршивец, готовит с каждым днем все хуже, как бы и вовсе на тот свет не отправил. Всегда был, что называется, малый с дурью: вечно у него крайнее расположение духа: то плаксивость, то обидчивость не по делу. Как осерчает — так баре весь день в опале — будербоды жуют! Одно слово — французишко! Выписал его Лев из трюфельных своих фанаберий, а с собою не взял: опасаюсь, говорит, предательства. Ну, а мне, княгинюшка, — потрепал он перевитой венами рукой в тяжелых перстнях руку Липецкой, — бояться уж нечего. Так стар, что, поди, наверху-то заждались меня, верно говорю?

Тем временем Авдотья, с легкой улыбкой отказавшись от предложенного стула, взялась прогуливаться в густой яблоневой тени, постепенно обходя флигель. И с радостно забившимся сердцем — не обманули их с де Бриаком расчеты! — обнаружила встреченного у ручья незнакомца. С трубкой в руках тот притулился на ступенях черного входа. Едва завидев княжну, неизвестный, по-заячьи вскинувшись, хотел уж было снова бежать, но та резво бросилась за ним, умоляя ее выслушать, уделив ей толику драгоценного своего времени... Вняв мольбам, странный малый остановился в дверях и вздохнул, по-габсбургски выставив нижнюю мясистую губу.

— Что вам угодно, мадемуазель?

— Мне угодно... — на секунду задумалась Дуня, а потом бросилась к ближайшей яблоне и отломала ветку. — Мне угодно знать, что вы рисовали давеча на песке...

Она попыталась изобразить на земле у крыльца те же узоры, что видела у ручья.

Повар пожал плечами:

— Я задумался.

— Задумался, и ничего боле? — нахмурилась Дуня, не желая так просто сдаваться.

— Вам кажется, что повар не имеет права задуматься над своей судьбой? — Губа вновь поползла вперед, ее обладатель явно обиделся. — Или полагаете мою жизнь со старым графом исполненной приятности?!

Дуня ничего не ответила на сей провокационный вопрос, лишь вопросительно вскинула рыжую бровь: мол, а разве не так? Молчаливый вопрос оказался лучшею тактикой.

— Извольте. Меня позвали в эту варварскую страну, чтобы я научил вас искусству гастрономии. И мы с молодым графом понимали друг друга с полуслова: он предоставлял мне средства, чтобы покупать пармский сыр в лавке у господина Корацци, а коровье масло — в Изиньи. Эти детали кажутся мелочью людям несведущим, но я... — Повар резко замолчал и сделал вид, что стряхнул пылинку с широких манжет своего уже изрядно оборванного камзола. А затем вновь поднял водянистые глаза на Авдотью и заявил с убежденностью фанатика: — Случайности — удел невежд. Да! Вы сами изволили присутствовать на ужинах у Счербитски, так скажите: разве вас дурно кормили?

Дуня примирительно улыбнулась:

— Ужины и обеды в доме ваших покровителей были лучшими в уезде.

— В губернии, мадемуазель! — поднял вверх палец повар. — Помните наших маринованных устриц на закуску? А тушеные бараньи хвосты под испанским соусом?

— Вам особенно удавалась птица, — польстила ему Дуня.

— Приятно, что и в этой глуши найдутся люди, способные оценить настоящее мастерство! — фыркнул он. — Пулярка в полутрауре — приходилось лучинкой проделывать в грудке отверстия и в каждое вложить по ма-а-а-ленькому ломтику трюфеля. Черного трюфеля, мадемуазель, отсюда и полутраур! А слоеный пирог из жаворонков? Для него одного следовало опалить и ощипать восемь дюжин птах и нашпиговать их же требухой с пряными травами... О, мадемуазель, какие были времена!

Повар чуть не плакал, но Дуня, которой уже изрядно надоела лекция на гастрономическую тему, решилась его прервать.

— Так что же изменилось? У вас закончились нужные продукты?

— О если бы, мадемуазель! С этим я бы смирился, времена-то военные. В конце концов, можно приготовить отличные блюда и из бланшированных огурцов и цыплячьей печени, но генерал... — Губа повара задрожала, и Дуня испугалась, что он и верно разрыдается. — Он ноне известный патриот и наложил запрет на французскую кухню! Каждый день требует от меня щей да редьку с луком в конопляном масле! Извольте видеть, сегодняшнее меню: каша пшенная с грибами на второй завтрак; «обертки»[1] и протертый горох на обед. Кисель на десерт, мадемуазель, и не забудьте вареную репу в меду на ужин! А когда я готовлю их со всем возможным искусством, он ругает меня на чем свет стоит и кидает то столовым прибором, то столовым фарфором, обзывая невеждой, позорящим русскую кухню!

Дуня с трудом сдержалась, чтобы не расхохотаться! Похоже, у отставного генерала была с французом своя война — кухонного свойства.

— И все же... — вернулась она к волнующему ее сюжету, — те узоры на песке...

— Это узоры моей родины, — вздохнул с невыразимой печалью повар. — Я эльзасец. У нас такими часто украшают миски да ложки — простой деревенский рису-

---

[1] Пироги из капустных листьев с грибами, сваренные в маковом соку.

нок. Мне было грустно. Я размышлял. — И повар поджал губу, будто ставя точку в беседе.

— Насколько я помню, вы уж года три как у Щербицких на службе? — невинно поинтересовалась Дуня.

— О нет, мадемуазель. Я здесь всего год... — скривился он. — И, осмелюсь предположить, этого более чем достаточно.

Дуня кивнула: она и сама не верила, что чудаковатый повар, как бы хорошо тот ни умел обращаться с ножами, оказался убийцей маленьких девочек. Но узоры... Не могли же они быть чистой случайностью!

— Это, должно быть, печально, — улыбнулась как можно ласковее Авдотья. — Неужели в уезде нет ни одного соотечественника, дабы разделить вашу тоску по родине?

— Могу ли я узнать причину ваших расспросов, мадемуазель? — не поддался на ласку эльзасец.

Авдотья на секунду задумалась, стоит ли. Но решила, что новость и так скоро дойдет до Щербицких дворовых.

— Погибла девочка, — сказала она, продолжая безотчетно рисовать на песке и верно незамысловатые завитушки. — Ей обрили голову и... изрезали кожу. Вот таким узором.

— Бедное дитя. — Повар постоял некоторое время раздумывая, а потом добавил: — Я ничего не знаю про порезы. И не знаком ни с одним соплеменником в Трокском уезде. Но я знаю, кому понадобились волосы девочки. Да, я думаю, что знаю.

* * *

— Он уверен, что волосы сбривались на продажу.

Они сидели вкруг стола за ставшим традиционным чаем с «калатчом». Пустилье попросил разрешения выкурить трубку и теперь стоял в дверях беседки — весьма неграциозным силуэтом на фоне угасавшего за противоположным берегом светила. С той же стороны, из далекой деревни, теплый июньский ветер доносил запах

124

печного дыма и навоза, смешивал его с запахом трубочного табака доктора и нес дальше — вниз по реке.

— У Щербицких, — продолжила Дуня, — имеется крепостной цирюльник, большой искусник. У него-то повар и заказывал себе волосяной парик.

— И где сейчас сей искусник? — поинтересовался де Бриак. Вид у него был озабоченный — история деревенского убийства обернулась много более сложной, чем он предполагал.

— То-то и оно, — вздохнула Дуня. — Один местный помещик — отставной поручик Потасов — оказал не самый теплый прием вашим пехотинцам. Солдаты мародерствовали и спьяну подожгли амбары у барского дома. — Она помолчала. — В ответ Потасов вооружил своих крестьян. И некоторых из оставшихся дворовых Щербицких.

— Бунт? — усмехнулся невесело Пустилье.

Дуня кивнула. Она не стала разглашать прочие детали, коими с ней поделился Фока — бывший денщик, а ныне нелепый лакей старого генерала. Прошел слух, что отставной поручик скрылся в своих лесах — а леса у него были знатные. Что к нему стекается крестьянство из соседних деревень. Что они осуществляют дерзкие нападения на французские обозы, жгут фураж. Самого Потасова княжна знала мало: сосед слыл бирюком. Так и не войдя в возраст старого холостяка, он не принадлежал и к кругу светской молодежи, собиравшейся на лето в Трокском уезде из Москвы и Петербурга. Ни для княжны Липецкой, ни для сестер Щербицких хорошей партии поручик не представлял и посему был малоинтересен.

Дуня смутно помнила, как отец говорил о предельной щепетильности соседа в карточной игре, отмечал и его хозяйственность. Целое лето, рассказывал князь, Иван Алексеевич живет безвылазно в своей деревне в ритме посевов и сборов урожая. Чай, сахар держит только на случай редкого приезда гостей; варенье и другое лакомство заготовляет на меду из собственных же ульев, с солью обходится весьма осторожно; даже свечи ухитряется лить дома, тонкие, оплывающие. Поручик-анахорет, по словам его сиятельства, презирал настоящее виноградное вино и всякую иную выписанную из столиц бакалею... Но лишь последний обоз с урожаем отправлялся в город по схваченной первыми заморозками дороге и средь сельского дворянства начинались ноябрьские балы да приемы, Иван Алексеевич появлялся за карточным столом и долги чести платил исправно. Помимо штосса и фараона, князь сошелся с Потасовым и по части псовой охоты, хотя чаще всего к моменту гона зайца по первой пороше Липецкие уж возвращались в свой дом близ Большой Дмитровки.

Дуня не озвучила своим французским alliés[1], как на обратном пути от старого генерала все трое сиятельств молчали. Князь горько размышлял о возрасте, не позволявшем ему более многие геройства, — иначе и он ушел бы в леса. Маменька явно угадывала мысли супруга и боялась слово молвить, дабы не прогневать Сергея Алексеевича и тем не ввергнуть его в еще большие печали. Дуня же пылала щеками, вспоминая о сотворенном безумии, в котором не то что маменьке с папенькой, но даже Пустилье с де Бриаком признаться было немыслимо: выбрав минутку, она выдернула из своей висевшей на поясе миниатюрной записной книжицы в серебряном чехле листок и серебряным же карандашиком написала на французском следующее: «Милостивый государь Иван Алексеевич, мне надобно с вами увидеться по очень важному делу. Умоляю вас встретиться со мной как можно скорее». Подписалась: «Известная Вам княжна Эдокси Липецкая» — и тайно передала Фоке, который бог весть что себе вообразил, но кивнул головой в старом колпаке и обещался доставить в самом наилучшем виде.

Теперь, сидя рядом с ничего не подозревавшим де Бриаком, ей ни в коем случае нельзя дать понять, что она планирует встречу с мятежным поручиком. А встретив-

---

[1] Союзникам (*фр.*).

шись, отыщет среди его партизан крепостного парикмахера. Парикмахера, блестяще владеющего ножом, — отсюда и порезы. Парикмахера, помешанного на своей профессии, — отсюда и сбритые волосы... А где легче укрыться после совершенного убийства, как не в дремучих лесах в окружении благородных разбойников? Дуня была уверена: она на правильном пути. Только бы Потасов согласился встретиться с безумной девицей...

— Это уже пятое озерцо, нами исследованное, — говорил тем временем де Бриак, высыпая горкой песок из бумажных кулечков прямо на серебряный поднос, где совсем недавно были выставлены вазочки с вареньем. — Да только взгляните, ни одного, хотя бы приблизительно напоминающего наш! Будто тело несчастной перемещали за тысячу лье! Будто не по речке та плыла на своем плоту мимо вашей, княжна, деревни, а по глади Индийского океана, где-нибудь близ берегов Пондишерийской колонии!

Дуня взглянула на песок, поднесла чашку чая к губам: молчи, не выдавай себя! Но в груди разрасталось беспокойство: а что, если сосед просто проигнорирует ее послание? Идет война, уж не до политесов...

— Вы сегодня необычно молчаливы, княжна, — отложил свою трубку Пустилье и присел вместе с ними за стол. — Что вас удручает?

Дуня вздрогнула: толстяк доктор оказался много проницательнее своего командира. Впрочем, взглянула она на раздосадованного де Бриака, она, Дуня, ему просто не интересна. Ему еще, может быть, интересен песок из-под ногтей мертвой девочки, но не живая княжна Липецкая. Знал бы несчастный, что за романтические глупости напридумывала за его спиной ее маменька! Да и Настасья не лучше! Хорошо, что у нее, Авдотьи, есть своя голова на плечах, и эта голова еще не пошла кругом от их, французовых, любовных романов!

Она как можно нежнее улыбнулась Пустилье:

— Вид покинутого имения вызывает меланхолию, мой дорогой доктор.

— Вам не хватает подруг, — понимающе склонил лысеющую голову Пустилье.

— О да! Жаль, что вам не пришлось с ними познакомиться... — И добавила, незнамо почему развернувшись к де Бриаку: — Обе Щербицкие — удивительные красавицы.

— Вид красавиц в военном походе — вещь абсолютно лишняя, — хмуро посмотрел на нее француз, — ибо он отвлекает солдата от выполнения долга.

— О! — только и смогла сказать Дуня, с горечью подумав, что уж ее-то вид от долга никого не отвлекает. Получается, дурнушки — прекрасная компания для военных.

Слезы обиды выступили на глазах, а тут еще и Пустилье решил проявить галантность:

— Надеюсь, наш император скоро вновь протрубит в поход, ибо одно ваше присутствие, милая княжна, может смешать все планы Великой Армии!

Авдотья почувствовала, что краснеет. И от чего! От плоского, неискреннего комплимента (вот к чему приводит отсутствие приличного общества!), но тут с удивлением заметила, что и узкие щеки де Бриака вдруг вспыхнули темным румянцем, а ноздри раздуваются в явном возмущении. Они одновременно вскочили.

— Мне следует обойти караульных.

— Я обещала Николеньке поиграть с ним в «Спилсбери».

Пустилье медленно поднялся вслед за ними, развел руками:

— Что ж, в таком случае, полагаю, наш военный совет окончен.

Дуня почти побежала по парковой дорожке к дому, радуясь, что налившийся вечерней прохладой воздух остужает горящие щеки. Она полагала, что уж накраснелась за день, но нет: совсем скоро судьба подбросила ей еще один повод для смущения.

Дело было так. Они расположились с Николенькой прямо на ковре рядом с нарядной коробкой из англицского магазина: кусочки географической карты были не просто новомодным увлечением — Авдотья взялась, за отпущенным по болезни гувернером, подтянуть брата в географии. Тут надобно заметить, что лето двенадцатого года выдалось у Николеньки необыкновенно ленивое: если бы не счастливый случай инфлюэнцы у месье Блуа, пришлось бы младшему сиятельству трудиться поболе. Как часто говаривал папенька: «Гаснет душа, если мысль дремлет в праздности. От праздности до порока один шаг». Дабы не подвергнуть юную душу пороку, ее укрепляли, тренируя память.

Позволим себе краткое отступление. Память в ту далекую от возможностей добыть информацию наскоком эпоху считалась изрядным талантом. Без нее, как полагали, слабы все другие способности ума. Подражали императору Фридриху, затверживавшему каждый день по двадцати стихов. Потому-то в городе Николенька, как и всякий московский недоросль, вставал в семь и после утреннего чаю прогуливался с гувернером вкруг пруда по саду. С девяти до двенадцати твердил уроки, затем наступала часовая «рекреация», после чего подавался обед. В три часа для Николеньки снова начиналась учебная страда — до шести. Засим вновь чай и прогулка — зимой в экипаже, весною и осенью пешком — по Тверскому бульвару. Всего шесть часов активного учения, и это еще с поправкой на московское сибаритство. Николенькин сверстник в северной столице следовал Фридриху с еще большим рвением: кроме уроков в те же часы гуляли лишь раз в день (весьма простительная корреляция на питерские погоды) — в Летнем саду и по Английской набережной, а вечером с восьми до девяти делали уроки, называвшиеся в то время «приготовления», особливо напирая на математику. Летняя пора (о наши жестокие предки!) вовсе не считалась поводом отлынивать от занятий. Вот почему за отсутствием гувернера маменьке предстояло выделить из многочисленных хозяйских обязанностей время на преподавание Закона Божьего, папеньке — на уроки истории, которые тот заменил на чтение увесистых трудов Плутарха и князя Щербатова. Авдотья же пошла еще дальше, решив, что английский пазл — лучший способ учить географию, а гербарий — ботанику, чем намного опередила педагогическую мысль той эпохи, считавшую, что зубрежка есть мать учения.

Итак, княжна склонилась было над наклееными на тонкую панель из ливанского кедра кусочками карты, как вдруг краем глаза увидела книгу, небрежно оставленную на диване, и замерла, сразу узнав обложку. Когда же, тщетно пыталась вспомнить княжна, она в последний раз держала ее в руках: в саду? в гостиной? Понятно, о чем могла подумать маменька, увидев этот объемный томик, но, возможно, Александра Гавриловна еще не успела его заметить, а раз так...

— Эдокси, ты отвлекаешься! — нахмурился Николенька, тщетно пытавшийся сложить Африку.

Большой кусок, озаглавленный «Sahara desert»[1], никак не подходил к более мелким частям «Триполи» и «Алжир», которые покрывала обобщающая надпись «Варвары». Напомним читателю, что большая половина Африки оставалась для современников Дуни белым пятном. Как, впрочем, и Дальний Запад североамериканского континента. Того более — наша Авдотья не подозревала о существовании Антарктиды — южный материк откроют лишь восемь лет спустя, — а рассказы об Австралии (обнаруженной всего-то сорока годами ранее) были для нее тем же, чем для нас — марсианские хроники.

Тем временем Дуня извиняюще посмотрела на брата:

— Голова болит, Николенька. Я, пожалуй, пойду прилягу.

— Ну вот! — Николя стукнул кулаком по ковру, отчего подпрыгнули, разлетаясь, кусочки пазла. — Вы стали как маман! Идите, попросите Настасью сделать вам уксусный компресс!

---

[1] Пустыня Сахара (*англ.*).

Дуня в ответ потрепала братца по светлым, с легкой рыжиной, кудрям.

— Обещаю тебе сложить вместе Европу — а это есть самая сложная часть.

Поднявшись с ковра, она быстрым движением забрала с дивана злосчастный том и прошла в свою комнату, где опустилась на кресло у постели и тут... увидела травинку, заложенную в страницы. Кто-то читал эту книгу после Авдотьи. Кто-то, сидевший в саду и наблюдавший одним глазом за кипящими медными тазами. Кто-то, сорвавший стебелек и воспользовавшийся им как закладкой. Кто-то, совершенно неверно истолковавший интерес дочери к словарю французских благородных фамилий. Выдохнув, Дуня решительно перевернула страницы и замерла над отмеченным былинкой разворотом.

Первые упоминания о семье приходятся на 1203 год, об участии в Четвертом крестовом походе. В 1318-м — устроили выгодный брак наследника с племянницей папы Клементия. В XVI веке отплыли во Флориду, чтобы основать там французскую колонию, где боролись с коварными испанцами, но умудрились вырезать последних и занять форт Каролину. В 1583 году предок де Бриака стал генеральным контролером (министром финансов) и получил от Генриха Наваррского тот самый замок (темный и холодный!).

Что ж! — захлопнула книгу Авдотья. Хоть французы и «модный народ Европы», но ведь ее собственный предок, Гаврила Алексеич, участвовал в Ледовом побоище, был соратником святого князя Александра Невского, и случилось это чуть позже крестового похода, в котором отличился предок де Бриака. В последующие два века про них мало было слышно, но вот в 1581 году Остафий Липецкий отправился на переговоры со шведом и произведен был Годуновым в окольничие. Липецкие служили ловчими при Лжедмитрии, сокольничими — у Михаила Федоровича, а один из них стал ажно нижегородским наместником при Алексее Михайловиче. Петровская эпоха чуть не сокрушила старинный род: царь хотел казнить одного из Дуниных прадедов за участие в заговоре, но, пораздумав, помиловал и сослал в Енисейск. Весь осьмнадцатый век Липецкие неуклонно возвращали себе царские милости, и, право, теперь княжне нечего было стесняться какого-то виконта. Думается, примерно к тому же результату пришла и маменька, решив на всякий случай ознакомиться с молодым человеком, проводящим так много времени с ее единственной дочерью. Существующая ситуация казалась княгине весьма щекотливой. В обычное время порога ее гостиной не переступала нога холостяка, который не прошел бы строжайшей ревизии (весьма сходной с той, коей в советское время подвергались выезжающие в капстраны дипломаты). Молодой человек, способный составить счастье княжны, должен был обладать идеальной репутацией, серьезным состоянием и чистейшей родословной. Пусть нынче шла война, но Александра Гавриловна отказывалась в сем важном вопросе уступать обстоятельствам.

Дуня уж поднялась было, чтобы вернуть книгу в отцовскую библиотеку да задвинуть ее так далеко, чтоб самой потом не найти, — уже второй раз та умудрилась привести ее в немалое смущение, — как в комнату с видом большой таинственности вошла Настасья и передала барышне вдвое сложенную записку, также предусмотрительно написанную на французском, что объясняло некую фривольность обращения.

«Милая княжна! — прочитала Дуня, и сердце ее забилось. — Ежели вы готовы следовать за моим человеком завтра в четыре часа пополуночи, то я буду весьма рад встрече и по возможности постараюсь помочь Вашей беде. Готовый к услугам слуга Ваш Иван Потасов».

Она подняла голову от записки и увидела блестящие от любопытства глаза своей девушки. И, с немалым трудом справившись с желанием поделиться с Настасьей столь необыкновенной новостью — лишние сплетни средь дворни ей сейчас ни к чему, — сказала только:

— Завтра вставать тебе с петухами, поможешь мне одеться. Приготовь амазонку и прикажи Тимошке (Тимофей был конюхом Липецких) взнуздать Ласточку. Если вдруг не появлюсь к завтраку...

— Скажу, вам неможется, — кивнула разочарованно Настасья.

А Дуня вздохнула: уже второй день она отправляется на утренние вылазки. И эта, завтрашняя, куда опаснее сегодняшней.

ЗА ДВАДЦАТЬ ЛЕТ ДО ПРОИСХОДЯЩИХ СОБЫТИЙ

Его высокопревосходительству, действительному тайному советнику графу Лубяновскому коллежского советника Кокорина донесение.
Мая 28-го 1792 года.

...Из Военной коллегии доставлены бумаги на N. Боевые подвиги его бесспорны. Дважды ранен. Под судом и на штрафах не бывал.

Уездный предводитель дворянства, князь Р., также отзывается об N. как о человеке весьма достойном. Со всем тем князь, как и прочие соседи, не слишком охотно его посещает. Кроме обозначенного Р. «странного смутного беспокойства, овладевающего им в доме N.», причиной указывается женитьба N. на дочери барона Тоссе. Будучи в Дерпте на постое N. сделал на балу предложение юной баронессе, и та, едва полк выступил в Петербург, бежала с ним и тайно была обвенчана по православному обряду, как говорят, подкупленным священником. N., ничтоже сумняшеся, вернулся с нею в наследное имение, где его ожидала законная супруга. Для обеих дам произошедшее поначалу явилось шоком, но N. вскоре отправлен был на Кавказ, а вернувшись, застал двух женщин весьма подружившимися.

Однако в его присутствии сия идиллия продолжаться не могла — и дело кончилось двойной трагедией. Подробности неизвестны. Но передаются так: все трое сели трапезничать, N. во главе стола, его супруги супротив друг друга. После выпитаго первого же бокала несчастныя почувствовали недомогание, после оных — судоро-

ги. Запасы крысиного яда оказались в спальнях у обеих. Младшая, баронесса, вела дневник, где и открылась в намерении. Судебного дела, из уважения к N., заводить не стали.

Тем не менее, исходя из вышеизложенного, нижайше прошу Ваше высокопревосходительство дать сему делу официальный ход.

Преданный Вашему высокопревосходительству слуга коллежский советник Кокорин.

ГЛАВА ДЕСЯТАЯ

Видя себя полезным отечеству не более рядового гусара, я решился просить себе отдельную команду, несмотря на слова, произносимые и превозносимые посредственностию: никуда не проситься и ни от чего не отказываться. Напротив, я всегда уверен был, что в ремесле нашем тот только выполняет долг свой, который переступает за черту свою, не равняется духом, как плечами, в шеренге с товарищами, на все напрашивается и ни от чего не отказывается.

Денис Давыдов
Дневник партизанских действий

Стояла ночь, когда Дуню растолкала Настасья в широкой ночной рубахе. Беспрестанно зевая и крестя широко распахнутый рот, она не сразу справилась с крючками амазонки, кое-как убрала непослушные хозяйкины волосы под шляпку, заколола шпилькой. Дуня ойкнула, нетерпеливо дернулась: пора. Взглянула в окно на чуть начавшее светлеть небо, стелившийся по парку густой пар и вздрогнула от далекой переклички деревенских петухов за речкой.

Чуть поеживаясь, она вышла на парадное крыльцо спящего дома. Ведя под узцы Ласточку, из глухой тени подъездной аллеи вышел конюх Тимошка. Рядом выступал незнакомый мужик в армяке и бесформенной поярковой шапке, под коей скрывалось почти полностью заросшее бородой лицо. Мужичонка поклонился, сделал было вид, что снимает шапку, да так ее и не стянул. Лишь буркнул, что зовут его Игнатием, и вскочил на косматую, как и хозяин, разбитую лошадку. Так и тронулись в сплошном молоке утреннего тумана.

Первый час Дуня едва могла разглядеть низкий круп трусившего впереди конька, и лишь когда они въехали на узкую лесную тропу, будто занавес поднялся над окружающим ее пейзажем. Ровный неспешный ход лошади убаюкивал невыспавшуюся княжну, поскрипывало кожаное седло, высокие папоротники запутывались в стремени, нежный переклик горихвостки с зарянкой и настойчивый пересвист дрозда сливались в одну ликующую мелодию. Над головой шумели далекими кронами вязы и березы, пропуская вниз снопы света. А там, наверху, смешиваясь с остатками утреннего тумана, кружилась какая-то мельчайшая, как золотая пыль, Божья жизнь. Дунина настороженность (все же предрассветный демарш в леса с косматым неизвестным — авантюра ранее для княжны немыслимая) постепенно уступила место какому-то восторженному, но притом покойному чувству, как в сердце человека в минуту утренней молитвы. Тоска по ушедшему на войну брату и неизбывное за него беспокойство впервые за прошедшие дни отступили. Дуня вдруг почувствовала себя до того счастливой, что и вовсе забыла о цели своего путешествия, когда впереди внезапно раздалось басовитое «Тпруу!». Кудлатый Игнатий хмуро оглянулся на Авдотью:

— Все. Отсель пешком дойдем.

Он помог ей сойти и стреножил лошадь. Поднимая юбки и внимательно глядя под ноги, дабы не запнуться ни о павшее дерево, ни о корень, Дуня следовала за ним: туда, куда не вилась и малая тропа. Вдруг посреди чащи повеяло запахом людского жилья — кострищем и вареной серой капустой. Запах был не слишком аппетитен, но моя княжна сглотнула голодную слюну: вчера, переживая за свое рискованное предприятие, она за ужином почти ничего не ела, и нынче живот уже сводило от голода. А через пару шагов провожатый ее остановился перед сплошной зеленой стеной: лишь приглядевшись, Авдотья заметила рукотворный плетень из еловых веток.

Игнат же вдруг запрокинул бороду и закуковал, что твоя кукушка. И, услышав такое же, весьма натуральное «ку-ку» в ответ, отодвинул зеленый полог.

* * *

«Интересно, кто ему тут стирает?» — Дуня со светской улыбкой поглощала пшенную кашу — тарелка и ложка были грубо выструганы из дерева и ничем не напоминали мейсенский фарфор («Не обессудьте, княжна, чем богаты...»), но сама каша оказалась много вкусней той овсянки, которой в свое время пичкала Авдотью ее английская нанни.

Потасов расположился напротив нее на турецком ковре, также с аппетитом завтракая, и Дуня исподтишка его разглядывала. Коренастый: могучие плечи и грудь и длинные, будто у обезьяны, руки-лопаты. Но широкое лицо с глубоко посаженными глазами и резко выступающими скулами дышит умом и внутренней силой: такой схватит, подумалось Авдотье, стиснет да и раздавит. Занятно, что в качестве рачительного хозяина он никогда не был Авдотье интересен, а вот как лесной житель — другое дело. Дуня смутно вспоминала, как Потасов, похожий в своем узком фраке на ярмарочного медведя, с угрюмой неуклюжестью отвешивал поклоны дамам на званых вечерах. А вот сейчас сидит напротив: темно-русые густые волосы влажны и по-мужицки расчесаны на прямой пробор, короткая борода аккуратно подстрижена, шейный платок — ослепительной белизны, но поверх плеч накинут тулуп, и в нем он выглядит гораздо аристократичнее, чем в сюртуке... Того больше: судя по расслабленной позе, чувствует себя посреди леса совершенно на месте. Эта-то расслабленность и придавала отставному поручику светскость и полное отсутствие провинциальности, столь отличавшие его в бальной зале. Война преобразила его, подумалось Дуне, и, как ни странно, в лучшую сторону.

Потасов тем временем налил ей в солдатскую кружку из походного котелка кофе.

— Сахару, княжна? Сливок?

— Благодарю, поручик.

Еще немного — и можно было предположить, что они на пикнике: не хватало только протирающего хрусталь да вынимающего с походного ледника запотевшие бутыли «Моэта» буфетчика. Но Дуня то и дело оглядывалась по сторонам, и картинка менялась, уже ничем не напоминая светские развлечения довоенной поры. На небольшой вытоптанной поляне происходила чуждая ей мужская походная жизнь: вкруг костров сидели без шапок мужики и ели ту же кашу, тихо переговариваясь меж собой. Рядом товарищи их чистили разномастные ружья — от охотничьих до петровских старинных фузей, точили сабли. Подле маленькой пушки сидел караульный и поминутно посматривал во все стороны. Вскоре одни разошлись по шалашам, иные, помолившись, разбрелись по лесу; и еще некоторое время спустя Авдотья услышала стук топоров.

— Рубят стропила для землянок, — пояснил ей Потасов. — С каждым днем ко мне стекаются десятки человек. Им надобно где-то жить. Покамест спасаемся шалашами. Но для раненых и слабых лучше сразу предусмотреть жилье посерьезнее. Кроме того, людей следует занять: ежели мы не предпринимаем вылазок, значит, мужик мой бездействует. А от бездействия мужик портится, княжна. Это я вам как помещик говорю. Да и солдат от безделья хиреет — это уже как поручик в отставке. — Он улыбнулся, обнажив крупные зубы.

— Я не знала... — «что вы разбираетесь в столь разнообразных материях», хотела сказать Дуня, но не успела.

— Я сам о себе многого не знал. Война многое выносит на поверхность, княжна, — ответил Потасов. Видно, уже не раз задумывался над сказанным.

Дуня кивнула: разве могла она и помыслить еще месяц назад, что окажется в лесу, одна, в компании мужчины? А вокруг вместо блюдущих ее нравственность нянек — одни мужики-партизаны? Разбойники, иными словами?

А вслух спросила:

— И часто у вас случаются... вылазки?

— Частенько. Иногда прибегут ко мне селяне: «Ваше благородие, все ворота заперли от французского фуражира, хотим драться!» Храбрецы! А в руках у них — что? Вилы да колья. У нас, по крайней мере, имеется оружие. Ежели и не поспеем ко времени в деревню, нападаем на вражеские обозы по ночам, забираем провиант, а главное — ружья. Так потихоньку и учу своих мужичков стрелять из французских шарлевильских мушкетов да с палашом кирасирским дружить.

— А солдаты? — прошептала Дуня. — Что вы делаете с французскими солдатами?

— Бывает, берем в плен. Бывает... Как на войне бывает, княжна.

Дуня повесила голову: ей не хотелось представлять, как этот крупный, красивый сейчас какой-то буйной красотой человек, застав лунной ночью обоз на сельской дороге, рубит, колет и стреляет в упор в сонных растерянных фуражиров. Она вздохнула. На войне как на войне. Но у нее, Дуни, — своя баталия. Она подняла глаза на сидящего напротив мужчину.

— Мне нужна ваша помощь, — сказала она.

— И думаю, я даже знаю в чем, — кивнул со всей серьезностью Потасов.

— Знаете? — нахмурилась Дуня. — Откуда?

— Юная прелестная девица — какой же может быть здесь иной интерес, кроме романтического? Мечтаете переодеться в мужское платье и сыскать его среди отступающих частей? Сражаться бок о бок с возлюбленным? Желаете себе провожатого в моем лице? — И он, не сдержав улыбки, поклонился.

Дуня почувствовала, что краснеет, — но на сей раз не от смущения, а от злости.

140

— О, не обижайтесь, княжна. В барышне ваших лет подобные резоны...

— В нашей деревне погибла девочка, — перебила его Авдотья, вдруг отыскав в себе единственно верный тон, коим, бывало, княгиня отчитывала детей за серьезные провинности. — Ее задушили, изрезали, обрили волосы и надругались. После привязали к плоту и пустили по речке. Это не первая жертва — вторая. И я ищу убийцу, поручик.

— Прошу прощения, княжна, — нахмурился Потасов, — но... Поиски убийцы? В военное время?

— Война войной. Но нам должно быть милосердными там, где судьба столь свирепа. Дети не должны умирать. Согласны? — процитировала она потасовского потенциального врага и увидела, что слова де Бриака попали в цель.

Всякое подобие веселости пропало с его лица — он стал предельно серьезен.

— Как я могу помочь вам, Авдотья Сергеевна?

— Мы... я подозреваю одного из ваших людей. Он цирюльник и куафер, делает парики.

— Воробей? — недоверчиво поднял поручик бровь.

— Простите?

Потасов вздохнул.

— Думаю, я знаю, о ком вы говорите. — Он поднялся и протянул Авдотье руку. — Позвольте, я провожу вас..

* * *

Семен по прозвищу Воробей оказался ладным мужичком под тридцать с круглым курносым лицом. Он сидел на бревне перед землянкой и скоро, по-бабьи ловко, зашивал дырку на портках, которые при приближении княжны спрятал за спину.

— Вуаля, — указал на него Потасов хмуро. — Один из лучших моих людей. Третьего дня в стычке с французом самолично заколол троих солдат.

Дуня попыталась вежливо улыбнуться, но характеристика, данная поручиком, скорее говорила не в пользу Воробья.

— Есть ли у тебя жена, Семен, детки? — начала издалека хитроумная Авдотья.

И выяснила, что Воробей — счастливый обладатель аж семерых детишек. Супруга — бывшая мастерица у Щербицких. «Работа барским цирюлем хороша, — хвастал перед барышней Воробей, — спину на барщине не гнешь, сам себе хозяин, да и копейка водится». Жену вот парой отрезов ситца одаривал из столицы, потому как хозяин его завсегда за собой возил — даже когда к родне собирался погостить в соседнюю губернию.

Тут Дуня прервала его, потребовав деталей. Куда возил? В каком году? Какого месяца?

После долгих умственных плутаний (на Николин день? Или на Власия?) выяснилось, что лето десятого года граф Лев Петрович изволил провести в Пошехонском уезде Ярославской губернии, в имении супруги своей Агриппины Ивановны, — Петровском. И тут Дуня вспомнила, что именно оттуда приходили письма от Анетт и Мари, полные тоски по столичным радостям. Кажется, в одно из них по случайности даже попал засохший комар, вольно летавший где-то близ реки Согожи. Поскольку сама Дуня в тот момент скучала в тысяче верстах от Петровского, в Трокском уезде, она отвечала теми же стонами: кавалеров нет, общества приличного нет и все «Журналь де дам» зачитаны до дыр. Как бы то ни было, ежели Семен Воробей завивал кудри семейства Щербицких и кормил комаров близ Волги, он никак не мог погубить первую из погибших девочек в их Приволье. И значит, бравый партизан, мастер колоть, брить и резать, не был их душегубом.

От разочарования Дуня даже топнула ножкой: да что ж такое! И, отвечая на удивленный взгляд Потасова, ответила:

— Это не он!

— Это не я, — тотчас подтвердил цирюльник. — А что

142

— А волосы, — проигнорировав вопрос, прошептала Дуня, — волосы вам на покупку не предлагали?

— Волоса? Так завсегда предлагают, как муж пропьется...

— Белокурые, нежные, — вздрогнув, пояснила Дуня. — Неделю назад.

— Неделю назад... — почесал в затылке цирюльник, — я уж туточки был.

Пытаясь сдержать разочарование, Дуня кивнула Воробью на прощание и было направилась быстрым шагом к той оконечности лесного лагеря, где ждала ее верная Ласточка.

— Слышь, ваше благородие! — услышала она вслед. — Только вот мы в августе с барином на псовую вернулись...

Дуня резко обернулась. Август! Именно в августе и пропала несчастная Фроська!

Воробей, довольный произведенным эффектом, мелко закивал.

— Знатная охота была. Много господ собрались, и все со своими людьми: тут тебе и подгонщики, и доезжачие, и ловчие, и наварщники, и корыточники вестимо, и прочего дворового люда тьма — конюхи, кухарки, буфетчики. И меня, грешного, взяли — барина поутру брить.

— Верно, — повернулся к Авдотье Потасов. — Тогда выехало почти все уездное наше дворянство. Верховодил барон, он же и устроил размещение в отъезжих полях...

— Да, — задумалась Авдотья. — Я знаю. И Дмитриев.

— И ваш покорный слуга, и ваш, княжна...

— Думаете, он смог бы? — перебила поручиковы воспоминания Авдотья. — Успел бы погубить девочку?

— На охоте — сложнее, — в свою очередь призадумался Потасов. — Рядом всегда господа. Цирюльник может понадобиться и с утра — побрить. Или вечером — уложить волоса, ежели на охоту приглашены дамы.

— А когда господа уже на охоте, гонят зверя?

— Единственно тогда, — кивнул Потасов. — Но помилуйте, княжна, зачем такие сложности? Ведь рядом

143

в охотничьей избе всегда полдюжины людей. Да и владения у Габиха обширны, а девочка, ежели я правильно понял, исчезла из вашей деревни?

Авдотья расстроенно кивнула. Но не потому, что вовсе не верила в способность Воробья выйти из леса, добежать до их деревни, украсть, убить и вернуться обратно. Нет, она вдруг вспомнила, что Андрей-управляющий говорил князю, что у кучеровой дочки волосы были на месте (оттого-то все и решили, что девочка просто свалилась с мостков и утопла), а раз так, то ее версия кровожадного цирюльника годилась только для последней жертвы.

— Возможно, вы ошибаетесь, княжна. Как бы ни хотелось мне оставить у себя Воробья, малый он все-таки свирепый. А что, ежели именно он?..

Они уже вышли из лагеря. Ласточка, увидав хозяйку, ласково заржала.

Дуня, потрепав свою кобылу по холке, покачала головой:

— Не сходится, поручик. Знаете, как в английской головоломке-пазле.

Потасов поднял бровь: про новомодную игрушку он явно не слыхивал, ведь детей у него, несмотря на серьезный и вполне подходящий для отцовства возраст, не было. Да и жены не имелось. Дуня вновь вскинула на него глаза: медведеобразный поручик-партизан был выше ее на две с лишком головы. «А ведь он герой, — подумалось ей. — Война кончится, ему, поди, и Георгия пожалуют. Да одарят щедро сверх того царской милостью — латифундией из тех, в коих нынче столь вольготно расположилась предательская польская шляхта. И глаза у него выразительные — твердые, спокойные. В нонешнее время мало у кого из мужчин остались такие глаза, даже папенька...» Впрочем, о папеньке с маменькой (и возможном нагоняе) лучше было не вспоминать.

— Пазл, — произнесла она, чуть порозовев, вслух, — есть возможность складывать цельную картинку из от-

144

дельных частей. Вот у меня имеются части, а целого не выходит. Была с цирюльником отличная ниточка — и только что оборвалась.

Авдотья глубоко вздохнула, а Потасов, сочувственно нахмурившись, подсадил ее на Ласточку и добавил через паузу:

— Вы позволите, княжна, проводить вас до опушки?

* * *

Быстро переодевшись из амазонки в платье, Авдотья вышла в сад, где маменька продолжала сбор райских плодов Приволья. На завтрак она не поспела, но, к счастью, Настасья оказалась вполне убедительна, и теперь Александра Гавриловна лишь поцеловала дочь в лоб и приказала не утруждать себя конной прогулкою, но набираться сил за книгой в беседке.

— Дозвольте хоть помочь сортировать фрукты, маменька! — взмолилась Авдотья, которая после преступного утреннего демарша чувствовала себя виноватой перед доверчивой матерью.

— На то у меня помощников достанет. А хочешь сделать что-нибудь полезное — изволь. Садовник нынче со мной занят, а букеты в столовой и гостиной уже не свежи.

Княгиня, вынув из кармана холщового своего фартука (рабочей одежды, надеваемой исключительно для трудов в оранжерее) садовые ножницы, передала их Авдотье и добавила:

— Думаю, будет не лишней любезностью составить букеты и для майора с доктором.

— Думаю, довольно им и одного на двоих, — повела в ответ плечом Авдотья.

Но Александра Гавриловна ее уж не услышала: мальчик-садовник посмел положить в корзину для варенья мятый персик.

— Архипка, негодник! — вскричала она. — Эти — на наливку!

А Дуня, вздохнув, отправилась в парк. Слева от центрального пруда был разбит розарий, где щедро цвели нежно-розовые бенгальские, алые дамасские, белоснежные альба. Одни пахли пряностями, другие — мускусом, третьи — бальзамином и цитрусом. Горячий воздух поднимался над ними, смешивал запахи, гудел насекомыми. Волосы Авдотьи лезли в глаза, выбившись из-под шляпки флорентийской соломки. (В 1812-м в европейской моде, несмотря на общеевропейский же театр военных действий, продолжал царить полный интернационал: утренняя амазонка Авдотьи была из английского сукна, нынешнее легкое платье — из индийского муслина, а на бальное, будь у нее нынче возможность танцевать с поручиком, пошел бы шелк из Турина и брюссельские кружева.) То и дело смахивая влажную рыжую прядь со лба, княжна срезала розы и вспоминала печальное и важное лицо Потасова при прощании.

— Вы удивительная барышня, княжна. Хотел бы я помочь вам найти убийцу. Но, боюсь, я уже выбрал себе занятие. Потому прошу вас: будьте осмотрительны. Не скачите ночами по полям, я не всегда смогу приставить к вам провожатых.

И в некотором смущении поцеловав ей на прощание руку, удалился обратно под сень своих дремучих лесов, оставив княжну на попечение жующего соломинку бородатого Игната, во все время их беседы слишком пристально глядевшего в сторону. Да, размышляла не без самодовольства Авдотья, разбирая на столе в беседке срезанные розы, смешивая в вольной пропорции розовое, алое и белое, кто бы мог подумать, что война обернется для нее столь романтическими приключениями! Ведь разве можно сравнить пусть даже самые роскошные и веселые балы, даваемые Габихом и Щербицкими, с нынешним утром в духе шиллеровских «Разбойников»? Сегодня ее неброская, м-м-м, красота явно произвела впечатление. И на кого! На убежденного, по словам отца, бобыля, рачительного хозяина и увлеченного картежника, а ныне героя и патриота — освободителя земли русской от Буонапартовой орды!

Speaking of devil...[1] Она заметила на ведущей к беседке дорожке знакомый мундир и, — будто майор мог прочесть ее мысли, фривольные, но и весьма патриотические, — поспешно откинулась в густую тень в глубине беседки. Беседовать с вражеским артиллеристом после встречи в лесу она не желала. Но он, казалось, и не рассчитывал ее застать, потому как сел прямо на ступеньку бельведера: лицом к раскинувшемуся виду, спиной к спрятавшейся Авдотье, явно наслаждаясь прохладным ветром с реки. Авдотья еле слышно вздохнула: и как, скажите на милость, ей теперь выбраться незамеченной? Как вдруг, к полной неожиданности для Дуни, де Бриак запел.

Это была странная, однообразная песня, где она не могла разобрать всех слов, — и немудрено. Средневековая баллада была на старофранцузском, но негромкий чистый голос де Бриака завораживал. Простая мелодия неспешно плыла над барским садом и над рекой, разворачивалась, как бесконечная спираль. И застывшей Дуне казалось, будто небо над французом налилось нездешней синевой, а вместо сельского пейзажа перед ней суровой громадой встают Пиренеи. А у их подножия, разбрасывая седые ошметки горькой пены, гулко бьется дикая волна Бискайского залива.

В песне пелось про некую даму — нежного врага, что, заразив трубадура болезнью любви, отказывалась излечить несчастного от страданий, но Авдотья откуда-то догадалась: де Бриак поет не об оставленной где-то в Гаскони возлюбленной и уж тем паче не о ней, Дуне. Это тоска по дому. И сама вдруг остро запечалилась о московском своем особняке, представляя его почему-то зимой. Заскучала по поднимающемся прямиком вверх в морозный воздух березовому дымку из множества труб, по радостной воскресной перекличке колоколов из ближних и далеких церквей, жарко сияющему под

---

[1] Здесь: легок на помине (*англ.*).

солнцем снегу на улицах, с наезженными санями глубокими колеями. Ах, как Дуня вдруг захотела вернуться домой и позавидовала барышням Щербицким — ведь те уж совсем скоро окажутся в своем особняке на Английской набережной! Она так расстроилась, что громко, как дворовая девчонка, шмыгнула носом.

Песня мгновенно оборвалась. Голова в черных кудрях резко развернулась в ее сторону.

— Прошу меня извинить, — вскочил на ноги де Бриак. — Я думал, что один.

Дуня тоже встала, придерживая рукой оставшиеся нераспределенными по букетам цветы:

— Не стоит извинений. У вас... чудесный голос.

Она хотела добавить, что тоже не сразу его заметила, — оттого и не поздоровалась, но это было бы слишком явной ложью.

— Вы, очевидно, искали уединения, — поклонился де Бриак. — Не смею более его нарушать.

И уж было развернулся, когда Дуня его окликнула: напротив, сказала она, желая избежать неловкого прощания, у нее появились новости, касаемые «их дела».

— О! — только и сказал француз и присел на краешек стула — все еще явно смущенный, что она застала его песнопения на природе. — Я весь внимание.

— Я повстречалась с куафером графа Щербицкого, — сказала, не поднимая глаз от цветов на коленях, Авдотья. — И выяснила, где он находился об этом и о позапрошлом годах, когда убили первую девочку. — Де Бриак молчал, а Дуня продолжила: — В десятом году хозяин взял его с собой в имение в Ярославской губернии. Это... — она решила упростить майору географическую задачу, — недалеко от Волги. И далеко отсюда, — закончила она.

— А на прошлой неделе? — спросил де Бриак. Голос его внезапно сделался холодно-учтив.

Дуня сглотнула, пожала плечами, а потом решила сказать правду:

148

— А на прошлой неделе он уже сбежал от Щербицких в партизанский отряд.

Тишина — стало слышно жужжание насекомых за резными стенками беседки. Дуня подняла на де Бриака испуганные глаза: темные губы плотно сомкнуты, веки полуприкрыты. Что она наделала?! А если он начнет ее допрашивать? Пытать, как турки? Или все же французы не такие нехристи и он ее пожалеет, но попросит поклясться на Евангелии, и тогда...

— Позвольте поинтересоваться, — произнес он наконец, — откуда у вас появились столь разнообразные сведения? И насколько мы можем им доверять?

— Мы можем, — прошептала Дуня.

— Что ж. Исчерпывающий ответ, — кивнул де Бриак и вдруг вскочил со стула и бросился ходить вокруг круглого стола. — Правильно ли я понял, сударыня, что вы получили эти сведения из первых, так сказать, рук? Что вы отправились в одиночестве в леса, находящиеся за пределами моих полномочий? Не взяв с собою вооруженного сопровождения? И когда же, позвольте спросить, вы это сделали? В ночи?!

Вопросы сыпались на Дуню как из рога изобилия, а она сидела, опустив голову и сцепив дрожащие руки на коленях.

— Я подозревал, — встал он наконец прямо перед ней, и голос его звенел от с трудом сдерживаемого возмущения, — что русские девицы воспитываются несколько иначе. Ваши нравы, возможно, более свободны... (Дуня вспыхнула.) Но, позвольте, неужели, отправляясь в столь смутное время по занятым неприятелем землям, вы не испугались за честь свою и за саму жизнь? Или вы не в курсе, как расцветают мародерство и разврат в момент бездействия армии?

Дуня почувствовала, как смыкает горло и рвется наружу истерика: усталость и волнения сегодняшней короткой ночи и долгого утра не прошли бесследно. Ей надобно немедленно выйти прочь из наполненной до краев парами Дебриакового возмущения беседки на свежий воздух.

Чуть покачнувшись, она поднялась со стула — упали с колен на пол столь тщательно выбранные ею розы — и сделала несколько шагов к выходу.

— Я держал вас за разумного человека, — сказал за спиной невыносимый для нее сейчас голос. — Но в сложившихся обстоятельствах не могу продолжать вместе с вами дознавания по убийствам девочек. Ваши преступные беспечность и легкомыслие уже привели вас на край пропасти!

Авдотья медленно повернулась к французу: лицо ее было бледно, рыжие брови сошлись в одну упрямую линию.

— Это я... — произнесла она едва слышно, боясь тут же и разрыдаться, — это я буду продолжать дознаваться до правды с вашим участием или без оного. Какой толк вы лично принесли расследованию? Попали в плен к местному помещику? Спасли из огня травницу? А может быть, смогли переговорить с поваром и брадобреем Щербицких?! Да, это правда. Я одна, — мелко покивала она своим же словам, чувствуя вдруг свою правоту, и голос ее сразу перестал дрожать и налился силой и яростью, — отправилась сегодня в лес на поиски партизанского отряда! Но если бы не ваш хваленый император, то у нас не было бы нужды в партизанских отрядах и не было бы мародеров! А я... я была бы лишена сомнительного удовольствия знакомства с вами. — Она сглотнула, переводя дух и не без удовлетворения отметив, как вздрогнул на последней фразе де Бриак. — И как вы видите мою беседу с партизанами в сопровождении ваших солдат?! Да они бы зарубили их саблями иль расстреляли бы из ваших же французских ружей! А мне нечего их бояться: это все мужики окрестных деревень, они знают меня как госпожу и никогда не поднимут на меня руку. — Она почувствовала, что совершенно успокоилась. — И последнее, виконт. Это мои леса и мои дороги. И то, что где-то рядом в этих лесах есть такие люди, как месье Потасов, позволяет мне без страха ездить по этим дорогам. Вуаля!

Княжна взглянула в ошеломленное ее пламенной речью лицо майора: по нему блуждала чуть растерянная улыбка, но при имени Потасова она словно испарилась.

А Авдотья, гордо развернувшись, уже спускалась по ступеням беседки.

— Полагаю, их сиятельства в курсе вашей ночной эскапады и полностью ее одобряют? — раздался ей в спину последний в сей перепалке выстрел. Но он был холостым.

ЗА ДЕВЯТНАДЦАТЬ ЛЕТ ДО ОПИСЫВАЕМЫХ СОБЫТИЙ

Из решения Сената от 15 февраля 1793 года
по делу N.

Покоясь на испытанных наукою и Медицинской Коллегией правилах для неошибочного познания безумцев, штадт-физик Лерхе произвел аттестацию, подтвердив учинение N. насилия и двоеженства в несовершенном уме состоянии. Так брат безумца свидетельствует, что помешательство сделалось с N. не от природы, а от полученных в боях за Отечество ран телесных. В отсутствие совершенных[1] доказательств о двойном убийстве супруги и баронессы Тоссе, и поелику о деяниях самого N. в неполном уме судить не можно, надлежит оного в богоугодном месте содержать. И по силе указа Е.И.В.[2] до освидетельствования дураков касаемого от 1722 года, а также указа Сената от 1762 года, движимое и недвижимое имущество безумного передать по описи опекуну с распискою в смотрение, с тем чтобы из доходов, вперед получаемых с имущества, оный содержал помешанного без излишества, но смотря при том, чтоб и недостатка не было.

---

[1] Здесь: письменных.
[2] Его Императорского Величества.

ГЛАВА ОДИННАДЦАТАЯ

> Государь, я один из числа тех несчастных, которых называют незаконнорожденными. Брошенный на сей свет с печальною печатию своего происхождения, в сиротстве, не находя вокруг себя кроме ужасной пустоты; лишенный выгод, с общественною жизнию сопряженных, встречая повсюду преграды, поставляемые пред-рассудками, на коих самые законы основаны... есть, государь, самое тяжкое наказание, достойное одного только злейшего преступника. Какой из таковых младенцев захотел бы вступить в сей свет, если бы только мог знать, какая участь его в оном ожидает? Нет, государь, он, конечно, не вышел бы из утробы своей матери, он сделал бы ее своим гробом.
>
> *И. П. Пнин*
> *Вопль невинности, отвергаемой законами. 1798*

Вечер провели в идиллической семейственности: маменька вслух перечла единственную переданную сыном из Вильны записку. В записке говорилось о фураже и о сумбурном отступлении из города, но близорукие глаза княгини вчитывались в выученные наизусть строки, как в юные годы — в страницы любовных посланий. В конце чтения Александра Гавриловна приложилась с поцелуем к миниатюре на табакерке, где Алеша был запечатлен еще дитятей. Князь слушал и неодобрительно покашливал, видя слезы на глазах у жены и дочери, но и с ним в последнее время случалось, забывшись в своих

153

мыслях, напевать в тиши кабинета «Мальбрук в поход собрался. Бог весть, когда вернется».

Бог весть, когда вернется... Они уж больше не обсуждали молчание Алеши — все утешительные слова были меж ними сказаны. Даже княгиня, думавшая в свободные часы только о первенце, едва перечитав записку, скоро переводила беседу на другую тему: она так много молилась, что боялась светскими речами помешать намоленному движению небесных тел в пользу сына. Вот и теперь она протянула дочери томик романиста Карамзина с просьбой развлечь их чтением вслух, а сама взялась за вышивание.

Дуня открыла «Марфу Посадницу, или Покорение Новагорода»; папенька сидел, подремывая, в креслах с потухшей трубкой, а Николенька уж видел сны в детской — «Как древнее племя славянское могло забыть кровь свою?.. — читала с проникновенной выразительностию Авдотья, ибо патриотическая повесть как нельзя лучше ложилась на ее сегодняшнее настроение. — Я все принесла в жертву свободе моего народа: самую чувствительность женского сердца — и хотела ужасов войны; самую нежность матери — и не могла плакать о смерти сынов моих!..» — слегка подвывала она. Ах, как это верно — черпать в героическом примере предков наших силу духа в нонешних испытаниях!

Вот и маменька, унесенная карамзинским гением на берега Волхова, оторвалась от вышивания. И только папенька, отошед за младшим сыном в царство Морфея, имел невежливость всхрапнуть на самом патетическом месте.

— Что за слог! — вновь взялась за рукоделие княгиня, лишь дочь отложила книгу. — А я, представь, сегодня тоже покопалась в истории. Передай-ка ножнички! — И Александра Гавриловна отрезала нить с испода вышивки. — Пришлось пожертвовать парой бутылок спотыкача, но дело того стоило.

Княгиня подняла глаза на сидящую в задумчивости дочь:

— Да ты не слушаешь меня, моя милая! А меж тем эта история скорее ближе к Лизе[1], чем к Марфе, — заметила маман, и тут уж действительно завладела Дуниным вниманием.

— Две бутылки батюшкиного любимого рецепта с корицей? — улыбнулась Авдотья. — Да есть ли на свете тайна, достойная того, чтобы пожертвовать ради нее сим божественным нектаром?

— Ма шер, сердце матери, как ты знаешь, никогда не спокойно, — начала издалече Александра Гавриловна. — Заботы о сыне — одно дело, но дочь...

Авдотья резко выпрямилась, в груди сильнее забилось сердце: неужели маменька узнала?.. И добавила с деланой прохладцей:

— Значит, сия тайна имеет ко мне отношение?

— О, надеюсь, нет, душа моя, — улыбнулась мать и повторила с нажимом: — Надеюсь, нет.

Итак, выяснилось, что во время сбора урожая из маменькиной оранжереи доктор («Николенькин спаситель, Эдокси, и ты знаешь, он всегда останется для меня таковым») проявил необыкновенный интерес к русским «заготофки». Во-первых, российские варенья — творения пожиже французовых конфитюров, да и поароматнее. Засим речь пошла о наливках. И тут Александра Гавриловна, которая давно держала в голове некую мысль, рассказала о тонкостях приготовления сего напитка, столь же неотторжимого от семьи Липецких, как княжеский герб и вотчины. Корица, шафран, ваниль, мускат — все эти слова были известны французу, он даже записал их в свою записную книжку («Знаешь, такую, в кожаном переплете», — Дуня знала). Пустилье с любопытством наблюдал, как дворовые девки растирали под пристальным наблюдением барыни деревянной толкушкой ягоду, как цедили ее, как бурлил в уже знакомых нам медных тазах золотой сироп.

[1] Имеется в виду бедная Лиза, героиня романа Н. Карамзина.

И в благодарность за внимание к ее трудам (но не переставая держать в голове ту самую мысль) Александра Гавриловна предложила накрыть стол в тени дерев и насладиться прошлогодним урожаем, послав сенную девушку аж за двумя бутылями темного стекла. (Бойтесь данайцев, дары приносящих!) Как княгиня и подозревала, француз, привыкший более к своему виноградному вину, пил легко и много: пил да нахваливал. А тем временем княгиня с нежной улыбкой на коварных устах прихлебывала чай, ожидая, когда полковой доктор «дойдет до кондиции». И, заметив, как наполовину опустела вторая из заветных бутылок, потихоньку перешла к делу. Поначалу обсудили ужасы революции и с ними — упраздненные титулы. Тут ее сиятельство обронила ненароком, что де Бриак, по ее наблюдениям, не слишком доволен, когда его величают виконтом. Неужто и в его голове взошли порожденные мятежной заразой семена презрения к аристократическим корням?

— Но, видишь ли, ма шер, — и тут Александра Гавриловна отложила вышивание и внимательно посмотрела на дочь, — дело оказалось вовсе не в отравленном дыхании революции. Майор — совсем не тот, за кого себя выдает.

* * *

Авдотья лежала, бессмысленно уставившись на точку, где сходилась под балдахином кисея, призванная спасти ее от вездесущей летней мошкары. Ловкость Александры Гавриловны в обращении с бесхитростным Пустилье и правда принесла плоды. Пусть менее благоуханные, чем те, что росли в оранжереях Приволья, но весьма ценные для матери барышни на выданье.

История, что поведал под влиянием спотыкача добрый доктор, оказалась прелюбопытна. И фамилия де Бриак в ней появилась далеко не сразу. Того более фамилия эта не имела ничего общего с той, которую с таким интересом изучила Авдотья в объемном «Dictionnaire universel de la noblesse de France». *Том* де Бриак оказался не более чем дальним родственником, а то и вовсе однофамильцем *их* де Бриака. Княгине, чья материнская тревога отказывалась удовлетвориться исключительно сведениями, взятыми из словаря французских родов, пришлось разматывать клубок с самого начала.

Итак, в восьмидесятых годах осьмнадцатого века в своем наделе в Гаскони поселился виконт де Блани, гвардии капитан. По словам Пустилье, он был малым смелым, любил всех людей, обожал всех женщин, наслаждался всеми безвредными для чести удовольствиями. Однако вскоре, перечитав просвещенных философов, поверил в превосходство человеческого разума над религиозными догмами. Выйдя в отставку и поселившись в своем замке недалеко от Олорона, он тотчас же начал воплощать идеи деизма в жизнь. Выходило, что ежели Господь лишь создал Вселенную, а после перестал вмешиваться в дела созданных им человеков, то и человекам, в свою очередь, не нужна церковь, чтобы стать счастливыми. И де Блани немедленно стал счастлив — со своей экономкой Мари Элизальд. Скоро Мари понесла и родила первенца, которого назвали Этьеном. А пять лет спустя вновь осчастливила своего сеньора: на этот раз дочерью, Дельфиной. Обоим было стараниями виконта пожалована фамилия де Бриак по наименованию деревни — самого захудалого угла сеньории.

Оба воспитывались в замке под присмотром любящих родителей не как бастарды, но как законные наследники: отец не поскупился на лучших учителей. К несчастью, последовавшие вскоре трагические события заставили виконта переосмыслить юношеские идеалы: одно дело — подписание Декларации прав человека и присяга Людовика конституции, и совсем иное — головы того же Людовика и его легкомысленной супруги, отсеченные косым ножом «мадам Гильотен». Революционная звезда свободы, взойдя над Францией, оросила ее кровью — преимущественно аристократической. Опасаясь за своего невенчанного супруга, внезапно слегла кроткая Мари...

Так и случилось, что к 18-му брюмера[1] виконт похоронил свою Мари — и превратился в завзятого роялиста. А еще через несколько лет, рассказывала княгиня (у мужчин вдовство коротко, как девичья память, не стоит требовать от них женского самоотречения, ма шер), он — теперь уже официально! — сочетался браком с девицей де Варен. И, несмотря на преклонные лета, произвел на свет еще двух сыновей. Тем временем Дельфина превратилась в прелестную барышню, а Этьен оканчивал образование в Высшей Политехнической школе в Париже — он всегда, по словам Пустилье, стремился к наукам и был «умен, как дьявол» (Дуня подняла бровь: у нее на этот счет имелось ровно противоположное мнение). Теперь, с появлением законных наследников, положение бастардов становилось все невыносимее.

— Незаконнорожденные дети, как известно, вообще находятся в фальшивом положении, — покачала головой княгиня. — Стоя выше и ниже людей обыкновенных состояний, они оказываются вне общества и не иначе как штурмом могут в нем брать свои места. Вот почему Этьену пришлось навеки оставить мечты об осушении болот и плантациях табака. Ныне пред ним открывалось одно лишь поприще — военное (возможность искупить кровью подпорченную кровь), к которому он был вовсе не склонен. Так он оказался в конной артиллерии. Но вот несчастная Дельфина... — вздохнула матушка и, забыв про серебряные ножнички, откусила нить, как крепостная мастерица, зубами. — Дельфина была с детства влюблена в своего дальнего кузена с отцовской стороны. И сей союз, по словам Пустилье, вполне мог бы состояться, не лиши виконт первым невенчанным браком свою дочь титула, а вторым — состояния.

_____

[1] Дата государственного переворота, приведшая к власти Бонапарта и разгону парламента.

— Что же с ней сталось? — не отрывая глаз от лица матери, прошептала Авдотья.

— Она сбежала из дому, когда ее возлюбленный расторг помолвку, — пожала полными плечами княгиня. — Этьен с отрядом людей отправился на ее поиски.

Княгиня замолчала, отложила вышивание.

— Тело обнаружили спустя год, после зимних паводков в реке Ло. Опознали по простому медальону, принадлежавшему ее матери. Все прочие драгоценности исчезли. Один Господь знает, как она встретила свою смерть.

— О боже! — Авдотья спрятала лицо в ладонях.

— Ангел мой. — Мать погладила Дуню по голове. — Пустилье говорит, что майор не перестает винить себя в смерти сестры и бросается в бой с отвагой, граничащей с самоубийством. Отсюда и обилие наград, и быстрое продвижение по службе. — Княгиня помолчала. — Поверь, как бы я ни хотела, чтобы ты следовала не только голосу рассудка, но и зову сердца, и каким бы достойным человеком ни почитала майора, брак между вами, маловероятный и ранее, ныне решительно, решительно невозможен. К тому же для совместной жизни куда проще остановить свой выбор на соотечественнике.

Она сочувственно потрепала дочь по руке.

— Вспомни-ка, что твой батюшка говорит о французском нраве: природа в каждого из них влила много добра и зла и все это так переболтала, что сам черт не отделит одного от другого.

Дуня невесело улыбнулась: папенька при разлитии желчи не щадил ни единой нации.

— Кроме того, не стоит забывать, что он — папист... — завершила свой обличающий монолог маменька.

Да, плюс к открывшимся недостаткам де Бриак был католиком. А к католикам в Российской Империи относились с подозрением, разрешая разве что открывать пансионы иезуитам. Католицизм, на взгляд дворянина начала XIX века был тесно связан с мистикой и нездоровой экзальтацией — первая прощалась, вторая считалась откровенным моветоном.

Кротко выслушав маменькины наставления, Авдотья отложила сочинение ударившегося последние годы в историки романиста, поднялась, поцеловала маменькину маленькую теплую руку и пошла к себе. Дала Настасье раздеть себя и расчесать, подоткнуть одеяло, спустить кисею вкруг постели и, наконец, перекрестить на ночь. Но лишь только закрылась за ее девушкой дверь, распахнула глаза. Впуская ночную свежесть, неслышно колыхался кисейный полог полуоткрытого окна, а Дуня морщилась, вспоминая участливое выражение на лице маман, уверенной в chagrins d'amour[1] единственной дочери.

Княгиня и в мыслях не держала, что печали и заботы у Авдотьи были совсем иного — скажем прямо, криминального — толка. Но история с де Бриаком не отпускала княжну. И дело было вовсе не в том, что тот оказался, как тактично звалось это промеж людьми ее круга, «воспитанником». Таковых имели и лучшие рода России — Трубецкие, Репнины, Голицыны. По традиции от благородной фамилии отнимали первый слог — и Бецкие, Пнины, Лицыны, занимая в обществе положение, схожее с законными младшими сыновьями, часто делали блестящую карьеру. В конце концов, сам великий полководец Румянцев-Задунайский был внебрачным сыном Петра Первого. Нынешний же император открыто жил с фрейлиной супруги своей, Марией Антоновной Нарышкиной, и имел с ней четырех дочерей. А младший брат его, великий князь Константин, сожительствовал с младшей сестрой той же Нарышкиной, Жанеттой, формируя эдаким макаром не совсем пристойный внутрисемейный квартет.

По всей же России-матушке, как однажды объяснял Алексею батюшка (а Дуня делала вид, что увлеченно читает), с тех пор как царь Петр взялся создавать огромную регулярную армию, крестьянам приходилось оставлять своих жен на долгие годы. Как следствие солдатки десятками тысяч нагуливали незаконных младенцев.

___

[1] Любовных печалях (*фр.*).

В столицах и иных губернских городах один за другим бросились открывать госпитали для «зазорных» детишек. Этим детишкам, в свою очередь, предстояло стать пушечным мясом для стремительно развивающейся империи. Иными словами, незаконнорожденность — от последнего крестьянина и до первого лица в государстве — не была для Дуни ничем пугающим или новым.

Но история де Бриака и страшная смерть его единственной сестры заставила Авдотью совсем иначе взглянуть на майора. «Вам кажется это смешным?» — со стыдом вспомнила она, как фыркала в ответ на рассказ о том, как хотел он возвеличить дом, в котором вырос, стремясь доказать отцу, что достоин его имени... И эта отповедь вчера в беседке, когда он посмел накричать на княжну, как на своего денщика? Да он просто за нее испугался, поняла Дуня. Так испугался, что не в силах был более держать себя в руках. Боялся, что и ее найдут, обесчещенную мародерами, где-нибудь на опушке леса или выловят в реке... Выловят. Ну конечно! Вот отчего он взялся расследовать смерть крестьянских девочек...

Авдотье было стыдно за себя и жаль незадачливого майора. А женское сострадание, как известно, есть тот самый перегной, на котором с легкостью расцветает цветок влюбленности. Так, сам о том не подозревая, де Бриак приобрел флер романтического героя, а все старания ее сиятельства отвести беду от единственной дочери привели к результату, ровно противоположному ожидаемому.

* * *

Этьен не без иронии взглянул на полкового врача:

— Мой дорогой друг, от вас я никак не мог ожидать подобного.

В ответ Пустилье застонал, чуть сдвинул набок уксусный компресс, высвободив один глаз, и сей единственный глаз глядел на майора со смесью вины и муки:

161

— Это чертово зелье не зря получило свое название. После пары рюмок — клянусь! — я уже не чувствовал ног. А на дне бутылки меня ждало полное забвение. Хочется верить, моя последующая беседа с любезной княгиней осталась в границах пристойности. Я не помню ни слова.

— Итак, — развернул де Бриак листок из записной книжки, — позвольте мы еще раз обратимся к вашему списку.

— Премного благодарен. Ох, думаю, лучше, если вдобавок к списку мы обратимся к моему набору. Не угодно ли достать его из-под моей постели?

Де Бриак, не переставая улыбаться, выдвинул обитый кожей ящик хирургических инструментов, сопровождавший доктора во всех походах.

— Будьте любезны открыть его. — Пустилье приподнялся на подушках.

— Не терпится взглянуть на ваши игрушки? — усмехнувшись, майор откинул крючок и открыл крышку.

Пустилье по праву гордился своим хирургическим арсеналом: в бархатных выемках в идеальном порядке лежали скальпели и ампутационные пилы с элегантными черепаховыми ручками, бистуреи, выгнутые ножницы и щипцы, бромфильдовы крючки и целый набор для прижигания. Опробовав чуть дрожащим пальцем кривой и большой ножи, Пустилье обмотал лезвия платком и передал ножи майору — их следовало отдать на заточку. Серебряные иглы также ломались, на всякий случай необходимо было запастись хоть и простыми стальными —на поле боя любые сгодятся. Могла встретиться надобность и в кожаных турникетах, дабы сжимать кровеносные сосуды при операциях на конечностях. Все это уже было изложено в списке, но де Бриак знал, что Пустилье доставляет удовольствие просто перебирать инструменты: так хорошему солдату нравится чистить свое ружье.

— С подобным арсеналом, мой дорогой доктор, вы и мертвого на ноги подымете, — польстил ему де Бриак.

А Пустилье вновь прикрыл глаза:

— Бросьте, майор. Что мы умеем? Трепанировать, ампутировать и еще пристрелить из жалости тех бедняг, которым ядром оторвало половину туловища или ошалевший от крови вражеский конь откусил пол-лица. Едва мы начнем наступление, у меня не станет ни дня покоя. Позабыв про все щипцы, не по локоть, по плечо в крови, я буду скользкими пальцами нащупывать картечь в глубинах чужой плоти да пилить кость. Знаете, мой рекорд превосходит Ларрея[1]: он пилит берцовую за семь минут, а я — за шесть. — И Пустилье в испарине опять откинулся на подушки. — Всего шесть. Но как они кричат, Бог мой!

Де Бриак вздохнул; крики раненых и для него были страшнее любого боевого клича.

— Говорят, — продолжал Пустилье, — некий немецкий аптекарь придумал разлагать опий и получил вещество, названное им в честь Морфея — морфием. Принявшие сие снадобье люди и животные не чувствуют боли. К несчастью, морфия у меня нет, а уж здесь его не достать и подавно.

— А я слыхал, — улыбнулся майор, — что боль неотделима от действенного врачевания.

— Глупости, мой друг! — скривился доктор, так и не открывая глаз. — Средневековый догмат о необходимости страданий для очищения духа. Мы живем в просвещенном веке. Надобно учиться облегчать муки — и, как ни грустно, любая война дает нам обильный матерьял для подобных экспериментов.

— Все еще уверены в применении кисеи при перевязках? — Де Бриак закрыл и снова спрятал набор Пустилье под кровать.

Пустилье поморщился:

— А вы все еще думаете, что каждого следует перевязывать согласно чину: генерала — батистовым платком,

---

[1] Доминик Жан Ларрей — французский военный хирург, выдающийся новатор военно-полевой хирургии, которого называют «отцом скорой помощи».

а солдата — тряпьем? — Доктор закряхтел, переворачиваясь на подушках. — И довольно уж дамам из высшего общества щипать корпию. Помните, в египетском походе цветки хлопка? Вот что отлично заменило бы это несвежее тряпье...

— Вам следует оставить нашим дамам возможность сделать вклад в общее дело, мой друг, — улыбнулся его горячности де Бриак.

— Тогда пусть собирают и сушат мяту с ромашкой, чтобы вылечить наших доблестных солдат от поноса, — хмыкнул доктор. — При многодневных маршах они начнут так страдать от жажды, что готовы будут пить из любого грязного пруда и сосать несвежий лед с помещичьих ледников. Кстати, не думаю, что вы найдете в этом уездном городе в нужном количестве сухие травы. Однако постарайтесь закупить как можно более меда и жира — нет ничего лучше, чтобы смазывать ожоги. Кроме того, Бриак, я собираюсь самолично сделать новый запас гофманских капель, хоть морфия они, увы, не заменят. Далее: известь, скипидар и соль для промывки ран. Они уже в списке.

— Все, мон женераль? — встав, шутливо поклонился де Бриак.

— Прошу вас, Этьен, не насмехайтесь над бедным страдальцем. — Доктор поднял палец вверх. — И помните: хороший запас полкового врача может спасти и вашу жизнь, если вдруг ядро, картечь или...

— О нет. Прошу, лучше пристрелите меня, — перебил его де Бриак. — Вы же знаете, как мало я держусь за собственную жизнь.

— Обещаю вам эту милость, если привезете весь список, — бледно улыбнулся Пустилье.

И казалось, был не в силах более пошевелить ни единым членом, но стоило майору в сопровождении денщика сесть в коляску, как доктор, качаясь, появился на парадном крыльце.

— Совсем забыл: мне понадобятся яйца, точнее, яичный белок, камфорный спирт и свинцовый сахар — для моего рецепта твердой повязки вокруг сломанных конечностей.

Де Бриак согласно кивнул и тут заметил позади полкового доктора хозяйку дома. Княгиня протягивала бледному Пустилье загадочную банку с мутной жидкостью, на дне которой плескался подозрительный осадок, и явно уговаривала ее выпить. Пытаясь скрыть ужас за любезным отказом, Пустилье сопротивлялся изо всех сил. Не дожидаясь, чем окончится сия выразительная пантомима, де Бриак приказал денщику ехать. Лошади тронулись с места, и он увидел, как ее сиятельство повернула к нему голову. Трудно было прочитать что-то в глазах княгини — стекло высоких дверей в пол отсвечивало на полуденном солнце. Но взляд этот насторожил майора, и, приподняв при поклоне двууголку, де Бриак тронулся по аллее прочь от дома, под сенью которого еще дышала ровно во сне несносная княжна...

* * *

В 1811 году в России было 630 городов, и делились они на шесть классов по количеству населяющего их люда. В каждой из столиц, городах первого класса, — Москве и Петербурге — жили по 300 тысяч душ, города же шестого класса мы нынче с легкостью приняли бы за деревню: в них коротали свой век меньше тысячи человек. Так, город Н-ск, куда отправился наш герой, немногим отличался от села. Правда, главная улица его была мощенной, но мощенной дурно. На ней стояли редкие мещанские особняки побогаче, с каменным первым этажом, окруженные высоким забором с дубовыми воротами. Прочие же и дороги, и дома ничем не отличались от сельских: первые нещадно пылили, вторые представляли собой привычные уже глазу де Бриака бревенчатые постройки, украшенные резьбою вкруг окон и по скату крыш. На улицах и в переулках то и дело мелькали французские мундиры — еврейское местечко уж неделю как было занято Великой Армией, остановившейся на постой в этих самых узорчатых домах.

В центре города имелась базарная площадь, в воскресные и ярмарочные дни до отказа заполненная народом. Нынче была она печально пуста, лишь стояла пара крестьянских возов с веревками, лаптями и рогожами со щепьем да немногие бабы продавали хохочущим и явно нетрезвым пехотинцам ягоды с деревянных прилавков («Где их офицер?» — раздраженно подумал де Бриак). Вкруг площади сгрудились скобяные, бакалейные и галантерейные лавки и единственный на городок постоялый двор, возле которого подремывали, жмурясь и мерно обмахиваясь хвостами от слепней, лошади с косматыми оплывшими ногами. Несколько дворняг прятались в тени колясок, вылизывая сало с осей. Обязательное питейное заведение казалось закрытым: из-за подслеповатых темных окошек не доносилось ни звука.

Оставив Лизье дожидаться в компании нетрезвых компатриотов и смеющихся в кулачок торговок ягодами, майор, взметнув облако пыли, спрыгнул с брички и двинулся по периметру площади, стараясь не вступить на конский навоз или зловонную лужу неясного происхождения и одновременно ничего не упустить из открывшегося провинциального пейзажа. В витрине шорной мастерской, украшенной франтоватыми седлами и подпругами, сидел молодой парень в ермолке: вооружившись суконкой, он натирал воском крашенные в синий ремни. Рядом с бакалейной лавкой де Бриак чуть не опрокинул бочку с селедкой. И чертыхнувшись — вот же растяпа! — толкнул дверь лавки. Втянул воздух: чай и табак. И еще раздражающий, совсем не благородно-колониальный парфюм — квашеная капуста.

Стараясь не морщиться, майор повернулся с улыбкой к лавочнику — древнему ссохшемуся еврею в лоснящемся от старости лапсердаке, — открыл было рот, и тут же осекся: он был уверен, что сможет показать искомое на пальцах, но лавка оказалась столь полна товаром, что в ней было под силу ориентироваться только владельцу. Кроме бочек с той самой капустой и ларей с мукой на полу, все полки за узким прилавком были заставлены. И не только бакалеей, но еще и свечами, и мылом, и дешевой посудой. Почувствовав себя идиотом, де Бриак еще раз улыбнулся и, развернувшись, вышел вон, проклиная глупую недальновидность и отказываясь себе признаться, что остро скучает по одной рыжеволосой княжне, которая легко могла бы вывести его из подобного затруднения.

Что ж, возможно, ему больше повезет в скобяной лавке иль в аптеке. Пройдя мимо галантереи, где «щепетильный товар» — нитки, иголки, булавки, наперстки, тесьма и крючки — был выложен без затей на витрине (вот уж где он мог с легкостью указать на все перстом), де Бриак остановился перед вывеской скобяных товаров, на которой наивный художник намалевал по кругу букет из гвоздей, косу и серп, и решительно толкнул дверь...

Дверь не распахнулась до конца, уткнувшись в высокого мужчину в темно-синем фраке. Накрахмаленный белый воротник подпирал яйцеобразную голову, светлые глаза без ресниц были полуприкрыты тяжелыми веками. Взгляд незнакомца остановился на майоре; он коротко поклонился и продолжал диктовать лавочнику перечень требуемых товаров. Дабы не смущать покупателя, де Бриак отошел к дальней стене. Взгляд его блуждал по выставленным скобам, крюкам и ножам. Мысли же возвращались от сих острых предметов к погибшему ребенку и узорам, сделанным сталью на детской коже. От размышлений о девочке думы его естественным образом устремились к княжне Липецкой. С прямотой и жесткостью, редкой для представительницы слабого и о, сколь прекрасного пола, мадемуазель указала майору на бесполезность его участия в расследовании, которое он сам же и затеял.

Вздохнув, он не сразу понял, что польский говор за его спиной стих, и похожий на ящерицу неизвестный обращается к нему уже на французском:

— Обстоятельства таковы, что я возьму на себя смелость представиться.

Де Бриак обернулся: незнакомец нетерпеливо похлопывал стеком свою туго облитую светлыми панталонами ляжку.

— Барон Габих, — чуть приподнял он шелковый цилиндр. — К вашим услугам.

— Майор де Бриак. Барон, благодарю вас за любезность. Мне действительно не помешает ваша помощь.

И барон помог; даже отвел потерявшегося француза в аптеку, где тот смог, в дополнение к заказанным Пустилье ножам и иглам, не только приобрести эфирные масла и сушеную мяту с ромашкой, но и пополнить собственные запасы помады для волос.

Совершив тур по базарной площади с новым приятелем и расслабившись от непривычной за последнее время искренней симпатии к своей особе, де Бриак согласился отправить денщика с покупками в Приволье и навестить барона в его «скромной обители».

И еще через полчаса он покинул зловонное местечко, восседая в комфортабельном англицкой работы экипаже, слушая разглагольствования барона о гении императора и блестящих победах Великой Армии в деле освобождения исконно польских земель.

ГЛАВА ДВЕНАДЦАТАЯ

> Вообще предосудительные связи помещиков со своими крестьянками вовсе не редкость. В каждой губернии, в каждом почти уезде укажут вам примеры... Сущность всех этих дел одинакова: разврат, соединенный с большим или меньшим насилием. Подробности чрезвычайно разнообразны. Иной помещик заставляет удовлетворять свои скотские побуждения просто силой власти, и не видя предела, доходит до неистовства, насилуя малолетних детей... другой приезжает в деревню временно повеселиться с приятелями, и предварительно поит крестьянок и потом заставляет удовлетворять и собственные скотские страсти, и своих приятелей.
>
> *А. П. Заблоцкий-Десятовский,*
> *из отчета о положении крепостных крестьян*

«Скромная обитель» барона если и могла быть сочтена таковой, то лишь в сравнении с Версалем. Фонтаны, благодарение Богу, не били, но по обе стороны подъездной аллеи торжественно, как на параде, стояли выстриженные в форме высоких конусов кусты самшита. Вела же аллея к увенчанному аттиком барочному особняку. Сквозные полуколонны задавали вертикаль, в просторных, в два этажа, окнах вдоволь отражалось летнее небо.

Подъехав к крыльцу, где их уже встречала пара дворецких в напудренных париках, де Бриак усмехнулся — отсюда величественные арки окон позволяли увидеть на другой стороне дворца зеленый лабиринт со статуей Дианы по центру. Богиня охоты склонялась-таки над фонтаном: Версаль не Версаль, но амбиции нового знакомца проходили где-то неподалеку. С огорчением отметив, что его пыльный сапог рискует оставить следы на наборном палисандровом паркете, майор прошел вместе с бароном через анфиладу залов с мраморными каминами и внушительными гроздьями хрустальных люстр. Все здесь было сделано по последней моде: шелковые ткани драпировали стены и колонны. Тут и там стояли алебастровые вазы с иссеченными на них мифологическими сюжетами, курительницы и столики в виде треножников. Куда ни повернись, отовсюду торчали лиры и глядели разнообразные физии: медузины, львиные и даже бараньи. Де Бриак привык уже к ним в парижских гостиных. В Сен-Жерменском предместье майору казалось занятным, что его современники с такой легкостью перенимали житейский быт погибшей полторы тысячи лет назад Помпеи — самой модной археологической раскопки той эпохи. Одно было несколько смешно: вазы эти не сохраняли никаких жидкостей, треножники никогда не курились, а лампы в древнем вкусе никогда не зажигались.

Впрочем, эффект, на который рассчитывал хозяин дома, был достигнут: де Бриак вполне мог оценить размер состояния барона (спустя почти двести лет российские олигархи любовно восстановят имперский «ампирный» стиль — с той же целью). Проводив гостя в «небесную», с задрапированными голубым шелком стенами столовую, Габих тихим голосом приказал дворецкому поторопиться с обедом и с музыкой. И действительно, через пять минут, невидимые среди дернового лабиринта, заиграли скрипки и трубы крепостного оркестра, а в столовую один за другим торжественно вплывали лакеи в вышитых серебром ливреях, неся на вытянутых руках овальные блюда. По французской моде закуски, первые и вторые блюда подавали почти одновременно, и потому не избалованному в походах де Бриаку содержание тарелки скоро показалось волшебным сном. Голуби, на-

170

шпигованные раками, телятина со щавелем, рулет из индейки с огурцами, баранья нога в травах... Все это запивалось бессчетным количеством шампанского — вина кометы, как его еще называли, имея в виду не 12-й, а 11-й год, когда последняя только появилась на небосклоне, и отмеченный небывалым урожаем винограда.

Гостеприимный хозяин то и дело поднимал пенящийся бокал: то за Буонапарте, то за верного его соратника Понятовского, то за доблестную конную артиллерию. А сразу после — за милую Францию, в которой барон видел прекраснейшую из земель, вечно озаренную блеском солнца и ума. И наконец, за жителей сей страны — избранный народ, над всеми другими поставленный. Закончились сии возлияния традиционным в польских землях «Kochaymy sie»[1]. Тут уж сам Габих, следуя старинному обычаю, встал и расцеловал своего гостя. Свежеиспеченные приятели, избегая говорить о политике (а особливо о революции) и не будучи еще достаточно близки (или пьяны), чтобы беседовать о женщинах, сошлись на теме мод: Габих раздражен был перенесеными из Англии (что вообще понимают островитяне в прекрасном?) фраками.

— И ведь уж сколько лет, — чуть не плакал барон, — а скудные умы портных вертятся вокруг сих кургузых и непристойных одеяний! Неужто, — восклицал он, — за без малого двадцать лет нельзя заменить сие неблагообразное платье чем-нибудь более живописным?!

В ответ майор утешал барона прелестью женских мод. И верно: порхающие по паркету во дворцах близ Невы и Сены барышни в античных полупрозрачных туниках были очень милы. Де Бриаку, признавался он в том барону, бесконечно нравились короткие стрижки на девичьих головках, завитые а-ля Титус и освобождавшие беззащитную тонкую шею, и еще более — отсутствие корсета (заметим, что следующим

---

[1] «Будем друзьями!» (дословно: «Возлюбим друг друга!»). Традиционный польский тост.

любителям несдавленных форм и коротко стриженных кудрей пришлось ждать более века — до двадцатых годов двадцатого столетия). Габих соглашался, что обрисовывающие прелестные формы платья недурны и радуют мужской глаз: и верно, платья эпохи ампир были столь откровенны, что почитались непристойными как в момент своего зарождения, так и двадцать, тридцать и даже сто лет спустя. Тут наши герои выпили еще один бокал за погибшую жертвою собственного кокетства и простуды княгиню Тюфякину: бедняжка поплатилась жизнью из-за несогласия сурового климата и легкомысленной моды. Намочивши водою полупрозрачный шемиз, чтобы он еще подробнее облегал тонкий стан, вылетела, разгоряченная мазуркою, на заснеженное крыльцо дома генерала Салтыкова суровой московской зимой 1802 года и, простудившись, скончалась во цвете лет.

Так, в продолжение обеда Габих все менее казался де Бриаку похожим на ящера — нет, он явственно видел, какой это достойный и добрый малый, пусть и несколько тщеславный, — но кто, в конце концов, без греха?

После обильного обеда и кофия, поданного уже в гостиной, мужчины перешли в курительную — там барону пришла охота похвастать своим холодным оружием, в изобилии развешанном по стенам и заключенном в стеклянные витрины.

— Только взгляните, майор! — благоговейно брал Габих в руки изогнутую саблю с шарообразным навершием. — Бутуровка. Мои предки бились такими с двенадцатого века.

И барон сделал пару раз выпад, будто нападал на мраморную Психею в углу курительной. А майор восторженно выдохнул на витрину парами «Моэта».

Да, тут было чем полюбоваться: венецианские палаши пятнадцатого века, массивный меч немецких ландскнехтов, испанская шпага бретта с кружевным эфесом, швейцарские кинжалы базелярды... Стоп. Де Бриак перевел блестящие глаза на хозяина дома.

— Барон, а есть ли в вашей коллекции складные бритвы или кинжалы?

— Конечно! — обрадовался искреннему интересу гостя Габих. — Очень интересная концепция убийства, ежели задуматься... Есть оружие, которое мы носим на спине, — как тот же огромный двуручный меч. Есть то, что закрепляем в ножнах на поясе... Но есть и такое, что можно носить в кармане сюртука или даже панталон. Как шеффилдскую бритву, например, или вот это. — Габих с улыбкой достал из фрака и раскрыл перед де Бриаком стальной полумесяц с костяной рукояткой. Сверкнули рубиновые и аметистовые кабошоны.

— Это наваха, — не спросил, а подтвердил де Бриак.

— Оружие простолюдинов, которым запретили носить мечи и шпаги: испанский король также опасался революций. Плащ, намотанный на вторую руку, выполняет роль щита и отвлекает внимание противника, как на корриде. Вы, наверное, в курсе, что у ставших частью вашей Великой Армии испанских солдат высшей доблестью считается не зарезать противника, а нарисовать навахой у него на лице кровавый крест?

— Нарисовать, — повторил эхом де Бриак, уже не глядя на витрины, а только в бледные глаза хозяина дома.

— Да, — с явным сожалением сложил свою наваху Габих. — Жаль, что нынче, кроме Испании, их начали делать и в Золингене. Но из Золингена хороши одни бритвы. Да и, помилуйте, какие из вестфальцев рисовальщики?

И барон сделал знак лакею, стоявшему наготове с бутылкой. Золотая амброзия вновь полилась по хрустальным кубкам.

Де Бриак задумался на секунду (достаточно ли Габих пьян?) и поднял свой бокал:

— За прекрасных дам!

Габих склонил лысую голову и улыбнулся. А де Бриак поразился, как, оттопырившись, нижняя влажная губа приобрела столь неуместное на сухом бароновом лице сладострастное выражение.

— Мой дорогой друг, — пропел Габих. — Сейчас вы увидите, что я умею быть по-настоящему гостеприимным.

Поманив к себе лакея, барон что-то прошептал тому на ухо. Оставив недопитую бутылку на столике перед своим господином, лакей исчез. Несколько минут они молча допивали шампанское, и тут дверь распахнулась и в курительную лебедями вплыли штук двадцать девиц — все в белых батистовых рубашках в пол. Босые и с распущенными косами, они встали идеальным полукругом, потупив очи. Все девушки были прелестны — большеглазы, белокожи, каковы могут быть лишь полячки. И эти тяжелые блестящие волосы... И волшебные тела под полупрозрачной тканью...

Де Бриак в замешательстве отвернулся.

— Прошу любить и жаловать, майор. Но более любить. Это мой гарем, шер ами, мои одалиски. Или, как их еще называют русские помещики, «канарейки», — склонился к нему Габих с самодовольной улыбкой. Он явно наслаждался смущением гостя. — На сотню душ едва ли отыщется одна такая красотка. Отец мой, бывало, скрещивал у себя красивых крепостных в надежде на качественный приплод. Но я, де Бриак, считаю, что лучше всего здесь распоряжается природа. Что ж. En avant[1], майор! Любая на ваш вкус. — И барон, не отводя взгляда от своих рабынь, облизнул тонкие губы. — Разве вы, французы, не считаетесь весьма умелыми в делах любви?

Де Бриак молчал, уставившись в пол. Он мог бы сказать, что французы потому и имеют репутацию хороших любовников, что всегда предпочтут завоевать женщину, пусть и на одну ночь... Что любовь может быть свободной от обязательств, но она любит равных. И что батист не прикроет главного в этой сцене — варварства. Но он знал, что ему следует задать совсем другой вопрос, и стыд заранее жег его щеки.

---

[1] Вперед! (*фр.*)

— Они не слишком юны, — сказал он хриплым голосом. — Я слыхал, турки покупают в гарем девочек лет семи?

Габих понимающе усмехнулся, развел руками:

— Увы, я предпочитаю расцветшую красоту. Но если гость настаивает... Правда, даже если и удастся поймать парочку во дворе, то понадобится время, чтобы их отмыть.

Губы барона сложились в улыбке, но в глазах его майор прочел брезгливость и вздохнул с явным облегчением, уверив своего гостеприимного друга, что вопрос о турецких гаремах был скорее намеком на умение князя Кутузова договариваться с валиде-султан Михришах в Константинополе, отчего Турция и Франция надолго сделались врагами.

Габих великодушно сделал вид, что поверил объяснению, и — к слову о турках — они, отпустив девушек, перешли к висевшему на стене турецкому ковру, на коем были выставлены ятаганы и кинжалы из дамаска и булата. Габих, резко обнажив один из блестящих клинков, стал уверять де Бриака, что может повторить фокус Вильгельма Телля на одном из своих людей, но не стреляя из лука, а метнув кинжал. Де Бриак в ответ убеждал нетрезвого хозяина дома, что верит ему на слово, и дело так и кончилось бы ничем, если бы в эту минуту в курительную на свою беду не вошел пожилой лакей с десертной вазой с фруктами. Не выпуская кинжала из руки, Габих что-то быстро сказал слуге по-польски, и тот, выставив на стол блюдо, взял с него крупный персик и невозмутимо водрузил себе на голову. Де Бриак не успел ничего сказать, как в сантиметре от его щеки просвистел кинжал, разрубив персик на две ровнейшие половины и покрыв флегматичное лицо лакея липким соком. Это был блестящий бросок и совершенно неожиданный в таком человеке, как Габих. Покоренный его ловкостью, а главное — явным отсутствием склонности к маленьким девочкам, де Бриак решил отнестись со снисходительностью даже и к гарему. В конце концов, в каждой стране свои правила. И барон — просто избалованный своим несметным состоянием сластолюбец, но не убийца. Не убийца!

В честь сего майор согласился на распитие еще одной, уже явно лишней, бутылки. Пора уж было отправляться восвояси, в Приволье, где его, увы, никто так не потчевал и не говорил столь приятных слов. А напротив, только неприятные, помрачнел де Бриак, вспомнив вспыхнувшую, в ответ на его отповедь, под рыжими кудрями княжну — просто-таки ветхозаветная Юдифь! Еще чуть-чуть — и порубит его отцовской саблей!

— И зачем только вы остановились у Липецких? — почти шептал ему на ухо Габих-искуситель. — Когда лучшие польские семьи почли бы за честь принять у себя и вас, и ваш дивизион? Неужто думаете, у меня недостанет места, чтобы разместить и накормить и людей ваших, и лошадей?

— Вы очень любезны, барон, — сказал де Бриак, с трудом поднимаясь с низкого дивана. — Но я предпочитаю иметь под боком неприятеля, а не друга. Посмотрите, до чего меня довел всего один совместный обед. А изнеженной армии войны не выиграть.

— Ах, шер ами, — приобнял его за плечи барон, и оба, чуть покачиваясь, вышли из курительной, — ваше решение меня печалит, но влиять на него я не имею права. Позвольте, по крайней мере, предложить вам коляску, дать с собою дичи и игристого для офицерского стола.

— Лошадь, барон. Если вас не затруднит. Я бы хотел срезать путь и вернуться до сумерек.

* * *

Де Бриаку дали отличного вороного и настояли на сумке с уже ощипанными тетеревами и бутылками «Моэта». От предложенного бароном плаща де Бриак неблагоразумно отказался. Расцеловавшись с хозяином и изрядно замаравшись от него пудрою, клятвенно пообещав, что коли завтра не выступать в поход, он вер-

176

нется под сень Габихова «скромного жилища», майор тронулся в путь.

Уже на дороге все помертвело. Замолчали птицы, не слышно стало жужжания насекомых. Поднялся, взметая столбами пыль, предгрозовой ветер. Все еще надеясь добраться сухим до Приволья, де Бриак пустил жеребца крупной рысью. Поздно. Дневной жар внезапно сменился влажным холодом, за остриями тоскливо поскрипывавших на ветру еловых верхушек глухо прогремел гром. Вокруг потемнело. Первая капля упала на лоснящуюся шею жеребца, вторая — на выдающийся нос майора. Де Бриак вздохнул, жалея о любезно предложенном плаще: еще минута — и все зашумело от падающей сверху воды. Трава на лугу подрагивала от долбящих ее капель, доломан майора тотчас же вымок. В раздражении де Бриак решил переждать самую грозу под сомнительным, но все же укрытием и, пришпорив коня, полетел в сторону темной стены леса.

Все произошло мгновенно: небо от края до края раскроила молния, и в ту же секунду де Бриак увидел, что ровный ковер луга перерезан широким оврагом. От неожиданности вороной встал на дыбы, заржал, вздыбив голову и глотая дождевую воду, а де Бриак полетел вниз в самую грязь, пребольно ударившись бедром и коленом. Рядом, почти утонув в мутной жиже, оказалась и сумка, из которой булькая, толчками, как кровь из горла раненого, вытекало содержимое разбитых бутылок.

— Que diable![1] — выругался де Бриак, втайне желавший преподнести бутылки к столу Липецких и надеясь...

Впрочем, какие теперь надежды! Он вскочил и в ярости пнул сапогом стенку оврага — по рыхлым комьям стекали вниз ручейки. Кусок земли отвалился и упал к ногам де Бриака. А на его месте майор увидел палец. Палец с остатками плоти. Вода продолжала стекать, обнажая кость, светившуюся в грозовой полутьме, будто

---

[1] Вот черт! (*фр.*)

торопилась что-то показать замершему под дождем майору. И тот, очнувшись, стал разрывать руками красноватую землю, сбрасывая ее вниз и уже не обращая внимания на потоки дождя, струившиеся по бледному и грязному лицу.

* * *

После грозы небо посветлело, расчистилось. Оторвавшись от книги, Дуня выбежала в сад. Последние тяжелые капли перлами скатывались с омытых дождем листов, пар поднимался от напоенной влагой земли, и вечерние лучи, проходя сквозь него, наполняли все пространство рассеянным золотым светом. В чарующем сиянии вновь закружились, ровно жужжа, вкруг благоухающих розовых кустов шмели. Запели смолкшие во время грозы вечерние птахи. Авдотья раскинула руки, прикрыла веки: как хорошо!

Вдруг за ее спиной хлопнула створка окна. Оглянувшись, Дуня увидела Дебриакова денщика, выбежавшего из гостевого крыла с кучей грязного платья, средь которого она опознала синий с красным доломан майора. Денщик казался испуганным. А вскоре, укрывшись за гардиной малой гостиной, княжна с тревогой наблюдала, как рассаживается по лошадям и подводам отряд солдат, вооруженных вместо ружей и пушек заступами. «Весьма любопытно», — сощурилась Авдотья. Ее беспокойство могло бы развеять если не слово, то хотя бы выражение лица майора, но де Бриака она успела заметить лишь со спины: одетый в сюртук и плащ, тот самый, что был на нем в первый день знакомства, он, чуть прихрамывая, шел в направлении въездных ворот.

«Что же происходит? — ходила из конца в конец гостиной Дуня, то и дело выглядывая в окно. — Новые распоряжения Буонапарте? Скорое выступление?» Она с досадой сдвигала рыжие брови. Как же узнать? Возможно, стоит навестить опоенного маменькиным рассолом Пустилье? Да, это будет вполне допустимо с точки зрения приличий — надобно только приготовить подкуп. И Авдотья отправилась на поиски господской кухарки: не может быть, чтобы на кухне не нашлось трех фунтов говядины, да кореньев, да соленых груздей.

Через час в сопровождении Настасьи и Марфы она уже стучалась в дверь к доктору. Больной сидел за столом, заставленном склянками и холщовыми мешочками с травами, и записывал что-то в уже знакомую Дуне книжицу в кожаном переплете. При виде вооруженного фарфоровой супницей неожиданного триумвирата он отложил перо и встал, имея вид бледный, но уже далеко не умирающий.

— Вы позволите, доктор? — Дуня кивком приказала накрыть стол. — Хотелось бы поскорее поднять вас на ноги.

— Благодарю вас, княжна. — Пустилье с опаской покосился на дымящуюся жидкость в супнице. — Но ведь это не... рассоль? Боюсь, я более не в силах испить этого, кхм, божественного нектара.

— О нет. — Дуня улыбнулась, самолично налив в тарелку супа. — Сие есть укрепляющий бульон. Называется солянка.

— Сольянка... — Пустилье с нерешительной улыбкой переводил взгляд с тарелки на Авдотью, а та вдруг замерла: ей внезапно пришло в голову, что Пустилье может и ее заподозрить в низком интересе к семейным тайнам де Бриака. Порозовев, она сделала шаг назад: — Не буду вас более утомлять, доктор. Надеюсь на скорое и окончательное выздоровление.

— Спасибо, княжна. Видите, теперь вы мой эскулап. — И Пустилье, подойдя к ней, уже склонился над Дуниной рукой, когда она вдруг решилась (пусть лучше упрекает ее в нескромности, чем в копании в чужом грязном белье):

— Я видела солдат в повозках. С заступами «к бою». — И она попыталась улыбнуться собственной неудачной шутке. — Доктор, что случилось?

Пустилье поднял от ее руки лунообразное лицо.

— Дитя мое, я не вправе пока вам рассказывать. Возможно, майор, когда вернется... Но на вашем месте я не стал бы настаивать. Multa sapientia multa sit indignatio. — И он тяжко вздохнул.

«Многие знания — многие печали». Возможно, Соломон был прав, но что знает даже самый мудрый мужчина о женском любопытстве?

Солдаты де Бриака вернулись уже в ночи. Липецкие как раз лакомились бланманже и с тревогой выглянули в окно: французы распрягали лошадей, в свете факелов видны были прикрытые рогожей дрожки. Через несколько минут пришел лакей от майора; последний, сославшись на свое грязное платье, попросил его сиятельство выйти к нему на крыльцо для беседы. Плащ у него, поведал князь, вернувшись к столу, и правда весь в грязи, а уж сапоги...

— Чего же он хотел? — не выдержала Дуня обстоятельного рассказа о состоянии французова туалета.

— Воспользоваться ледником. Не нашим, bien évidemment[1], а дворни.

— Но зачем?!

— Эдокси. — Мать покачала головой. — Какими бы причинами ни объяснялась просьба майора, твой отец вряд ли может ему отказать.

— Де Бриак — человек чести, — кивнул князь. — Не думаю, что он пытается спрятать награбленное добро, ма шер. А о прочем нам знать и не надобно.

Да-да, Авдотья помнила — многие знания... И, не доев любимого своего лакомства, попросила разрешения выйти из-за стола. Переглянувшись, родители отпустили дочь с явной неохотою, и Авдотья бросилась в комнату, а оттуда, через французское окно, — в сад.

Воздух похолодал, на небе низко и грозно блистала комета. Дуня стояла близ пруда и ждала. Размолвка ее с де Бриаком, его тайна, а теперь еще и загадочная экспедиция томили сердце. Она уж не знала, где душа ее: сердита ли она на майора и жалеет себя? Или сердита на себя, а жалеет майора? Нет, решила Авдотья

---

[1] Конечно же (*фр.*).

в попытке разобраться хотя бы с одним чувством, не сердита. Ей необходимо было найти способ переговорить с ним и дать понять, не оскорбляя притом его гордости, что она сохранит его секрет и что секрет сей никак не унизил майора в ее глазах... Того более: чем больше думала Авдотья о той истории, тем ближе казался ей де Бриак. Все, что он говорил ей — и хорошего, и дурного, — виделось нынче Дуне совсем под иным углом.

Кутаясь в свою турецкую шаль, она ждала и страшилась его прихода. В конце концов, свет из высоких окон Дебриаковой комнаты падал прямо на дорожку близ пруда, где стояла ее одинокая тень; момент для объяснения был самый что ни на есть подходящий... Но француз все не шел, и смятение Дуни перешло в раздражение: пусть он отказывается с ней встретиться, никто не может помешать ей, дочери законного владельца Приволья, зайти на ледник и взглянуть, что же такого ценного он привез на своих подводах! И, независимо поведя плечами под царьградской шалью, Дуня решительно направилась к своей комнате — кликнуть Настасью с подсвечником.

Они уж огибали дом, когда Авдотья увидела кативший по подъездной аллее экипаж и тотчас его узнала: это была наимоднейшая аглицкая коляска на рессорах, собственность богача Габиха. И тут же отметила еще большую странность: с обеих сторон коляску сопровождали вооруженные французские солдаты.

— Задуй свечу! — зашипела Дуня Настасье. — И ступай в дом.

А сама, будто играла с Николенькой в салки, тенью метнулась за густой, окаймлявший двор кустарник. И вовремя: парадная дверь распахнулась и на высокое крыльцо вышел... де Бриак.

— Не думал, что вы столь скоро по мне соскучитесь, мон шер, — услышала Авдотья голос барона. Небрежно опершись на руку лакея, Габих сошел с коляски, с усмешкой оглядел темную усадьбу. — Но ежели вы решили отдать мне долг гостеприимства, то отмечу взятый странный тон и не слишком подходящий для визитов час...

— Боюсь, что мои солдаты неправильно объяснили вам ваше положение. — Де Бриак спустился с лестницы, и Дуня с удивлением отметила его наряд: золотые эполеты, бикорн, сабля... Не на военный ли парад он собрался? — Вы арестованы, барон. Именем императора.

Габих поморщился:

— Хотите сломать у меня над головой шпагу? Хотя нет, я ведь человек штатский. А то отправьте меня в Бастилию или что там сейчас на ее месте?

— Судя по тому, что вы не задаете главного вопроса, вы знаете, почему арестованы?

— О да, — лениво процедил барон. — Вы нашли моих людей, донесли мне другие мои люди. И даже не поленились их выкопать. Однако не совсем понимаю, какую цель этим преследовали.

— Аутопсия, барон. Мой полковой врач сделал аутопсию всем двенадцати телам. Тем, кто якобы умер от оспы.

— М-м-м... Двенадцать. Значит, их было двенадцать. Хорошее число, правда, чуть недотягивает до чертовой дюжины.

Они стояли напротив друг друга: узкое лицо де Бриака в лунном свете казалось серым. Барон продолжал растягивать рот в улыбке, глаза его были почти блаженно прикрыты. Повернувшись к экипажу, он что-то сказал по-польски своему лакею, полезшему внутрь кареты. Солдат рядом мгновенно вскинул ружье.

— Матка боска, отзовите своих псов, майор, он просто раскурит мне трубку. Так что же показала ваша... аутопсия? Не то чтобы я точно знал значение этого слова.

— Все несчастные умерли за последний год, возможно, два. Все они погибли от раны в голову. — Де Бриак снял двууголку и показал на свой лоб. — Мы нашли раны тут. А иногда и тут. — Палец скользнул к глазу. И добавил нечто и вовсе Дуне не понятное: — Вы солгали мне, Габих. Вам далеко до Вильгельма Телля.

182

Габих затянулся и, выдохнув кольца дыма в ночное небо, вновь улыбнулся:

— Откуда ж вы знаете, майор, куда я целился?

Дуне почудилось, что серое лицо де Бриака стало еще бледнее:

— Хотите сказать, что не по преступной случайности, а абсолютно сознательно умертвили ваших людей?

— Смердов, майор. Моих смердов. Что рождаются и умирают, чтобы служить нам. Как вам служит ваш конь. Или свора гончих. Возможно, вы покамест недостаточно продвинулись в глубь сей империи и еще не поняли ее сути? Эта страна стоит на рабстве. Мы — наследники великих родов и в своей вотчине делаем с нашими холопами что хотим. Кто сечет батогами, кто бьет туфлей, кто, — развел руками Габих, — играет в Телля. Все зависит от глубины провинциальной скуки, в которую мы погружены, как летние мухи в мед. И еще — от наличия фантазии.

Де Бриак молчал, опустив голову, и Дуне было не разглядеть его лица, а Габих расслабленно продолжал:

— Бросьте, милый мой. Здесь такие правила; думаете, князь Липецкий иного мнения о своих крепостных и более видит в них людей? Нет. Мы тут все одинаковы. Так будьте римлянином — завоевывайте земли, но не ломайте сложившийся веками ход вещей. А мы в ответ на вашу снисходительность станем продолжать снабжать Великую Армию лошадьми и фуражом. Князь Юзеф[1] — наш кузен. Так что оставьте себе воинские подвиги, а нам — наши... шалости.

— Ваши шалости противоречат французскому праву, барон, — поднял голову де Бриак. Темные глаза его, казалось, лишились своего живого блеска. — А эта земля находится под юрисдикцией Франции. Я мог бы расстрелять вас по законам военного времени, бросив труп с прочими, найденными в ваших же оврагах. Но сделаю

---

[1] Имеется в виду будущий маршал Понятовский.

иначе: отправлю вас под конвоем в Вильну — и пусть новый губернатор решает, что с вами делать.

— Премного благодарен. — Ноздри барона колыхнулись, выпуская дым. — Значит, вы почитаете со своей стороны любезностью отправить меня на виду у всей губернии под стражей, как каторжника?

Но де Бриак будто не слышал: сделав знак солдатам, окружившим Габиха плотным кольцом, он уже отвернулся, давая какие-то указания младшему офицеру: последний, по-видимому, должен был сопровождать коляску в Вильну.

— Майор, — донесся из круга ледяной голос барона. — Мы не обсудили с вами третий вариант.

ГЛАВА ТРИНАДЦАТАЯ

Бог волен в жизни; но дело чести, на которое теперь отправляюсь, по всей вероятности, обещает мне смерть... Стреляюсь на три шага, как за дело семейственное; ибо, зная братьев моих, хочу кончить собою на нем, на этом оскорбителе моего семейства, который для пустых толков еще пустейших людей преступил все законы чести, общества и человечества. Пусть паду я, но пусть падет и он, в пример жалким гордецам и чтобы золото и знатный род не надсмехались над невинностью и благородством души.

Константин Чернов, 1825

Уже светало, когда Авдотья перешла через ротонду на гостевую сторону и со всею решительностью постучала в дверь к Пустилье.

— Княжна? — Доктор открыл ей в турецком халате и бумажном колпаке. — На вас лица нет. Что-нибудь случилось?

— Вы прекрасно знаете, доктор, что случилось..

Дуня и сама понимала, что бледна как смерть, — всю ночь она не сомкнула глаз, дожидаясь, когда можно будет кликнуть Настасью. Стараясь не смотреть на разобранную постель, она прошла в глубину комнаты и села у окна, сложив подрагивающие пальцы на коленях.

— Скажите, он ведь вас назначил секундантом?

На секунду замешкавшись, Пустилье виновато улыбнулся и развел руками:

— Врач в качестве секунданта — двойная работа.

— Вы должны отговорить его! — развернулась к нему Авдотья. — Это ваша обязанность!

Пустилье тяжело опустился на стул рядом.

— Поверьте, мадемуазель, я знаю дуэльный кодекс. Но знаю также и Бриака. Его честь гипертрофирована, как печень у пьяницы. Здесь же, того более, случай особый. Он хочет дать свершиться правосудию, но боится, что всесильный Понятовский заступится за своего родственника, стоит тому оказаться в виленской тюрьме.

— Он не знает барона, — покачала головой Дуня. — У Габиха очень меткая рука...

— В холодном оружии — возможно. Но он выбрал пистолеты, княжна.

Дуня посмотрела на него с жалостью:

— Нет, доктор. Он известен своей меткостью именно как стрелок. Вы заметили его трость?

— С нефритовой мертвой головой? — подмигнул доктор. — Не поверите, княжна, знавал я одного коллегу, так сей последний использовал трость как медицинский саквояж: туда входили пара скальпелей, несколько склянок с лекарствами и...

— Кроме набалдашника — ничего экзотического, — весьма нелюбезно перебила его, не желая отвлекаться от главного, Авдотья. — Правда, Габих всем рассказывает, что трость принадлежала еще его деду и весит около пуда. Барон во всякое время носит ее с собой, даже на балы — тренировать руку, дабы не дрогнула.

Пустилье улыбнулся профессиональной «успокаивающей» улыбкой.

— Что ж, весьма предусмотрительно. Но поверьте, милая княжна, рука Бриака тоже тверда.

«Он не понимает, — с отчаянием подумала она. — Не понимает!» Авдотья, сжав в кулаках концы накинутой на плечи шали, вскочила со стула и, не отрывая взгляда от круглого добродушного лица, начала говорить ровным тихим голосом.

— Моему отцу случалось охотиться с бароном. Он всегда попадает животному прямо в глаз.

— Дабы не попортить шкуру. Так делают все. Кроме того, когда собаки загоняют крупного зверя, охотник подходит достаточно близко...

— Я не говорю про крупного зверя, доктор. Я говорю про гон зайца по первой пороше. Конный или пеший, он всегда попадает ему в глаз. — Не выдержав нужного тона, она перешла почему-то на шепот: — Я видела сама однажды, он выстрелил, почти не целясь. Пуля прошла сквозь один глаз и вышла через другой.

Пустилье молчал.

— Вы были в курсе того, что он творит в своей вотчине?

Дуня помотала головой:

— Нас, соседей, он занимал единственно крепостным театром и балами. Но я всегда чувствовала, что Габих способен на страшные дела. — Она поежилась. — Он как змей. Как ядовитая рептилия. — Она умоляюще посмотрела на француза. — Прошу вас, доктор. Позвольте отвезти его в лес. Я знаю, где скрываются партизаны Потасова, — среди них есть и сбежавшие от барона холопы. Они расскажут... Поручик сможет судить его по справедливости, и никто больше не пострадает.

— Простите, княжна. — Пустилье смотрел на нее с искренним сочувствием. — Майор никогда на это не пойдет. Это самосуд. А его удовлетворит суд в Вильне или суд дворянской чести. — Доктор накрыл ее дрожащие пальцы теплой ладонью. — Мы могли бы настоять на судебном разбирательстве, но, боюсь, сие уже не в нашей воле. Место и время назначены. Через... — он взглянул на каминые часы с плачущей нимфой, — час, на речной отмели. Я ничего не могу поделать.

Да, Бог волен в жизни, но человек волен в смерти.

Дуня знала, что дуэль — предрассудок. Но честь, вынуждающая к ней обращаться, предрассудком не была. Столетие с лишним спустя Пастернак писал, как много вносит честь в общедраматический замысел существования. Для мещанина Пастернака честь была выбором, камертоном одаренности. Для дворянина начала девятнадцатого века честь была фундаментом, нормой, данностью. Нематериальная принадлежность к дворянскому клубу, где государь был лишь первым дворянином страны, не более и не менее. Честь оставалась единственным, что отличало дворянина от человека «низкого сословия» и всегда оставалось при нем, даже когда тот лишался титула и состояния. Когда Екатерина давала вольность российскому дворянству, она гарантировала неприкосновенность чести, жизни и имения. Отметим и тут порядок слов. Честь стоит первой перед жизнью. Идя на верную смерть, бастард де Бриак выбирал смерть дворянина.

Дуня высвободила свою ледяную руку из теплых ладоней доктора:

— Передайте майору: он должен стрелять сразу, мгновенно, не дожидаясь подхода к барьеру. Это его единственный шанс.

* * *

Никто был не в силах помочь. И папа́ не мог вмешаться. Дуня уж было решилась послать гонца к Потасову: пусть прискачет со своими молодцами и разгонит всех с глаз долой! Но потом представила себе эту картину, как в ответ на внезапный партизанский налет вступают французские пушки, кося людей и лошадей, и отказалась от безумной идеи. Ведь даже если допустить, что кто-нибудь из потасовских ребятушек выстрелит Габиху в спину, спасая тем самым де Бриака, сам гасконец никогда ей этого не простит. Княжна с досадой пожала плечами: и пускай, зато останется жить... «Чтобы, возможно, убить множество русских воинов на поле брани», — прошелестел в Дуниной голове остаток патриотического чувства. Прошелестел и умолк. Что бы ни принесла им будущность, сейчас, сегодня она чувствовала себя больной от одной возможности никогда более не увидеть его живого неправильного лица. Ныло, не отпуская, в груди. «Да что же это!» — Дуня старалась дышать ровно. Не Анетт же она Щербицкая, посылающая за нюхательной солью по поводу и без! Она дочь полковника инфантерии, ее батюшка Измаил брал — и небезуспешно! А она сможет, по крайней мере, выпить принесенного Настасьей утреннего чаю и даже заесть беду свежим калачом с маслом. Вот так.

Отказавшись смотреть на часы (дурные и добрые вести равно найдут ее — и скоро!), Авдотья отослала горничную и села перед окном с пяльцами в руках. Она не путалась шелками, но игла то и дело замирала в чуть подрагивающих пальцах, а глаза устремлялись к едва видным из окна белым балясинам беседки на речном обрыве. Княжна наконец начинала понимать собственное сердце — и от внезапного открытия вкупе с грозившей французу смертельной опасностью смыкалось горло. Щеки ее пылали, в голове метались сумбурные мысли о возможном еще спасении. Над рекой тем временем разливалась заря — картина, обыкновенно завораживающая княжну своей прелестью... Едва взглянув в ту сторону, Дуня вскочила, соскользнули на пол пяльцы. Княжна упала на колени и ее вывернуло прямо в расписное фаянсовое ночное судно. Несколько секунд, тяжело дыша, она опиралась дрожащими руками о спинку кровати. А затем, выпрямившись, подошла к кувшину, где на донце плескалась оставшаяся после утреннего умывания вода, бросила пригоршню в лицо и прополоскала рот. Обернулась на часы с насмешливым Амуром. Пора!

* * *

Так уж устроен человеческий глаз, что стоит его обладателю оказаться на некой возвышенности, тот сразу, устремляясь к горизонту, ищет себе туманны дали для умиротворения сердца и сладостного созерцания. Беседка в саду у Липецких служила именно такой цели. Но сегодня Дуня смотрела не вдаль, а прямо на отмель под обрывом. Туда, где почти неделю назад де Бриак обнаружил маленькую утопленницу.

Подобно полководцу, обозревающему из боевого шатра поле брани, глядела княжна на фигурки внизу: круглую — Пустилье и тощую — секунданта Габиха (очевидно, офицера дебриаковского дивизиона). Расстояния были уже отмерены, барьер обозначен плащами. Чуть левее она приметила дуэлянтов: Габих рассеянно рисовал тростью на песке. Де Бриак стоял к нему спиной и смотрел на воду. Секундант барона что-то спросил, оба повернули к нему головы и оба как по команде отрицательно ими качнули. Значит, примирению не быть. Пустилье откинул крышку ящика с оружием. Очевидно, право выбора выпало Габиху: он осмотрел оба пистолета, пожал плечами, взял один. Второй, не глядя, забрал де Бриак. Габих что-то заметил высоким голосом — его секундант рассмеялся. Барон шутил во время дуэли, это считалось хорошим тоном. Де Бриак не откликнулся на шутку, молча ждал, пока секунданты зарядят пистолеты, и, получив свой одновременно с бароном, быстро пошел на позицию. Дуня, сглотнув, вцепилась в резную балясину беседки. Габих, не торопясь, передал офицеру свой сюртук, оставшись в одном жилете и белоснежной батистовой сорочке, воткнул в песок трость и так же неспешно отправился на свое место. Она услышала «Marchez!»[1] Пустилье. Княжна, не отрывая глаз, смотрела вниз — она перестала дышать, в голове ее шумело. Шаг, еще один... Неужели глупец доктор не передал де Бриаку ее слов?! Чего он ждет, барьера?! И вдруг увидела, как поднялась и дернулась рука майора; грохот выстрела, отрикошетив от обрыва, ударил ее по ушам. Дуня расширенными глазами смотрела на Габиха: тот продолжал стоять и целиться: а значит, де Бриак промахнулся, все пропало — сейчас тот выстрелит в ответ, прямо в блестящий карий глаз.

---

[1] Здесь: Сходитесь! (*фр.*)

190

— Этьен! — закричала она, даже не сразу поняв, кого позвала.

И почувствовала, как летит, кружась, в черную дыру, с сухим шелестом муслина оседая на влажный от утренней росы пол беседки.

* * *

Дуня глубоко вздохнула и распахнула глаза — она лежала на чьем-то заботливо свернутом плаще, видела склонившиеся над ней лица. Еще чуть-чуть, и едкая нюхательная соль вернула им четкость: одному — лунообразному, Пустилье. И другому — узкому, смуглому.

— Жива! — счастливо улыбнулся он. — Пустилье, она очнулась!

— Говорил же вам, Бриак, это был просто обморок. — Пустилье спрятал флакон с солью. — Ну и напугали вы нас, княжна.

— Quid pro quo[1], — насупленно заметила Авдотья, попытавшись сесть. Голова сразу закружилась — ей пришлось опереться о спинку скамьи. — Первыми пугать стали вы, господа.

— Все кончилось, Эдокси, — просто сказал де Бриак, взяв ее за руку. — Он погиб на месте. Я оказался лучшим Теллем — попал ему точно в лоб.

— Перестаньте бахвалиться, Бриак, — ворчливо заметил Пустилье. — Если бы не княжна, лежать вам, как тем бедолагам, в здешней глине.

— Вы дважды спасли меня. — Де Бриак продолжал крепко держать Дуню за руку. — Первый раз, когда дали ваш бесценный совет. И второй, когда крикнули мне с высоты.

— Этот дьявол выстрелил в майора, княжна, — хмыкнул доктор. — С пулей Бриака во лбу, он все еще был способен спустить курок! И если бы де Бриак не обернулся на ваш голос...

_____
[1] Услуга за услугу (*лат.*).

— То ваш покорный слуга, по поэтическому выражению Пустилье, лежал бы нынче в здешней глине. — Он смотрел на нее с такой теплой и чистой радостью, что Дуня вдруг почувствовала, что сейчас рассмеется иль расплачется, а то и то и другое разом, забившись в истерическом припадке. — Итак, вы спасли мне жизнь, княжна. Я имею удовольствие быть у вас в неоплатнейшем долгу. Быть должником любого другого было бы невыносимо. Но вы...

Голос его прервался. Дуня почувствовала, как дрожат пальцы, так и не отпустившие ее руки, и заметила, как отвернулся в смущении Пустилье.

— Это я должна вас благодарить, майор, — поторопилась высвободить ладонь Авдотья. Улыбка на лице де Бриака вдруг изменилась — будто кто-то задул за темными глазами огонь. — Вы избавили нас от монстра.

— Что ж, — встрепенулся Пустилье. — Пойду отдам распоряжения о похоронах. Как полагаете, тех бедолаг отпоют в здешней церкви?

— Нет, — покачала головой Дуня, с трудом оторвавшись от некрасивого лица, которое еще утром не чаяла вновь увидеть. И, взяв деловой тон, пояснила: — Крестьяне Габиха — поляки. Католики. Насколько я знаю, при поместье имеется часовня с семейным склепом, небольшой костел и кладбище для крестьян.

— Отлично. — И Пустилье, коротко поклонившись обоим, вышел.

— Я рад. — Де Бриак кашлянул, в смущении от их уединения. — Мы все-таки смогли остановить убийцу. Давеча еще строил я Габиху ловушку — и тот ее удачно избежал, старый лис! А я, слепец, поверил, что баронова вина лишь в том, что он с усердием следовал семейным традициям, предаваясь охоте, пьянству и распутству. И если бы не гроза, не тот овраг и не испуганная той грозою лошадь! А ведь все сходилось! Жестокость. Сластолюбие. Страсть к холодному оружию... А вы заметили, как перед дуэлью он что-то рисовал тростью на песке?

Дуня кивнула.

— Но зачем ему волосы девочек? И Гавриловы лошадки?

— Этого мы никогда не узнаем. Но вряд ли я буду плохо спать, ломая голову над сей загадкой. — Он помрачнел. — Довольно и того, что нам уже известно про барона.

— Я рада, что вы убили его, — произнесла тихо Авдотья. — Это, наверное, не по-христиански? — И она подняла на него сухие глаза.

Он пожал плечами:

— Иногда, княжна, мне кажется, что я лишь малую часть своей жизни бываю христианином. А большую, увы, язычником. Не переживайте за свою бессмертную душу. Я уверен, что вы лучше меня. Женщины вообще в большинстве случаев лучше мужчин. — Он поклонился, мельком улыбнувшись. — Что ж, вам пора завтракать в кругу семьи. А мне — продолжать отдавать бессмысленные на постое приказы.

— Доброго дня, майор, — сказала Дуня.

Де Бриак же, сбежав со ступенек беседки, вдруг обернулся, застав ее провожающий взгляд. Дуня попыталась было отвести глаза и тут услышала:

— Я рад, что вы знаете мое имя. Называйте меня им иногда. И не только в минуту смертельной опасности.

И, приподняв в приветственном жесте бикорн, он легким, почти танцующим шагом пошел по дорожке к дому.

— Этьен, — прошептала она, будто ласкала удаляющуюся фигуру. — Этьен.

ЗА ОДИННАДЦАТЬ ЛЕТ ДО ОПИСЫВАЕМЫХ СОБЫТИЙ.
1801 г.

Ваше сиятельство!

Обращаюсь к Вам более как к родственнику пациента N., чем как к опекуну оного и щедрому попечителю нашей больницы. Как Вы знаете, уже без малого семь лет N. пребывает в стенах нашего заведения. К несчастию, я, как врач, не вижу никаких изменений в том, что склонен обозначить как моральное помешательство. Да ведь только что наша больница может предложить для излечения? Прочный дом с темными клетями и цепями да усердных надзирателей из числа отставных солдат?

Отворять кровь неистовым, прикладывая им пиявиц к вискам, да поить слабительной водою с уксусом смирных. Вот и все лечение!

А между тем впервые за многие столетия у нас появилась надежда на выздоровления несчастных сих! Прежде всего доктор Пинель, заведующий парижской больницей Бисетр, совершил акт гуманности, выхлопотав у Конвента разрешение снять цепи с душевнобольных и предложив им моральную поддержку как необходимую часть лечения. Прусские же коллеги пошли еще далее, изобретя действенные механизмы, как то: вращательная машина и весьма остроумное водолечение. Полагают, и не без оснований, что сии новшества, потрясая все тело больного, ведут к не менее сильному потрясению души, очищая ее для новых, здоровых мыслей. К несчастию, не стоит покамест ждать схожих учереждений в наших столицах.

И так, по зрелому размышлению, я склонен просить Вас перевести по возможности N. в одну из европейских клиник, расположенную в красивой деревне, с садом, огородом и другими местами для труда. В подобных местах излечимые больные (к коим я отношу и N.) отделены от больных безнадежных. И я не оставляю веры в современные методы медицины, кои могут стать для него весьма плодотворны, навсегда избавив от пагубного недуга.

Остаюсь преданный Вам покорный слуга,
Доктор Кибальчич

ГЛАВА ЧЕТЫРНАДЦАТАЯ

Не одного только внешнего неприятеля опасаться должно; может быть, теперь он для России самый безопаснейший. Нашествие неприятеля произвело сильное крестьянское сословие, познавшее силу свою и получившее такое ожесточение в характере, что может сделаться опасным.

Генерал Роберт Томас Вильсон, британский представитель при русской ставке, 1812 г.

Я боюсь прокламаций, боюсь, чтобы не дал Наполеон вольности народу, боюсь в нашем крае беспокойства.

Николай Раевский, 1812 г.

Весь день они не виделись, но Авдотье было довольно того, что он где-то рядом. Взгляд ее то и дело останавливался на синих мундирах — но уже без привычного раздражения. Суета расквартированного полка, ржание лошадей, запах ружейной смазки, казалось, превратились в гармоничную часть летнего пейзажа. Бессонная ночь и треволнения утра были забыты, и Авдотья радостно согласилась на прогулку в поля на отцовской двуколке. Вскоре оба пересели из экипажа в роспуск деревенского старосты и долго ехали межами, пока не услышали странный звук вроде шарканья и человеческую речь. Лицо князя, последнее время не менявшее озабоченного выражения, посветлело.

— Гляди, — показал он рукой вперед, где сквозь несжатую рожь мелькали блестящие серпы, показались плечи и спины.

Увидев подъезжавшего барина со старостой, крестьяне замолчали, но еще громче, входя в ритм, близкий музыкальному, задрожал в летнем зное сухой хруст: вжих, вжих — ритм серпа, режущего жесткую солому. Вся десятина будто гудела от того хруста, за которым не слышно было ни жужжания насекомых, ни переклика птиц. Его сиятельство вздохнул, и Авдотья правильно поняла этот вздох: идет война и будущее неопределенно. Однако год идет, и как солнце проходит свой круг, так наступает горячее время страды.

Тем временем староста остановил роспуск, и Сергей Алексеевич крикнул расстроганно:

— Бог в помощь!

Хруст замер — крестьяне бросили работу и низко поклонились.

— Здравствуй, батюшка Сергей Алексеевич, — раздалось несколько голосов постарше. — И вам здравствовать, Авдотья Сергеевна!

Дуня тоже здоровалась, чувствуя себя одновременно и ослабевшей от внезапно одолевшей ее сентиментальности, и сильной, потому как, пусть никто из жнецов о том и не догадывался, у нее получилось огородить своих людей от убийцы. И теперь княжна, как никогда, ощущала себя доброй хозяйкой и верной защитницей малых сих. Она растроганно оглядела жнецов и жниц — загорелые лица, взмокшие от пота рубахи. Некоторые тяжело дышали, у иных были обвязаны грязными тряпицами пальцы на руках и босых ногах, но все были бодры. Что за глупость говорил вчера под крыльцом ее дома отвратительный Габих? Что они не держат крестьян за людей?

Тем временем князь поинтересовался у старосты, сколько людей на десятине? Не тяжко ли им? Рожь сильна...

— Тяжеленько, — отвечал староста. — Да как же быть, прихватим вечера...

— Так жните, с Богом, — завершил беседу отец, и вновь засверкали по всему полю серпы, горсти ржи замелькали над головами работников.

А княжна вдруг нахмурилась, услышав плач младенца. Обернувшись, она увидела люльку, привязанную к воткнутым в землю палкам. А потом и мать, что не торопясь обтерла краем плата лоб, воткнула в связанный ею сноп серп, подошла и взяла на руки свое дитя. И тут же, присев у стоящего пятка снопов, стала кормить его грудью. Авдотья заметила, что князя тоже привлекла сия мирная картина — проезжая мимо, он проводил жницу с младенцем умиленным взглядом. Но настроение у Дуни отчего-то испортилось: глаз ее тут и там примечал меж жнивья люльки, где на солнцепеке спали крестьянские дети. Она и сама, несмотря на широкополую шляпку и зонтик от солнца, разомлела от жары.

— Вот она, страда-то настоящая, батюшка Сергей Алексеевич, — качал головой староста.

Авдотья, подпрыгивая на ухабах на старостином роспуске, уже мечтала о мягких рессорах своего экипажа и не прислушивалась к беседе.

— Ржи поспели рано, яровые, почитай, поспевают, уж и овсы стали мешаться.

А Дуня, отвернувшись и щурясь на горизонт, вспоминала тепло и крепость французовых пальцев, когда тот сжал ее руку. Смущение и удовольствие окрасили ее щеки. Когда, тщетно силилась она вспомнить, начала она скучать, его не видя? Авдотья ловила себя на том, что нынче вовсе не испытывает голода, но беспрестанно чувствует смутную тяжесть, давление в груди, мешавшие ей вольно, как прежде, дышать. Того более — княжна вдруг стала безмерно суеверна: низкий промельк ласточки над роспуском, облако в форме мертвой головы — все, все теперь имело подспудный смысл, связанный с нею и — с ним. Ей хотелось то плакать сладкими слезами, то смеяться без всякого на то повода.

— Я влюблена? — шептала она едва слышно, глядя в широко распахнутое над полями небо. — Значит, влюблена?

Ужели слово найдено? (К слову — о слове: само понятие «влюбленность» появилось в русском языке совсем недавно — с легкой руки того же Карамзина.) В силу малого опыта княжне не дано было знать, что довольно бывает признаться в чувстве даже не объекту этих чувств, а одной себе, как ручеек симпатии, что держался в берегах неопределенности, рискует обратиться в мощный поток. То обстоятельство, что де Бриак не смел выходить из пределов почтения и строгой пристойности, рождал в Дуниной душе опасную для юной барышни смесь доверия и легкой досады. Того более — она ревновала. Казалось бы, майор не давал ей ни единого повода, но что она знала о его прошлом, кроме жизни в Париже — городе греха? Возможно, у него имелась любовница — подпитанное романами воображение рисовало ей Этьена, проскальзывающего в особняк любовницы в Сен-Жерменском предместье или гарцующего рядом с голубоглазой и златоволосой красавицей (обязательно — голубоглазой и златоволосой!) в сторону Булонского леса по Елисейским Полям, которые о ту пору и правда были не более чем дорогой через поля. Истина же находилась где-то посередине: жизнь де Бриака в походе давала мало возможностей для тайных встреч с великосветскими красавицами, но и не была лучшей школой нравственности. Молодому офицеру приходилось удовлетворять свои потребности в обмен на несколько су с маркитантками и крестьянками окрестных деревень. И потому ревновать Авдотье было, право, не к кому — но когда же объективная реальность спасала нас от необъективности чувств?

— Гляди, вчера нам Бог дал какого дождика, барин, — тем временем кивал староста. — Ажно ржи пробил.

А Авдотья, спасаясь от ревности, прикрывала веки, вызывая пред мысленным взором раз за разом его пылающее лицо. «Я рад, что вы знаете мое имя».

— Так с одними бабами много ли нажнешь? — озабоченно покашливал рядом князь. — Ржи-то осталось половина несжатой.

— Может, позволите, батюшка, сделать лишний сгон?

На сгоны выходили все члены семьи от мала до велика — от детей до стариков. Дома, чтобы уберечь от пожара, оставляли только одного, самого дряхлого. Перебив сладкие грезы, зазвучал в голове надменный голос Габиха: «Смердов, мой дорогой майор. Моих смердов. Что рождаются и умирают, чтобы служить нам».

— Нет, — вдруг вмешалась Авдотья. — Прошу тебя, папа́.

Князь поднял бровь.

— И что это тебе взбрело в голову, душа моя, мешаться в мои хозяйственные распоряжения? — добродушно спросил он ее по-французски. — Не забивай свою хорошенькую головку. Возвращайся-ка в усадьбу, почитай в теньке. — Он потрепал ее по щеке и, спрыгнув с роспуска, протянул дочери руку.

— Идет война, отец, — покачала головой Дуня. — Мы ведь даже не знаем, кому и когда сможем продать это зерно. В окрестных имениях крестьяне убегают в леса, сжигают поместья нелюбимых хозяев. Поберегите наших. — И добавила, подавая онемевшему от неожиданности отцу руку и, в свою очередь, спрыгнув с повозки: — Тогда они однажды сберегут и нас.

Княжна уловила чутким сердцем то, что его сиятельству еще предстояло понять: Наполеону довольно было упразднить на завоеванных территориях феодальные порядки, и его привела бы к победе не Великая Армия, а вилы российских крестьян. Слухи среди солдат, бунты в деревнях, граффити «Вольность» на стенах московских особняков в начале 12-го года... Наш мужик ждал прихода чужого императора. 1 июля, в тот самый день, когда добряк Пустилье берется лечить простывшего барчука, Наполеон, находясь в Вильне, отменяет крепостное право в Виленской, Минской и Гродненской губерниях; однако вскоре отказывается от своего решения. Опыт ли революции, восставшей черни внушал ему ужас и отвращение? Иль блестящий полководец не желал принять победу из грязных мужицких рук? А возможно, все еще прозаичнее — и Бонапарт сохранил крепостное право по той же причине, по которой нацисты оставят на оккупированных территориях колхозы: в интересах снабжения армии. Избежим исторических спекуляций с сослагательным наклонением, и подытожим. Наполеон был гением. Александр — посредственностью. Но Александр победил, и гарцуя по Елисейским Полям в весьма приятной роли спасителя Европы, быстро позабыл, кому на самом деле обязан своей победой. «Крестьяне, верный наш народ, да получит мзду свою от Бога» — фраза из высочайшего Манифеста 1814 года, от которой спустя двести с лишним лет спустя в ярости смыкается горло. О вольности в сем манифесте — ни слова. Русский Бог жесток, и верному народу предстоит терпеливо ждать. Ждать еще почти полстолетия...

* * *

К обеду Авдотья переоделась: ей было не по себе от того, как она позволила себе разговаривать с отцом. И, дабы потрафить батюшке, решила надеть бледно-розовое платье, которое тот не раз комплиментировал. К тому же, решила хитроумная Авдотья, ежели она переоденется сейчас, маменька не сможет сделать далеко идущих выводов, а вечером она окажется в том же наряде и возможно, понравится в нем и Этьену. (Авдотья надеялась если не прогуляться с ним по саду, то уж, по крайней мере, дать тому возможность увидеть через высокое окно, как она станет музицировать в большой гостиной.)

Началось все неудачно: в туалетном зеркале Авдотья заметила у себя на лбу свежий прыщ и, как теперь было ей свойственно, увидела в сем промысел Божий, не допускавший ее любви к претенденту, маменькой не одобренному. И если б не подоспевшее вовремя предложение Настасьи накрутить спереди туго локон, дабы короткая спираль прикрыла злосчастного уродца, княжна точно дала бы волю обиженным слезам. Зато нарядом своим Дуня оказалась довольна: легкое платье и правда было ей несказанно к лицу, а на слишком открытые плечи легла косынка-фишю из прелестных кружев. На сей раз, да простится Авдотье в силу возраста и сословной наивности этот грех, княжна и не вспомнила о несчастных мастерицах, что весь день, портя глаза, сидели за шитьем в девичьей. Довольно покрутившись перед зеркалом, Дуня решила лишь, что никогда еще не была так свежа, а верная Настасья клятвенно уверила барышню, что прыщика за локоном никак не видать.

Оставшись одна, Авдотья то и дело смотрела в окно, перебирая ноты на столе. Что же ей сегодня спеть? Впечатлить де Бриака самобытной российской песнью (так в то время звался романс) или исполнить что-нибудь близкое гостю на французском? А как бы было славно, подумалось ей, спеть дуэтом. Голос у Дуни был слабее бриаковского баритона, но, по уверениям всех знакомых дома Липецких, весьма и весьма приятен. Подперев кулачком подбородок, она смотрела в размаренный полуденным зноем сад. Дунины мечты (думает ли он сейчас о ней? Почему не пытается случайно пройти мимо ее окон?) оказались прерваны появлением под окнами княжны, увы, не де Бриака, но Липецкого-старшего в сопровождении старосты и управляющего. На некотором расстоянии от сей триады следовала заплаканная баба. Мужчины вошли в дом, а баба осталась нерешительно стоять на солнцепеке, понурив голову и изредка вытирая концом платка глаза. В руке у нее была зажата соломенная кукла в ярких лоскутах.

Нахмурившись, Дуня кликнула Настасью узнать, что случилось. И та тотчас доложила хозяйке, что баба эта, Фекла, со вчерашнего вечера ищет свою дочь Глашку.

— Помните, барышня, Глашку-то? Носилась во дворе меж амбарами да конюшнями?

Дуня кивнула, но не помнила, конечно же. Она редко приглядывалась к дворовым детям.

— Феклуша все молила старосту отправить деревенских на поиски, но тот мужиков не дал — все на страде. Тогда отец Глашки и муж Феклуши, Григорий-каретник, отправился с позволения барыни с батогами на реку.

— Почему? — внезапно ставшими сухими губами спросила Дуня. — Почему он так скоро стал искать?

— Вот! И староста тоже говорит: ребятишки, мол! Бог их ведает, может, рано с утреца убегла, так никто и не заметил, что спать приходила?

— И что ж Григорий?

— Григорий говорит, Глашка-де осталась с малыми братцем и Анфиской-сестрицей сидеть. Ни в лес, ни на речку, ни в деревню к бабке отлучаться ей было не велено. И девчонка-то, барышня, больно тихая. С детства малахольной считали. Сейчас, к десяти-то годкам, вроде повеселее стала.

— А бабку в деревне проведали? А в ближнем лесу аукались? А погреба с ледниками обошли? — продолжала задавать бессмысленные вопросы Авдотья.

Она вдруг вспомнила Глашку и даже вспомнила, когда видела ее в последний раз — во время варки варений: та вместе с другими старшими детьми из дворовых отбирала битый фрукт и ягоду на маменькину наливку. Большеглазая задумчивая девочка, в слишком широкой для нее рубахе, под которой с трудом можно было угадать очертания тщедушного тела. Уже через год ее засадили бы в девичью — прясть, малахольная иль нет. Но пока большую часть времени она бегала по двору или сидела в теньке, укачивая худыми ручонками соломенную куклу в ярких лоскутах. И еще княжна вспомнила, что мастью девочка пошла не в темно-русого отца, а в белокурую мать, и повязанная темной тряпицей тяжелая коса доходила ей до пояса.

Дуня чувствовала, как похолодели руки, а обернувшись на себя в зеркало, увидела в нем помертвелое лицо с остановившимися глазами. Надобно было бежать — но куда? За де Бриаком с Пустилье? Или броситься в ноги к отцу, признавшись наконец в том, что последние дни искала за его спиной детоубийцу? И что уверилась было по наивности своей, будто найден душегуб! Того более, сам погиб от пули... Как тот, словно упырь из нянькиных страшных сказок, воскрес и украл еще одно дитя.

Дуня вскочила и, не надев ни перчаток, ни шляпки, выскочила в сад, пролетела мимо пруда к беседке, от нее взяла влево, туда, где за пределами господского сада спускались к речке дворовые прачки. Подобрав подол и то и дело хватаясь за сосновый корень или пучок выжженной на солнце травы (и как умудряются они сходить к воде с руками, занятыми деревянными кадками с бельем?), добралась до воды и вместо мостков свернула к песочной отмели. Ставшая еще просторнее в июльскую жару, полоска песка совсем недавно казалась отличным выбором для утренней дуэли.

Дуня вскинула голову — и увидела свой ориентир: парящую в вышине над обрывом белую игрушку беседки. Хорошо, что с шести утра здесь никого не было и отпечатки на песке еще отлично видны. Дуня вглядывалась в них, как охотник — в след зверя по первой пороше. Вот легкий продолговатый отпечаток от лежавших плащей. Барьер. А вот исходная линия, откуда начали сходиться дуэлянты. Следы де Бриака. Рядом — продолговатая отметина, где упал Габих: даже кровь еще не полностью смылась с песка. Вокруг изрядно натоптали те, кто поднял и унес тело барона. Дуня опять перевела взгляд на беседку, пытаясь в деталях восстановить события сегодняшнего утра. Итак, де Бриак стоял вон у того камня, отвернувшись к воде. А здесь — Габих со своей тростью: чуть в отдалении от соперника и секундантов. Утром эта часть отмели освещалась первыми лучами солнца, а сейчас находится в тени обрыва. Дуня сделала шаг вперед. Потом еще один. Вот они! Последние рисунки барона. Дуня села на корточки, чтобы лучше видеть; розовый муслин лег кругом на влажный песок. Треугольник, расходящиеся от него, как от солнца, лучи. А внутри треугольника...

— Глаз, — услышала она у себя за спиной. — Всевидящее око.

— Габих был масоном? — спросила Дуня и поспешно встала.

— Какая разница? — мрачно усмехнулся де Бриак. — Важно, что он не был тем, кого мы ищем. Он убивал своих крестьян. Но не ваших девочек.

— Думаете, она еще жива? — прошептала Дуня.

Не в силах выдержать мольбу в ее взгляде, он опустил глаза:

— Я не знаю, Эдокси. Простите меня. — И добавил через паузу: — Похоже, вы правы. И я ни на что не годен.

* * *

Медлить было нельзя. Им пришлось признаться князю.

— Девочка может погибнуть в любую минуту, ваше сиятельство, — говорил де Бриак, стоя рядом с Дуней в батюшкином кабинете. — Нам нужны все мои солдаты и все ваши мужики.

— Следует остановить работы, папа. Остановить страду, — добавила Дуня тихо.

Отец смотрел на нее молча, будто видел впервые. Остановить страду было делом неслыханным. «Здесь такие правила, — вновь вспомнила она ленивый голос Габиха. — Думаете, здешний князь иного мнения о своих крепостных и более видит в них людей? Нет. Мы тут все одинаковы». Если сейчас, дрожа под своим тонким платьем, думала Авдотья, батюшка откажет, значит, Габих прав и они ничуть его не лучше... Она вдруг поняла, что боится, ужасно боится именно этого: не прогневить отца и даже не быть отправленной под домашний арест, а своего невыносимого стыда, если отец скажет «нет».

— Хорошо, — кивнул Липецкий, не отрывая глаз от дочери.

Авдотья, с облегчением выдохнув, продолжила:

— Следует также взять всех собак из псарни и дать им обнюхать куклу девочки.

— Мы подумали, ваше сиятельство, что логично разделиться на небольшие отряды: одних отправить по соседним деревням, других — в поле и в леса. Каждому из отрядов дать по паре псов.

— Отряды надобно сделать смешанными, — подхватила Авдотья. — Майор любезно предоставляет нам своих лошадей, его солдаты вооружены. Ежели запастись факелами, то поиски можно продолжать всю ночь.

— Что ж. — Князь поднялся из-за стола, давая понять, что беседа окончена. — Вижу я, что вы (он подчеркнул «вы») уж обо всем договорились. Даю согласие на сию экспедицию, но с одним условием: ты, Эдокси, пообещаешь мне не навлекать на себя опасностей, блуждая по лесам, и проведешь ночь в своей комнате.

— Бесспорно, князь! — пылко согласился за нее де Бриак.

Дуня бросила на него разъяренный взгляд, а князь усмехнулся в усы.

— А теперь, майор, ежели позволите, я хочу побеседовать с дочерью наедине.

Де Бриак кивнул, щелкнув каблуками, и вышел, а отец опустился обратно на стул и обратил к Авдотье самый суровый из своих взглядов:

— И как прикажешь тебя понимать, моя милая?! За родительской спиной играть в сыскных приставов? Маменька и так уж ночей не спит из-за опасного соседства! Все не знает, чего у Бога молить. Наступления ли француза, дабы избежать непозволительного союза для единственной дочери, иль затишья, чтоб уберечь первенца от вражеского штыка?..

— Папенька! — Дунины глаза наполнились и излились прозрачными слезами. Зная отцовскую слабость, она специально их не смахивала. — Как вам не совестно! Неужто считаете, что поиски несчастного дитя — только предлог для встреч с майором?! (Она слегка покраснела, но батюшка списал сие на гневливость.) Иль полагаете, у меня в голове одни женихи и французские романы?!

Отец уже поспешно доставал носовой платок.

— Ну-ну. Будет, душа моя. Ты уж тоже реши, слезы лить иль негодовать. — И, дождавшись, когда дочь вытрет глаза, добавил: — Я полагаю лишь, что ты повзрослела, и слишком быстро... И потому предостерегаю тебя. — Он остановил крупной ладонью протест, готовый сорваться с уст

Авдотьи: — В браке сердце — плохой советчик. — Князь вздохнул. — С тех пор как на нас напал Буонапарте, всем нам кажется, что мы стоим на краю бездны. А за ней уж и нет ничего. Но это не так, Эдокси. Еще будут и балы, и...

— ...достойные женихи, рожденные не во грехе от французской экономки, — закончила за него Дуня, поняв, что впервые ввела своего отца в смущение своей прямотой. И добавила, чтобы смягчить свою резкость: — Спасибо, батюшка, что согласились помочь.

Она склонилась с поцелуем над его рукой.

— Ступай, Господь с тобою, — отпустил князь дочь, поцеловав в пробор столь тщательно сделанной сегодня прически.

Тихо прикрыв за собою дверь, Дуня с грустью вспомнила, что рассчитывала нынче вечером, широко отворив двери гостиной (дабы майор не упустил ни ноты), исполнить с чувством «Приди в чертог ко мне златой». А случилось иначе: это она, распахнув окно, все всматривается в темноту, откуда доносится лай и мелькают промеж дерев огоньки факелов. Молится за спасение «рабы Божьей Глафиры» и плачет до изнеможения в подушку. И снится ей, вслед батюшкиному нравоучению, о пропасти, подобие геенны, полная клубов непроглядного дыма и чада, за которыми скрывается нелюдь со своею невинной жертвой. А на самом краю той бездны стоит она, Дуня, в развевающемся муслине, крепко сжимая чью-то твердую горячую ладонь и чувствуя, что в ней единой и есть ее спасение...

* * *

После треволнений вчерашнего вечера и ночи утро выдалось на удивление тихим, покойным, и Дуня, едва открыв глаза, почему-то уверилась в добром исходе дела. Кликнув Настасью и отказавшись от чая, она послала ее узнать, нашли ли пропавшую. Девушка принесла неутешительные новости: ни в окрестных деревнях, ни в наполовину сжатых полях никаких следов Глашки собаки не взяли. Люди Липецких вернулись лишь под утро и сейчас вместе с барином почивают. Оттого так безмолвно на дворе и в доме.

Одевшись и приказав причесать себя со спартанской простотой, Дуня против обыкновения вышла не в сад, а во двор. Прогуливаясь меж амбарами, она, как Тезей за нитью Ариадны, шла на запах. Зловоние, исходившее от псарни, заставило возвести помещение сие вдали от прочих хозяйственных построек. Псов Липецкие держали немало. Пять стай отменных гончих и столько же свор борзых. Подходя к сараю, Дуня услыхала знакомые поскуливания и визгливый лай — собаки почувствовали приближение нового человека. Старый доезжачий, некогда богатырь, а ныне согбенный годами Андрон, встал с завалинки и улыбнулся Дуне нежнейшей, неожиданной на суровом, изрезанном глубокими морщинами лице улыбкой. Неожиданной, но не для Авдотьи: княжна знала его сердце и втайне была уверена — из всех детей Липецких именно она была его префере. Сам Андрон являлся молочным братом старого князя — его мать служила кормилицей в барской семье, и Андрон помнил Сергея Алексеевича в крестильном платьице еще во времена Великой Государыни[1].

— Что, матушка, опять щеночка захотелось? — с лаской спросил старик (Авдотья лучшим своим занятием в детские годы считала выхаживание самых хилых в помете щенков — защищала их перед князем, стояла насмерть, не давая топить) и протянул огромную ладонь: на ней, поджав под себя маленький хвостик, спал, свернувшись, солово-пегий малыш. — Милкин сыночек. Помнишь Милку-то?

Дуня кивнула: Милку она сама растила года четыре тому назад.

— Лопоухонький! — Авдотья приняла теплое тельце, принялась поглаживать спинку, щенок так и не проснулся. — В мамашу.

Андрон вздохнул, виновато взглянул исподлобья.

— Вчера мы с французом волка-то не затравили... Зря только гончих набросали. Пусто.

---

[1] Имеется в виду Екатерина Великая.

208

— Отчего так, Андронушка? — спросила Дуня, поджав губы. — Неужто ни следочка? Что ж он, призрак какой?

— Не призрак, — покачал головой Андрон. — Водой идет, я думаю. Вода все следы и смывает.

— Водой? — призадумалась Авдотья, вспомнив, где нашли первую девочку. — Вброд идет?

— Почему вброд? Может, и на лодке. Только так следов не оставить.

Андрон был прав. И девочку было проще перевезти вплавь. Оглушить, вставить кляп, прикрыть рогожей — мало ли кто что везет? Ну конечно!

Дуня так живо представила себе малахольную Глашку, которая заговаривает с незнакомцем. Может, он ее пряником заманивал или сушеной дулей — так называли у них груши... И вдруг похолодела. Лошадкой. Яркой, ярмарочной — много ли даже таких, грошовых, игрушек мог ей купить отец-каретник? Гавриловой лошадкой — ровно такой, какую извлек Пустилье из горла Матрюшки.

Авдотья вскочила: ей срочно надо было увидеть доктора с майором! Но сначала найти игрушки — у Николеньки в детской наверняка завалялась парочка, — показать прочим дворовым детям: вдруг кто из них недавно видал подобную? А потом приказать спустить на реку лодку из лодочного сарая и поплыть вниз по течению: может, в береговых лесах и отыщется какой след...

— Мне пора.

Она торопливо передала щенка Андрону — малыш недовольно засопел и тонко взвизгнул во сне, но так и не открыл глаз.

Авдотья, быстро перебирая ногами в легких башмачках и как никогда схожа с легкокрылой Психеей, побежала к большому дому. Андрон же, вздохнув, проводил ее виноватым взглядом: не стал он рассказывать своей барышне того, что знал. Вестимо, спужался: как такое вслух и произнесть-то? А теперь вот, накрыв второй большой ладонью крохотное тельце в своей руке, все твердил себе, что та старая история к Феклушиной Глашке отношения не имеет. Не имеет, и все тут.

ГЛАВА ПЯТНАДЦАТАЯ

О, кто, скажи ты мне, кто ты,
Виновница моей мучительной мечты?
Скажи мне, кто же ты? — Мой ангел ли хранитель
Иль злобный гений-разрушитель
Всех радостей моих? — Не знаю, но я твой!
Ты смяла на главе венок мой боевой,
Ты из души моей изгнала жажду славы,
И грезы гордые, и думы величавы.
Я не хочу войны, я разлюбил войну, —
Я в мыслях, я в душе храню тебя одну.

Денис Давыдов

Странная история, хмурилась Авдотья, вместе с Николенькой перебирая его сокровища: солдатики, барабан, кубики, снова солдатики, игрушечное ружье, помятые картонные фигурки игрушечного же театра, вновь солдатики, фарфоровые собачки, медная труба... Все было тут. А Гавриловых лошадок не было! Сам Николенька расстроился до слез: хоть он уже и не играл в подобные глупости, однако лошадки оказались ему дороги так же, как старшим брату с сестрой, — они были и его детством. Дуня утешила братца, как сумела, — он сам мог отправить часть игрушек в московский дом. И Николенька вспомнил, что да, верно: карты с портретами российских императоров были перевезены на «зимнюю квартиру» в столицу вместе с акварелью и набором крашеного воска, которых ему сейчас очень не хватало для пленэров. В ту же корзину по недосмотру могли попасть и Гавриловы поделки. Так, разгадав загадку, Авдотья, однако, лишилась возможности тотчас же показать игрушки дворовым девочкам Глашиного возраста — следовало послать кого-то в деревню к Гавриле. И снарядить шлюпку для нового, теперь уже водного, поискового предприятия.

Но прежде Дуне за завтраком пришлось выдержать свою «осаду Измаила». Папенька рассказал маменьке о мертвых девочках, и испуганная княгиня отказывалась отпустить дочь пусть даже и на дневную прогулку, а уж тем паче с французом (тут испуг Александры Гавриловны был уже иного толка). Не говоря прямо ни да, ни нет, она отыскивала множество причин, по которым Авдотье стоит остаться дома. В лодке, кроме княжны и де Бриака, планировалось еще человека четыре. Пустилье, Марфуша с провизией для пикника и гребцы. Утро прошло в спорах и взаимных уговорах; порешили: Авдотья таки отплывает с неприятельскими офицерами, но под маменькиным (а вовсе не неприятельским, как могло бы показаться) конвоем. Дуня и сама была не против отрезвляющего маменькиного влияния: после вчерашнего утра она неприятно глупела и робела в Дебриаковом присутствии (что было плохо для расследования) и то и дело зарумянивалась, аки купеческая дочь (что было невыносимо для ее самолюбия). И потому окончательный компромисс — наличие в лодке самой княгини — ее если не обрадовал, то и не расстроил сверх меры. При маменьке ей будет проще держать себя в руках.

И оказалась права. Едва увидав подходящих к лодкам дам в легких летних нарядах — княжна в бледно-зеленом, княгиня в синем, — де Бриак улыбнулся столь восторженной мальчишеской улыбкой, так счастливо заблистали глаза его, что Авдотья порозовела, а княгиня обратила на дочь взгляд разгневанной Эринии.

Раскланявшись, сели в большую лодку. От кормы, где расположилась с корзиной исполняющая должность буфетчика Марфа, струился легкий аромат жареных цыплят. Солнце еще не поднялось в зенит, высокие берега давали приятную тень. На скамьях лодки расположили подушки — для удобства пассажиров, княгиня любезно предложила майору сесть рядом с ней, тогда как Пустилье и Авдотья опустились на переднюю скамью.

Авдотья изложила доктору план водного похода: опрашивать прибрежных жителей: не видали ли они неизвестного на лодке? Лодке, везущей нечто, укрытое рогожей? И еще попытаться доплыть до того места, где песок хоть немного схож с тем, что они нашли под ногтями первой погибшей девочки. В ответ Пустилье поделился деталями вчерашних поисков, продемонстрировав царапины на мягких, чисто выбритых щеках, и признался, что едва не лишился, как князь Кутузофф, глаза. Но не на поле брани, а на едва сжатой десятине. Сухая, остро срезанная серпом солома, исколола ему лицо, когда он, следуя за гончими, запнулся на опушке леса. В целом его рассказ мало отличался от истории, изложенной нынешним же утром старым Андроном. Ночь стояла безлунная, собаки метались, тявкали с заливом, но так и не вышли на след, отвлекаясь на лесные запахи. Утром же лег такой тугой туман, что не видно стало ни зги.

В перерывах беседы Дуня чутко прислушивалась к разговору матери с де Бриаком. Худшие ее ожидания подтверждались: не рассчитывая исключительно на дочернее благоразумие, княгиня взялась столь же непрозрачными, как давнишний туман, намеками дать понять бастарду отсутствие у него шансов на успех. Речь шла не больше не меньше о матримониальных традициях на Руси. Началось все невинно — с крестьянских свадеб.

— Не поверите, майор, есть и такие, что своих мастериц от себя не отпускают — запрещают браки особенно искусных. Сидят несчастные за пяльцами в девичьей, как в темнице. У нас же и в Приволье, и в калужском имении весна — пора любви. И такого не бывало, чтобы я отказывала влюбленным сердцам, — выказала либерализм матушка. Либерализм касался, впрочем, только влюбленных сердец холопов. — На Пасху все красавицы уже разобраны. А те, кто остался в девках, то на Покрове молятся о женихах. И уж меж бабьим летом и осенним постом точно все свадьбы и справят.

— Как и во Франции, княгиня, — вежливо отвечал де Бриак. — Крестьяне вспоминают о чувствах, лишь когда не могут работать в поле.

— Что ж, так и помещики наши лишь с ноября по Троицу по балам пляшут... — кокетливо заметила княгиня.

— Выходит, — обернулся со своей скамьи Пустилье, — в мае Москва, как и Париж, пустеет?

— О да. Зато как хорошо после Покрова, проведя лето в имении, вернуться в столицы, к городским привычкам!

— В привычки входит, как припорошит, и набег провинциального дворянства. — Обернувшись, Дуня успела поймать мимолетную улыбку на темных губах и скоро отвела взгляд. — Только представьте себе, господа, нескончаемые обозы с замороженными поросятами, гусями и курами, крупою, мукою и маслом!

— Зима — пора хлопот, — кивнула Александра Гавриловна. — Кто имение перезакладывает, кто вносит проценты в Опекунский совет. Пока пристроят детей в пансион, найдут гувернеров...

— Отыщут хороший кофий и достойное виноградное вино, — подхватила с усмешкой Авдотья. — Сводят детей поглядеть на Царь-колокол и Сухареву башню. А барышень — на Кузнецкий мост накупить нарядов и в кондитерские наесться французских сластей. — При воспоминании о последних Дуня не смогла сдержать ностальгического вздоха.

— Селятся они в Замоскворечье в своих деревянных домах. Так всю зиму и живут между собою, приезжими средь деревенских же соседей. У каждой губернии — свое предместье. Очень удобно, — со снисходительностью добавила княгиня.

— И, увы, ничего общего с Сен-Жерменским предместьем, господа. Впрочем, наше московское барство с провинциалами не смешивается. Это, — блеснула Дуня глазами в сторону маменьки, — как ваша старинная аристократия и свежеиспеченный Буонапартом высший свет.

Александра Гавриловна было открыла рот, чтобы вернуть отравленную стрелу — о да, отравленную, ведь живи Липецкие во Франции, не быть им более князьями: декретом от 19 мессидора 1790 года были отменены институт наследственного дворянства и все связанные с ним титулы. Называть себя маркизом или графом было запрещено. А раз так, то какая разница, виконт ли их виконт?

— Как говорит наш император, — промокнул влажный лоб платком доктор, к счастью, не уловив второго дна в беседе, — «я не желаю иных герцогов, чем те, которых сам назначу».

— Однако ваше сиятельство ошибается, — подал голос де Бриак. — Наша вознесенная за храбрость в наполеоновских походах новая аристократия уже смешивается со старой.

— Первая императрица организовывала, бывало, концерты, где соединяла общество. — Доктор погрустнел: в армии обожали вдову Богарне.

А де Бриак закивал с притворной серьезностью:

— О да, заставляя слушать арфу: преимущественно Дюссека и Надермана. Бедняги!

— В Благородном собрании, — повела полными плечами под косынкой Александра Гавриловна, — кроме балов по вторникам, в Великий пост проводят чудесные музыкальные вечера. А именно там смешивается *наше* дворянство.

— Ах, маменька! — Дуня сама не могла понять, что заставляет ее снова и снова перечить матери. — Недостаточно оказаться под одной крышей, чтобы смешаться!

— Странно. Ведь уездные барышни оказываются в Благородном собрании именно чтобы смешаться. — Александра Гавриловна нежно улыбнулась дочери. Авдотья слишком поздно поняла, куда изначально тонко вела беседу княгиня. И не успела она покраснеть, как маменька светски повернулась к де Бриаку: — Москву, майор, еще называют ярмаркой невест.

Вот он, смертельный выпад.

— Ближе к Рождеству в город прибывают получившие отпуск петербургские офицеры. Видите ли, Петербург — город военный и чиновничий. Женщин там мало, и самые блестящие кавалергарды вынуждены...

— Менять дислокацию, — подсказал ей со светской улыбкой де Бриак.

— Именно! А с другой стороны, редки русские семьи, в которых бы не было полудюжины дочерей. Они-то и съезжаются в Москву. Часто молодые люди не бывают представлены, но даже на это есть отличное средство — свахи!

— Маменька! — вспыхнула Авдотья. — Вряд ли майору и доктору интересны наши традиции!

— Что же в них плохого, ма шер? Особенно для уездных барышень без связей?

— Моих родителей именно так и сосватали! — встрепенулся довольный доктор. — Пусть другие смеются, а я в простоте дедовских нравов вижу что-то трогательное.

— Ах, шер ами, — махнула батистовым платочком княгиня, — я и сама вышла замуж по сватовству тетки! Родители мои уже все про жениха знали. Серж приехал, увидал меня, мы друг другу понравились. В назначенный день князь сделал мне предложение — я его приняла. А нынче?

— Нынче, княгиня, — покачал головой Пустилье, — все иначе. Но это есть английская зараза. Мы, во Франции, по-прежнему решаем за детей. Островитяне же дают девушкам совершенную свободу в выборе сердца.

— Что же в том дурного? — порозовев, спросила доктора Авдотья.

Но ответила ей княгиня:

— А то, мой ангел, что юной девушке легко влюбиться. И влюбиться в того, кто не захочет жениться, или в того, кто не годится в мужья.

Авдотья вспыхнула, бросила взгляд на де Бриака. Тот сидел с неопределенной улыбкой и глядел на воду. Сердце Авдотьи сжалось: разговор был для него не менее мучителен. Даже Пустилье казался несколько смущен, и паузу пришлось вновь заполнить княгине:

— Ах, доктор! Делаешь все для счастия дочери, но иногда, не поверите, после Folle Journée[1]...

Но Дуня перебила ее, встав на лодке:

— Майор, взгляните-ка! Это же мельница!

И правда, река в этом месте сужалась, становясь более похожей на быстрый ручей, — чем и воспользовался какой-то крестьянин. Чуть перекошенная изба со слепыми оконцами стояла на высоком берегу, внизу же стрежень вполовину был перекрыт мельничным колесом.

— Зачем нам мельница, ма шер? — воззрилась на малоинтересную ей конструкцию княгиня.

— Затем, — Дуня дала знак гребцам причалить, — что этот человек всегда рядом с рекой, она его кормилица. Если кто и мог заметить душегуба, то только он.

Их появление не осталось незамеченным — из дверей избы вышел тощий мельник. За ним с неспешным достоинством выплыла мельничиха вдвое шире своего супруга. Голова ее была обвязана, как чалмой, красным платком, массивную фигуру обтягивал фартук. Такой же фартук был и на муже, чья единственная выразительная особенность — внушительная лопата бороды — была присыпана мелкой мучной пылью, отчего мельник смотрелся рядом с дородной своей супругой съежившимся от годов старцем. По одной стати мельничихи и кокетливой вышивке по широким рукавам блузы Авдотья поняла, что перед ней полячка, и расстроилась: по-польски она не говорила, да и понимала плохо. Она беспомощно огляделась.

— Я подсоблю, барышня, — встал один из гребцов, изрядно косящий паренек лет двадцати. Одним глазом он верноподданнически смотрел на хозяйку, вторым, кокетливо, на мельничиху. И на недоверчивый Дунин взгляд пояснил:

---

[1] Безумный день (*фр.*). День перед Великим постом, когда балы продолжаются с двух часов дня до полуночи. В этот день заканчивается сезон балов.

— У меня мамка польска.

— Хорошо, — кивнула княжна. — Спроси их, видели ли они кого, плывущего к Приволью и обратно на лодке. Мужчину. И не приметили ль в той лодке девочку. Или, может быть, что-то прикрытое рогожей, схожее с человеческим телом?

Пока гребец переводил Дунины вопросы на польский, она сама пересказывала их по-французски доктору и майору.

Де Бриак кивнул, не сводя взгляда со странной пары. Мельничиха повела полными плечами, отрицательно покачала головой. Мельник же смотрел вниз, будто сквозь щели крыльца мог разглядеть стремительно текущую речную воду. Майор сдвинул темные брови.

— Спросите его, княжна, случилось ли с ними нечто странное в последнее время? Любое событие, кажущееся им, возможно, малосущественным...

Последовал двойной перевод. Супруги переглянулись, будто в раздумье, шевельнулась, как отдельный от владельца зверь, борода мельника.

— Их надобно испугать, княжна, — громко сказал де Бриак. — Пригрозите от моего имени. Скажите, что мы посадим их в местную тюрьму.

Александра Гавриловна взглянула на француза с осуждением. Дуня дрогнула губами, сдержав улыбку. Этьен прав. Они что-то знают, но из опасений навлечь на себя беду предпочитают молчать.

— Майор де Бриак — представитель императора Наполеона, — торжественно заявила она. — Всех, кто не оказывает ему содействие, ждут батоги и тюрьма в Вильне.

Супруги вытаращили глаза на толмача-гребца... Перевели их на стоявшего в лодке неестественно прямо де Бриака... И Дуне пришлось признать, что вот такой, в мундире и при шпаге, он мог бы представиться и самим императором — и никто бы не уличил его во лжи. Каждая черта этого лица, пусть и далекая от греческих канонов, нынче казалась ей полна выразительности: широкая линия бровей над блестящими глазами, выдающийся вперед тонкий в переносице нос, смуглые щеки... Южанин. Бастард.

— Водный муж, — вдруг впервые услышала она голос мельника, скрипучий, как мельничное же колесо, и, вздрогнув, отвела глаза.

Мельник вдруг заволновался, стал жестикулировать, показывая то на подпол, то на речку. Дуня и не пыталась найти смысла в быстрых, несвязных фразах, однако заросшая бородой физиономия выражала растерянность. И страх.

Косой гребец начал переводить. Дуня слушала и все больше мрачнела. Переглянулась с испуганно перекрестившейся княгиней.

— А ведь я говорила отцу твоему и тебе повторю... — начала та, и не закончив, вздохнула, потерянно замолчала.

Дуня же подняла глаза на французов, пожала плечами.

— Что он говорит?! — не выдержал Пустилье.

— Говорит, что в его дом пришел водяной. Украл муку, наследил. Похоже, даже ночевал на мельнице.

— Водяной? — растерялся неожиданному повороту де Бриак.

— Да, как ему положено, окутан тиной. И голый. После нырнул в воду — только его и видели. Мельник пытался достать его гарпуном, а тот обернулся черной рыбой.

— Черной — кем?

— Это для водяных дело несложное, майор, — кивнула Дуня со всей серьезностью. — В последующие дни мельник с супругой бросили в воду лошадиный череп с заговором и хлеб. Взяли из деревни петуха и кошку черного цвета — говорят, помогает утихомирить нечистую силу. Иначе та может привести в негодность жернова. Одним словом, сделали почти все необходимое...

— Почти?

— Насколько я знаю, лучшим способом задобрить водяного остается человеческая жертва.

— Девочки? — подал голос Пустилье.

— О нет, доктор, — улыбнулась Дуня. — Обычно в воду сбрасывают запоздавших путников. Чужаков. Иноземцев.

Пустилье улыбнулся в ответ:

— Выходит, нам с майором нынче ночью повезло?

— Выходит, так, доктор.

— Неизвестный более не появлялся? — прервал их де Бриак.

Дуня отрицательно покачала головой.

А де Бриак посерьезнел:

— Не стоит отмахиваться от их слов. Вполне возможно, это тот, кого мы ищем, княжна. Безумец, живущий на реке.

* * *

Прогулку закончили через пару часов, устроив пикник прямо в лодке. Опасаясь матушки и скользких тем для бесед, Дуня усердно поддерживала разговор о народных поверьях, ставших весьма модной темой в произведениях романтических писателей. Духи темных пещер шотландского барда Оссиана, бледная толпа духов Шиллера («Нашего коллеги, военного врача», — не преминул заметить Пустилье), и вот еще — русалка веймарца фон Гёте. Приятно было осознать, что они в России не вовсе отстали от европейских литературных новинок.

Дабы не вдохновлять маменьку на новую волну предостережений, Авдотья, выходя из лодки, оперлась на твердую руку доктора. Стоящий рядом де Бриак побледнел: молодым людям из хороших семей в начале позапрошлого века выпадало не много возможностей даже для таких — через перчатку — прикосновений. Если бы Авдотья знала, что Этьен всю прогулку ждал этих нескольких секунд, ее женское самомнение было бы полностью удовлетворено.

Но княжна, сама почувствовав себя обделенной, отпустила руку доктора и, глядя впервые за прогулку прямо на де Бриака, обещала сейчас же переговорить с батюшкой, чтобы тот вновь выделил крестьян, теперь уж с четко обозначенной целью — осмотра реки вниз по течению. По предложению майора его солдаты, конные, пойдут поверху вдоль обрыва. Люди же Липецких отправятся на лодках, пристально оглядывая берег.

Воротившись к себе, дамы разделились: матушка, утомившись пленэром, отправилась почивать. Дуня же спать не собиралась, а, не снимая платья, вытянулась на застланной постели, глядела сквозь кисею в сад и ждала результатов экспедиции. Виной ли тому многие бессонные ночи, или поданные Марфой на лодке цыплята и кулебяка с рыбицею, или просто Дуню уморила послеполуденная жара и ровное жужжание насекомых, но она сама не заметила, как заснула... И проснулась только на закате — от стука в дверь.

— Поймали! — объявила ей красная от возбуждения Настасья. — Словили душегуба, барышня!

— Поймали?! — приподнялась на подушке Дуня с растрепанной вконец прической и следом от наволочки на правой щеке.

— Ей-богу, барышня! Наш Остап заметил нору евоную, кликнул французов-то сверху. Те с ружьями вбежали, ваш майор первый — так и вытащили паскудника! А он, собака, и не отпирался.

— А Глашу, Глашу-то нашли?! — Дуня вскочила с постели, стараясь не замечать, что дворовые, ничтоже сумняшеся, зовут де Бриака «ее» майором.

— Нет. Не было там Глашки, — вздохнула Настасья. — Может, утопла?

Не отрывая глаз от хозяйки, она истово перекрестилась.

Дуня зыркнула на нее сердито:

— Господь с тобой, Настасья! Жива еще, может, девочка!

И, мельком взглянув на себя в зеркало-псише — не до кокетства, выбежала из комнаты.

Перед барским крыльцом лежал, свернувшись калачиком, человек. Дворовые и французские солдаты обступили его плотным полукругом. Первое, что подумала Дуня, выскочив на это самое крыльцо и взглянув вниз, — она ни разу не видела никого грязнее. Все тело незнакомца покрыто было разводами ила, ошметками водорослей и песком. И только пытаясь разглядеть за этой тиной и глиной человека, она, внезапно покраснев, поняла, что он наг, как Адам. Кто-то только что окатил его водой — рядом стояло пустое ведро. Но грязи смыть не смог — лишь падали со спутавшихся волос серые капли.

— Назад! — услышала она приказ по-французски и увидела, как послушно расступаются солдаты и дворовые.

Де Бриак вошел в центр этого полукруга, посмотрел на съежившееся у его ног существо, потом поднял взгляд наверх и увидел замершую на крыльце Авдотью.

— Княжна, — склонил он голову, — боюсь, это зрелище не для ваших глаз. Полагаю, что прежде, чем опрашивать, его следует отмыть — хоть это будет и нелегкой задачей. И одеть.

— Я хочу говорить с ним. Конечно, после того, как вы... приведете его в порядок, — сказала Дуня, изо всех сил пытаясь преодолеть смущение. И добавила, подтверждая свое право быть на дознании рядом с французами: — Возможно, это кто-то из наших крестьян.

— Разумеется, княжна. — Темные губы раздвинулись в улыбке. — Приходите через полчаса в каретный сарай. Мы будем там.

Он сказал это так, будто они находились вдвоем, будто и не стояло вокруг десятки солдат и ее людей. Будто «мы» означало вовсе не «мы с Пустилье и душегубом», а «мы с вами». И Авдотья вновь почувствовала, как горячая волна заливает ей грудь, шею и щеки.

Быстро кивнув, она хотела было повернуться, чтобы уйти, и вдруг заметила на земле некое движение — существо подняло голову в спутаных космах и обратило к ней свое лицо. И это оказалось самое пленительное лицо, какое княжне приходилось видеть за всю ее девятнадцатилетнюю жизнь.

ГЛАВА ШЕСТНАДЦАТАЯ

Кто скачет, кто мчится под хладною мглой?
Ездок запоздалый, с ним сын молодой.
К отцу, весь издрогнув, малютка приник;
Обняв, его держит и греет старик.
«Дитя, что ко мне ты так робко прильнул?» —
«Родимый, лесной царь в глаза мне сверкнул:
Он в темной короне, с густой бородой». —
«О нет, то белеет туман над водой».

В. А. Жуковский. «Лесной царь»

Схожий размерами с бальною залою каретный сарай пах кожей, сеном и старым лошадиным потом. Чуть ли не половина его была пуста: колымаги екатерининских времен нынче заменили легкие, занимавшие много меньше места экипажи. Янтарные закатные лучи пробивались сквозь неплотно пригнанные доски, освещая сидящего на грубом табурете человека.

Человек был вымыт, одет в холщовые штаны с рубахой. Волосы его, так и не расчесанные, были кое-как приглажены назад и заложены за уши. Руки и ноги — связаны пеньковой веревкой. На некотором расстоянии от неизвестного сидели трое: двое мужчин в мундирах наполеоновской армии и девушка в голубом платье. Вечернее солнце путалось в ее прическе, зажигая огнем рыжие локоны, играло в золотых серьгах, светило в глаза. Де Бриак против воли отвлекался.

А Дуня завороженно смотрела на убийцу. Разве Господь, думалось ей, мог создать нечто столь прекрас-

222

ное, чтобы потом отдать его душу на откуп дьяволу? Эти огромные глаза под изогнутой ровной дугой бровями, греческий нос, высокий лоб и твердый подбородок... А детская восторженная улыбка, с которой он на нее смотрит?

— Боюсь, он просто идиот! — раздался голос Пустилье. Дуня вздрогнула. — За все время допроса он едва ли проронил два слова, и то изрядно заикаясь. И эта бессмысленная улыбка...

— Постойте! — Дуня отказывалась сдаваться.

Возможно, он и правда не слишком умен, но и ей следовало задавать вопросы попроще и не начинать сразу с убийства девочек. Она сделала несколько шагов к табурету.

Пленник поднял голову, не спуская с нее все того же восхищенного взгляда.

— Как тебя зовут? — спросила она как можно нежнее. И повторила простейший вопрос: — Как твое имя?

— За... — начал он, не переставая улыбаться. — За...

— Захар? — подсказала ему Дуня, и он изо всех сил закивал. — Его зовут Захар, — перевела она французам. — Не могли бы вы перенести мой стул к нему поближе? Мне кажется, так он лучше понимает...

Де Бриак послушно выполнил ее просьбу, но встал рядом, сумрачно нависая над арестантом. Впрочем, Захара это, похоже, совсем не смутило.

— Откуда ты? — Дуня села на краешек стула, подавшись к нему. — Где ты живешь?

— За... — опять начал он, и Дуня нахмурилась: может, эти первые буквы были у несчастного ответом на все вопросы?

— Заречье? — попыталась подсказать она.

Но тот помотал головой. Княжна пыталась вспомнить ближайшие деревни.

— Да с Захарьевки он, Авдотья Сергеевна, — услышала она голос за спиной, а оглянувшись, увидела у дверей сарая старого доезжачего.

— А ты почем знаешь?

— Так его многие знают, барышня, — сплюнул Андрон. — Слыхано ли дело — жить, как он. Сам нору себе прорыл под обрывом, средь корешков. Там и спал, там и гадил, уж простите, барышня... — Он махнул рукой. — Зимой бы следующей того и гляди помер. Той-то я его у себя на псарне схоронил. Тоже не дворец, поди, а все лучше, чем в суглинке-то. Теплее среди собачек ваших. Да и любит он их.

— У нас на псарне? — нахмурилась Авдотья. — Откуда у нас на псарне завелся захарьевский крестьянин? Захарьевка отсюда верстах в пятидесяти...

Захарьевка, объяснила она французам, поместье, принадлежащее вельможной старухе Екатерине Васильевне Таницкой. Огромный надел только оттого и был Дуне известен, что имения ее были обширней любого другого в округе, включая ныне покойного Габиха. А отобранные императрицей Екатериной Алексеевной у шляхты земли славились своими внушительными латифундиями, так что выбор в губернии был велик. В свою очередь, Таницкая славилась сумасбродством: родственница светлейшего князя Потемкина, была она гневлива и с подданными своими вела себя как азиатский деспот.

Изложив сию краткую информацию, Дуня вновь повернулась к Андрону за объяснениями.

— Ох, барышня, — начал Андрон, перекладывая скомканный картуз из одной огромной ручищи в другую. — О таком, ей-богу, и рассказывать совестно.

И правда, история оказалась не совсем пристойной. Однако делать нечего: краснея и бледнея, Авдотья переводила.

Захар из Захаровки втихомолку расцветал у своей матери единственным сыном — остальные шестеро братьев и сестер умерли еще во младенчестве. Отца его забрили в рекруты, и больше Захар о нем никогда не слышал. Тем не менее ему улыбнулась удача — лет в восемь за исключительную миловидность барыня выбрала его в форейторы. Мать была счастлива: пристроив мальчишку к конюшне, можно было рассчитывать на безбедную дворовую жизнь. Однако стоит ли уповать на удачу, когда рукой фортуны движет персона, подобная Катерине Васильевне? Еще молодая тогда, но уже обладавшая бешеным нравом, она однажды, осерчав, высекла парнишку так, что у того, по выражению Андрона, «и ум вон». Шли годы. Захар с матерью вернулся на барщину — для сего каторжного труда отсутствие рассудка было скорее благом. А тем временем барыня Катерина Васильевна овдовела, но, обзаведшись наследниками, во второй раз выходить замуж не спешила, несмотря на многочисленных охотников за ее огромным состоянием.

Однажды, объезжая безбрежные владения свои, потребовала она от молодого мужика воды, что тот с готовностью и исполнил. Но стоило Катерине Васильевне склониться со своего орловского жеребца к протягиваемой ей крынке и взглянуть тому в глаза, она пропала — такой совершенной красоты ей видеть не доводилось. Сама дурнушка, проведшая замужем за человеком вдвое старше себя десять унылых лет, Таницкая, как оказалось, была весьма чувствительна к прекрасному. Крестьянина тотчас же сняли с поля и вновь определили, теперь уже к вящему горю матери, не ждавшей от барских милостей ничего хорошего, к помещичьей усадьбе. Того боле: барыня готова была сменить его пропахшие потом и полные клопами войлоки в людской на собственное вдовье ложе. Но то, что мгновенно смекнул бы на его месте любой ловкий лакей, детский ум Захара принимать отказывался. Он был рад без устали бегать за шалью, чесать барыне спину и гасить свечи в ее опочивальне, служить ей припостельным ковриком и комнатной собачкой, но занять место супруга оказался не в состоянии. Будь десять лет назад барыня помилосерднее на конюшне, оставь она Захару к его красоте разум, может, и стали б они жить душа в душу — красавец и чудовище. Но Катерина Васильевна сама сгубила свое счастие, и стало ей то невыносимо. А поскольку Господь не предусмотрел в ее характере смирения, она, задыхаясь от невозможности реализовать свои чувства и зверея от шепотка челяди, решила пойти на крайние меры. И обвинила Захара в краже изумрудного ожерелья. Ожерелье через пару дней отыскалось — там, куда барыня его сама и схоронила, но уже послали за приставом, и ясно было, что Захар вскоре попадет в острог. Тогда, рассказывал Андрон, не дожидаясь приезда пристава, несчастная мать его выкрала ночью сына из амбара, где тот послушно сидел под охраной храпящей дворни, и привела за руку в пустое о прошлом годе Приволье. Она божилась Андрону, что Захар ее — дите малое, неразумное, ни к краже, ни к какому другому дурному делу не приспособленное, а за собачками будет ходить с любовью. Дом был пуст, Андрону стало беднягу жаль, кроме того, приходился парень ему далекой родней, вот он и пригрел его на псарне. Покамест не узнал, что об этом годе приедут баре, а раз так, то пора было сменить Захару место: хозяйка продолжала искать беглого лакея по всей губернии.

— Значит, ты помог рыть ему нору? — уточнила на всякий случай Дуня.

Андрон вздохнул.

— Там уж и пещерка была, сухонькая. И дерева близ воды — так верхушечками, значит, и прикрывали... — И добавил горько: — Прощенья просим, коли прогневил.

Дуня оглянулась на де Бриака и Пустилье: оба смотрели на Захара уже без всякой враждебности, а с ужасом и жалостью.

Авдотья сама подошла к нему и развязала руки, кивнула на его вопросительный взгляд, и Захар с ловкой готовностью стал разматывать веревку вокруг щиколоток. А Дуня повернулась к Андрону:

— Все ты правильно сделал, Андрон. Поди с ним на кухню, пусть его накормят. Обуться дадут.

И вдруг погладила Захара по влажным спутанным волосам, шепнула:

— Ступай, дружок. Никто тебя теперь не обидит.

Но Андрон продолжал стоять в воротах сарая.

— Нехорошо выйдет, Авдотья Сергеевна! Коли Катерина Васильевна прознает... Батюшке вашему отвечать придется.

— Не придется. Катерина Васильевна твоя давно уж убралась подальше от француза — поближе к столицам. А там поглядим!

— Гы... — услышала она за спиной. — Гы...

И, обернувшись, увидела прямо перед собой прекрасного принца: глаза светлей лазури доверчиво заглядывали ей в лицо, идеальный рот тщетно пытался что-то сказать.

— Да? — переспросила она, от неожиданности отпрянув от этой бьющей наотмашь красоты.

— Глы... — произнес тот наконец. — Г-г-глашка.

Дуня вздрогнула, переглянулась с де Бриаком.

— Ты ее знал?

Захар кивнул.

— Они тут вместе бегали, — подтвердил от ворот Андрон. — Этот ведь и сам — что дитя малое. Ежели позовут, то и в жмурки готов, и в горелки. А ребятне-то и счастье — большой с ними забавится.

— Что с Глашкой?! — схватила Дуня идиота за руку и почувствовала, как от этого прикосновения тот испуганно вздрогнул всем телом.

Бедный! Дуня поспешно выпустила теплую ладонь.

— Знаешь, что с ней случилось?!

— Пы... — начал он. — Пы...

Дуня смотрела на него, и взгляд ее туманился злостью и жалостью — доведись ей сейчас встретить мерзкую старуху, уж она не пожалела б для нее ни отцовской турецкой сабли, ни бриаковского кавалерийского пистолета!

— Что, голубчик? — спросила она как можно ласковее. — Что с ней?

Захар выдохнул и попытался еще раз:

— П-плавает.

* * *

Несчастного привели на людскую кухню и накормили, и раз, и два, и три наполняя оловянную тарелку. Дуня сидела напротив, подперев подбородок, и время от времени задавала вопросы: где плавает, с кем плавает, когда? Тщетно. Увлеченный едой, Захар не говорил ни слова, но громко глотал, причмокивал, прихлебывал, подбирал куском хлеба каждую каплю, потом по-собачьи смотрел на Дуню, а та кивала черной (готовящей для челяди) кухарке Михайловне — еще. На третьей порции Михайловна не выдержала:

— Ахти, барышня! Лопнет же, ей-богу лопнет! С голодухи-то разве можно столько!

Дуня согласилась, ласково забрала у Захара из рук тарелку, повернулась к ожидавшему их на крыльце Андрону:

— Поди уложи его в людской.

Но тот покачал головой:

— Зря это, барышня. Отпустите. Пусть, как раньше, на псарне спит. — И на возражения Дуни пояснил: — Ему там, с собачками, попривычнее. Сами видите, какой он всполошенный.

Княжна, кивнув, пошла-таки со старым доезжачим проводить Захара. Увидела, как бросились и стали, повизгивая, ластиться к нему псы и как дурачок, окруженный ими, садится прямо на траву, счастливо улыбается, гладит их, треплет за уши — ни дать ни взять святой Франциск. Однако ж юный и прекрасный собою, словно Адонис.

Тем временем Андрон набил и положил ему в углу псарни, где и сам частенько спал, наполненный свежим сеном тюфяк. Загнал собак на ночь, запер засов и показал Захару на его постель.

Тот без слов лег, закрыл невозможно синие глаза и на выдохе вдруг сказал, четко и ровно:

— Зеленый человек Глашку взял. Зеленый.

И громко, совсем не изысканно захрапел.

* * *

Зеленый может означать и изумрудный, и нежно-салатный, и цвета хвои, и даже бирюзовый. Вряд ли Захар отмечает подобные нюансы. А ежели и отмечает, то выразить их не в состоянии. Чей костюм может подходить под описание Зеленого человека? Линейная наполеоновская пехота? Вицмундиры гусаров? Куртка лесника? Городской сюртук? Егерские полки? Старые, еще петровских времен, камзолы?

Вот до чего договорились они с Пустилье и майором, сойдясь в ротонде. Но уже ложась спать и накинув шаль поверх зябких — не от теплой июльской ночи, но от страшных захаровых слов — плеч, Дуня вдруг вспомнила рассказанные матерью Настасьи (и ее с Алексеем кормилицей и нянькой) сказки.

— А что, Настасья, — спросила она, послушно протирая лицо смесью от ненавистных веснушек, изготовленной Настасьей по англицкой рецептуре из молока с лимоном (бренди в рецепте был успешно заменен на ерофеича), — помнишь, про лешего няня сказывала? Будто он детей из деревень умыкает?

— Случается, барышня, — хмыкнула Настасья, рассчесывая княжне волосы редким гребнем. — Кукушками заманивает. Али голосом человечьим. А бывает, и девиц себе в лешачихи крадет... — Она хихикнула. — Обернется — вроде знакомый или просто парень красивый. Только в лесу всегда настороже надобно быть.

— Как же понять? — склонила голову набок Авдотья. Дрожащий свет двух свечей по обеим сторонам псише придавал беседе таинственность святочных гаданий.

— Так по тени. — И Настасья, блеснув зубами, крепко завязала ленту на тощей Дуниной косе. — Или, коли солнца нет, по ветру — он вокруг лешего крутит, ветками стучит, листы с иголками с земли поднимает. Только редко кто из девок ветер тот замечает: говорят, в глаза лешему засмотрятся и — фьить! — пропадут.

229

— Фьить! — вздохнула Авдотья, забравшись в постель и позволив Настасье хорошенько подоткнуть одеяло.

Настасья опустила кисею полога, задула свечи и вышла, а Дуня все смотрела в темноту и сама не заметила, как заснула.

* * *

Снилось ей, стоит она на опушке леса и слышит тоненький детский плач. Дуня вглядывается в сдвинувшиеся, словно единая недобрая рать, аспидные еловые стволы и видит: мелькает впереди яркий желтый сарафан с белой косынкой.

— Глашка! — окликает она девочку, но та продолжает плакать.

Дуня оглядывается и видит: в поле средь сжатых хлебов стоят серые в умирающем вечернем свете отец с матерью, и Николенька, и Андрон с Настасьей, и красавец дурачок Захар. Стоят и молчат, будто прислушиваются, но вовсе не к Глашкиному плачу, а к чему-то совсем иному. И тогда Дуня решает сама забрать Глашку. Под ногами у нее вкрадчиво стелется ковер из кукушкиного льна, черные ветки жадными пальцами хватают княжну за подол и легкие рукава. Отцепляя их, Дуня то и дело опирается рукой на покрытую древним лишайником влажную кору и заходит все глубже, глубже в лес. Но Глашкин сарафанчик такой яркий и так близко, что Авдотья продолжает идти, все чаще запинаясь о повалившиеся гнилые стволы. И скоро, оглянувшись, уж не видит никого из родных. За ее спиной стеной сомкнулись деревья, и вокруг странно тихо — ни дуновения ветра в высоких темных кронах, ни пения вечерних птиц, ни... детского плача. Испугавшись, она крутит головой, но желтый сарафанчик пропал, как не было. Глашка исчезла, зато еще ближе обступает ее лес, вдруг становится холодно ногам — Дуня видит, как из-за скорчившихся корней сочится по земле туманная мгла, и уже не ведает, куда делать следующий шаг. И вдруг замечает в лесном частоколе круглую, будто специально вырубленную прореху-полянку. А посередь нее — широкий белеющий срез огромной ели. Даже во сне она отчетливо понимает: и этот просвет в черной чаще, и этот пенек — ловушка Зеленого человека. Но ничего не может поделать: будто сама глухая тишина и стекающие меж дерев клубы тумана указывают ей единственно возможный путь. Она выходит и, вконец изодрав подол своего муслинового платья, взбирается на пень, будто несчастная Олимпия де Гуж — на эшафот. Она стоит, замерев, на островке среди курящейся по земле мглы. Вокруг нее все так нарочито тихо, что Авдотья слышит собственное стесненное дыхание. Вдох-выдох. Вдох-выдох. Дуня чувствует, как холодная капля скользит по шее вниз по напряженному позвоночнику. Он здесь, за ее спиной. Зеленый человек. Главное — не оборачиваться. И вдруг она понимает: стоит ей чуть-чуть подумать, и оборачиваться не будет нужды. Она догадается, кто он. И узнает. Но, парализованная ужасом, может только наблюдать, как вокруг нее, все быстрее и быстрее, воронкой закручивается недобрый ветер, стучат в вышине голые ветви... Тук. Тук-тук.

Дуня распахнула глаза. Лоб был весь в испарине, грудь вздымалась, будто княжна и правда только что бежала. Это всего лишь кошмар, сказала себе Дуня, потихоньку выравнивая дыхание. Выпростала тонкие ноги из-под одеяла и села на постели, уставившись в забранный гардинами темный прямоугольник окна. Тук. Тук-тук. Нет, это уже не сон. Это кто-то стучится в стекло из ночного сада. Еще не отошед от своего сна и не успокоивши биения сердца, она встала голыми ступнями на холодный пол, стянула со спинки стула и накинула на плечи шаль. Открыть самой? Или кликнуть девушку? А если это... Этьен? Тогда присутствие болтливой Настасьи будет весьма некстати. Сердце вновь убыстренно забилось: француз в ночи под ее окнами был афронтом всем правилам приличия, и она, конечно же, немедленно укажет ему на неподобающее поведение и...

Что «и», княжна не додумала, а, скоро заправив рыжие вихры под чепец, запахнула на груди шаль и отодвинула гардину. Ровная, будто аккуратно отрезанная половинка луны освещала сад вполовину же хорошего светильника. Чуть в стороне от окна Дуня увидела кряжистую мужскую фигуру. Неизвестный нарочно встал так, чтобы барышня не испугалась в потемках. Авдотья поначалу разочарованно вздохнула: это был, увы, не Этьен, а вглядевшись, нахмурилась — неужто... Ее провожатый в потасовский лагерь — Игнатий?! Дуня чуть приоткрыла створку окна, дав тому знак подойти.

— Меня его высокоблагородие прислал, — сообщил он слишком громким, по мнению Авдотьи, шепотом и вдруг, шумно втянув воздух, воззрился на нее в явном замешательстве.

Дуня подняла было брови — что замолчал? И тут с некоторым смущением поняла: ерофеич! От нее пахнет смесью водки, аниса и зверобоя. А также молоком и лимоном. Чертова англицкая микстура от веснушек! Княжна напустила на себя чрезвычайно суровый вид.

— Игнат? И отчего в такой час?

— Так нашему высокоблагородию нонче луна красна заместо ясна солнышка, — усмехнулся тот, а Дуня поборола сильнейшее желание сейчас же побежать умываться. — Поклон передают и просят пожаловать в дубовую рощу. Дело есть до вас у высокоблагородия.

— И срочное, подозреваю, — вздохнула Дуня. — Обожди тут.

На ощупь заколов черепаховым гребнем растрепавшуюся за ночь косу, плеснув в лицо остатками воды из кувшина и с силой обтерев его полотенцем (прочь, ерофеич!), Дуня надела капот, покрепче затянула его витым шнуром и, дабы не разбудить мирно храпящую на войлоке за дверью Настасью, выбралась прямо через окно в ночной сад.

До рощи дошли молчком; Игнат темной татью шелестел травой чуть впереди, ветер доносил до Дуни острый в ночном воздухе запах дешевого табака. И вскоре дубовая роща приветствовала хозяйку мирным шелестом. Как не похож был этот лес на тот, что она только что видела во сне! Однако провожатый исчез, будто герой ее ночного кошмара, а на опушку выступила крупная фигура «их благородия» — широкое лицо в лунном свете казалось еще более внушительным. Сделав шаг к Дуне, отставной поручик светски склонился над ее рукой. В роще добродушно ухнула сова, будто напомнив этим двоим, что они стоят глухой ночью на лесной опушке, а не посередь бальной залы.

— Простите, что тревожу в столь неурочный час, княжна, — Потасов отпустил ее руку, — но днем мне здесь появляться небезопасно. Как семейство ваше, батюшка с матушкой, брат? Есть ли новости от Алексея? Надеюсь, все в добром здравии?

Какова бы ни была истинная цель его визита в здешние дубравы, начало беседы оставалось для воспитанного человека формулой неизменной.

Дуня улыбнулась.

— Благодарю вас, поручик. Родители мои благополучны, Николенька здоров, слава Богу. От одного Алеши нет новостей. Мы беспрестанно о нем Бога молим. Как... Как ваш отряд?

— Ширится, княжна, шумит. Людей все больше. А значит, их нужно вооружать, обеспечивать кров и пищу, — вздохнул он. — Но я пришел сюда не с просьбой, княжна, а напротив, с предостережением. Недовольство народное все растет. И я боюсь, как бы оно не затронуло семью вашу.

— Отчего же? Мы не французы.

— Нет. Но мужик, когда зол, не смотрит, куда бьет, Авдотья Сергеевна. По губернии прошел слух, Буонапарте дает всем свободу от помещика да земли кусок в полное пользование. В иных деревнях поднимаются бунты. И к французу они отношения не имеют.

— Наши крестьяне любят нас, Иван Алексеевич.

— Возможно, княжна. Но у вас в имении не в первый раз пропадают и погибают дети. А нынче достаточно малой искры... — Он замолчал, не желая, как видно, ее пугать.

Искры... Дуня вздрогнула, вдруг вспомнив горящую избу травницы и озаренных пламенем мужиков со страшными, пустыми лицами. Кричи она сама в том огне, пришли бы они на помощь?

— Так как же быть? — тихо спросила она.

— Наша задача, Авдотья Сергеевна, если уж не справиться с пожаром гнева народного, то придать ему, так сказать, нужное направление.

Дуня нахмурилась: направление? А Потасов пояснил:

— Пусть страдают французы.

— Иначе говоря, натравить дворню и деревенских на французский гарнизон?

— Да. И сделать это как можно быстрее, подав в том пример своим мужикам.

— Полноте, Иван Алексеевич. Вы хотите, чтобы мы вдохновили дворню на мятеж?

— Боже упаси, Авдотья Сергеевна, — улыбнулся в усы Потасов. — Я сам со своим отрядом неожиданно нападу на француза. А вы, воспользовавшись паникой, уедете, взяв только самое необходимое, в московский дом ваш.

Московский дом! Дуня прикрыла глаза, и тот встал пред ней как наяву. Бледно-розовый особняк в два этажа, между окнами крашенные в белый тосканские колонны. Во дворе — сараи: для экипажей и дровяной, конюшня на шесть стойл и ледник. За домом — старый сад с липами для тени, бузиной, сиренью и акациями для аромата. Дуня даже втянула носом воздух, вспоминая запах смолки — вечного спутника московского их житья[1].

_____

[1] С м о л к а — конусообразный футляр из бересты, сантиметров 25–30 в длину, наполненный каким-то смолистым составом. Конус держали за острие, а сверху укладывали горящий уголек и потом носили по комнатам. Смолистый состав плавился и наполнял дом своим ароматом (Бокова В.М. Повседневная жизнь Москвы в XIX в. М.: Молодая гвардия, 2010).

Как бы чудно сложилось, если бы они решили вместо Приволья поехать под Калугу, ведь оттуда добраться до Первопрестольной было бы не в пример...

— Преследовать вас французы вряд ли возьмутся, — перебил ход Дуниных мыслей Потасов. — Скоро им станет не до беглых помещиков. По всем признакам готовится наступление: ждать осени Буонапарте не будет. О российской осенней распутице, где по грязи не пройти ни телеге с фуражом, ни пушке, ему, полагаю, уже донесли. А я бы дал вам, княжна, с собой пару проверенных людей в провожатые. Внешне они ничем не отличались от собственных ваших кучера или поваренка, но будут вооружены и всегда настороже. — Он склонился над ней, заглянул в глаза. — Что скажете, Авдотья Сергеевна?

Дуня не отвечала, и Потасов вздохнул.

— Я понимаю, пуститься в путешествие по военным дорогам требует известного мужества, но мне ли не знать: мужества вам не занимать. — Он помолчал. — Поверьте, я уже не раз обдумал диспозицию, и выводы у меня самые неутешительные. Уйдут вперед французы — на месте останутся предавшие нас поляки и французские же дезертиры. Опустошенные земли приведут к голоду. Голод — к бунтам. Положение шаткое... Даже Москва ныне небезопасна.

— Нет? — вскинула на него испуганные глаза Авдотья.

Потасов снова вздохнул:

— Это уж мои домыслы, княжна. Но подумайте сами: в одной Москве тысяч девяносто одних дворовых... И ежели правительство вынуждено будет оставить столицу, то они вполне могут взяться за нож. Французская революция дала нам здесь урок: чернь, подстрекаемая неприятелем, способна разграбить, разорить, опустошить весь город... — Но, заметив опрокинутое лицо Авдотьи, ободряюще улыбнулся: — Впрочем, я уверен, мы остановим Наполеона до Москвы, княжна.

Они вновь замолчали: в роще, заполняя паузу, опять заухала сова. Авдотья медленно выдохнула.

— Я не боюсь путешествия, Иван Алексеевич. — И улыбнулась, подняв к нему бледное, как у Оссианова духа пещер, лицо. — Дорога имеет начало и конец. Она имеет цель. И цель эта отрадна.

— Тогда я и вовсе не понимаю... Что вас смущает? Неужели моя помощь? Не желаете быть мне обязанной? — И он в растерянности совсем по-мужицки почесал бороду. — У меня и в мыслях не было...

Бесстрашный поручик был явно смущен. Авдотья снова улыбнулась: все-таки утешительно осознавать, что и мужской ум ограничен в некоторых предметах.

— Иван Алексеевич, поверьте, искренняя помощь от соотечественника, друга семьи, была бы принята мной с благодарностью, но...

— Но? — нахмурился Потасов.

— Но и у меня есть свои обязательства. Я не покину Приволья, пока не найду убийцу девочек. Пару дней назад он забрал еще одну, судьба ее нам неизвестна. Жива ли? Или уже в ином мире? Но мы ищем ее, и французы нам помогают... — Дуня пожала плечами. — Как ни странно это может для вас прозвучать, они наши союзники в поимке душегубца, и нападать на них лишь для того, чтобы прикрыть наше семейное отступление к Москве, для меня немыслимо. Проще прийти и напрямую объявить о наших планах майору. Поверьте, никто не станет ни удерживать нас, ни преследовать. — При мысли о подобной перспективе у Авдотьи горько сжалось сердце.

— Вы, кажется, весьма уверены в вашем артиллеристе, — сухо кашлянул Потасов. — Но что станет с вами и вашими близкими, когда он покинет имение?

— Дайте мне время, Иван Алексеевич, — попыталась улыбнуться, да так и не сумела, Авдотья. — Я верю в Божью справедливость. И если она существует, значит, скоро мы отыщем Глашку, а вместе с ней и того, кто ее украл. До тех пор прошу вас не предпринимать никаких шагов.

— Бездействовать иногда сложнее, чем действовать, — поклонился ей Потасов. — Обещайте тогда и вы мне кое-что, княжна. Во-первых, со всею серьезностию обдумать мною сказанное и переговорить с вашим батюшкой.

Авдотья торжественно кивнула.

— Во-вторых, позвольте приставить дежурить к вашему дому Игната. Так, если вам вдруг понадобится моя помощь, вы сможете передать через него мне послание — довольно будет знака с вашей стороны — и я встречу вас на этом же самом месте.

— Знака? — растерялась Авдотья. — Крика совы, как в вашем лагере?

Потасов усмехнулся, сверкнув из мужичьей бороды крупными белыми зубами:

— Полноте, княжна. Кто же ждет от барышни таких умений? Просто поставьте на окно вашей спальни вазу с букетом, к примеру. А Игнат уж поймет, что делать дальше. И в-третьих...

— Есть еще и третье? — улыбнулась Авдотья.

— Непременно. Как в нянькиных сказках, княжна. — Потасов был явно смущен и запнулся. Дуня спокойно смотрела на него, ждала. — Война однажды окончится, — наконец продолжил он. — Окончится, я уверен, победой русского оружия. Мы — вы и я — воротимся в наши дома. Потихоньку восстановим хозяйство, — он нахмурился, глядя в сторону, будто уже сейчас прикидывал, кому и за сколько продаст зерна, сена и леса, — снова будем давать вечера. Даже танцевать — хотя, видит Бог, когда я сижу ночами в своей лесной хижине, мне кажется, что балы и праздники остались в иной жизни и ничто никогда не будет прежним. И, признаться, впервые жалею, что столь долго предпочитал ломберный стол бальной зале. — Он кинул на нее быстрый взгляд и снова отвернулся, рука его нащупала в нагрудном кармане табак, но вновь упала вниз. — Жизнь женщины течет иначе, чем жизнь мужчины, Авдотья Сергеевна. Быстрее, стремительнее. Это несправедливо, но не нам противиться Господней воле. — Потасов повернулся к Дуне, и она заметила, как потемнело его лицо, не сразу догадавшись, что обманчивый лунный луч, как на черно-белой гравюре, не дает цвета: поручик явно покраснел. — Если бы не война, княжна, то это лето и эту зиму вы провели бы в самом блестящем обществе. И я уверен... — он опять запнулся, — мало кого оставили бы равнодушным. И когда я думаю об этом, а последнее время меня часто мучает бессонница, то, совестно признаться, я рад, несмотря ни на что, я рад, что война дает мне шанс... Возможно, надежду...

Потасов смолк, а Авдотья потупилась: возможно ли? Он делает ей предложение? Здесь? В этот час?

— Я не смею озвучить своих желаний, княжна, — будто услышав ее, наконец заговорил он. — Им не место и не время. Идет война, и риск, которому я себя подвергаю, слишком велик, чтобы я мог молить вас о каких-либо обязательствах, — ведь я и сам не могу пообещать остаться в живых. Но если с Божьей помощью мы доживем до следующего лета, если побьем француза и вернемся сюда... Обещайте мне — несмотря на обилие иных претендентов, несмотря на то, что танцор из меня неважный... обещайте танцевать со мной, княжна.

Улыбнувшись, Авдотья сделала к нему шаг.

— Мазурку, поручик. Ведь мы не перестанем танцевать ее после войны?

— Только не у меня в Дубровке, княжна. — Поцеловав Авдотье на прощание руку, Потасов поднял на нее внимательные глаза. — И ежели француз не лишит меня ноги, то я возьму несколько уроков, чтобы не посрамить вас как кавалер.

ЗА ДВА ГОДА ДО ПРОИСХОДЯЩИХ СОБЫТИЙ

Письмо Екатерины Вереиновой, сопровождающее
письмо ее брата, Дмитрия, к их общему другу.
Оба письма отосланы в одном конверте, однако
написаны с разницей в полтора месяца.

Зоннерштейн, мая 4-го 1810 года.
Милый А.,
грустно осознавать, что отсылаю в том же конверте
последнее письмо, писанное покойным братом. Получив трагическое известие, мы с маменькой тотчас отправились в Зоннерштейн, где застали бедного нашего
Митю уже на деревенском кладбище. Никто — ни содер-
жатель гостиницы, ни директор клиники — не смогли
объяснить нам причин его внезапного решения. Поневоле
подумаешь, что Митя заразился от замковых обитателей: словно безумие разлито в сем горнем воздухе, и вольно подхватить его, как модную ныне инфлюэнцу.

Однако вчера ночью мне не спалось, и я вышла, чтобы
спросить себе на кухне валерьянового настоя. Надо заметить, наша с маменькой комнатка находится этажом
выше той, где простился с жизнию брат, — последняя до
сих пор остается на замке и свободна от постояльцев.
Не знаю, овладело ли мною то же отемнение ума, но спустившись на пролет и прокравшись по коридору, я попыталась воспользоваться нашим ключом, и — о чудо! — он
повернулся в замке.

Зайдя, я тихо прикрыла за собою дверь и огляделась.
Комната Митина по размеру и расположению мебели
почти ничем не отличалась от нашей — стол, стул,

239

платяной шкаф. Разве что постель брата оказалась уже. Митины книги и сундуки с одеждою нам уже отдали, и потому нумер показался мне и вовсе обезличен. Лунный свет струился сквозь полузакрытые ставни, пахло льняным маслом — его здесь добавляют в мыло, коим драют полы. На крашеных деревянных половицах и верно не было ни пылинки, и, вздрогнув, я поняла: оттого они так и чисты, что горничные отмывали их с особым тщанием. Слезы застлали мне глаза, рука моя против воли задрожала — мне пришлось поставить подсвечник на стол. И едва справившись с нахлынувшими чувствами, я вдруг явственно увидела ИХ. Темные брызги на забранной дешевым штофом стене. Мелкие и крупные, они окружали свободное от капель пространство — четкое, будто обведенное трафаретом. Дрожащим пальцем провела я по контуру, пытаясь осмыслить, что за предмет стоял на столе в тот момент, когда мой брат прикладывал пистолет к виску? Очертание казалось похожим на кувшин, или разнобокую вазу с одним цветком, или... Так и не придя к решению, я поднялась к себе и задула свечу. Еще час или два глядела я в потолок, покамест не заснула. А проснулась все равно раньше маменьки и с одною мыслью в голове: тот предмет, что приняла я за неудачной формы фаянс, был тирольскою шляпой: весьма распространенным здесь головным убором. А изгиб, схожий с выдающимся носиком кувшина или цветком — обычным пером: скорее тетерева, чем змеешейки. Помню, в своих письмах брат не раз высмеивал подобные шляпы как воплощение бюргерского самодовольства...

Именно такую, увитую золотым снуром или украшенную гамсбартами из барсучьего волоса шляпу я и принялась искать в сундуках с Митиным платьем, переворошив их и раз, и два до самого дна, заливаясь слезами, но не отказываясь от своего намерения. Заставшая меня за сим занятием маменька разрыдалась за мною следом, и с тем сундуки — ящики Пандоры — были вновь крепко заперты. А мы после завтрака отправились ставшим привычным за эту неделю маршрутом — на деревенское кладбище. Но, признаюсь Вам, милый А., не было умиротворения в душе моей, когда склонилась я над могильным холмом, и на сей раз губы не шептали смиренной молитвы. Воспаленные от слез глаза мои были обращены на противоположный берег, где тяжело навис над Эльбою отчего-то страшный мне замок. До боли сжав в руках Священное Писание, я твердила себе, что той шляпы не было среди вещей брата. А значит, она принадлежала кому-то другому.

Тому, кто находился в комнате, когда Митя кончал с собою. Сей человек — да и человек ли? — после встал, забрал шляпу и, пока на звук выстрела сбегались соседи и прислуга, вышел из сельской гостиницы через черный ход.

И теперь, милый А., он снится мне каждую ночь — человек в шляпе с пером. Он всегда стоит, отвернувшись от меня, в тирольской же куртке и с тростью в руках: массивный, с квадратной спиною. Во сне я окликаю его, виню в смерти единственного брата. Но когда он начинает медленно оборачивать ко мне голову на толстой шее, ужас мой становится непереносим: я с криком просыпаюсь и долго еще лежу с вырывающимся из груди трепещущим сердцем.

Милый А., прошу Вас лишь об одном: прочесть последнее письмо брата и дать нам с маменькой знать, что же случилось с нашим Митей. Отчего он решил окончить свои дни? Возможно, в том письме будет и о неизвестном в тирольской шляпе? А если так, то, да простит меня Господь, будь он проклят, проклят, проклят навеки!

ГЛАВА СЕМНАДЦАТАЯ

Унынье томное бродило тусклым взором
По рощам и лугам, пустеющим вокруг.
Кладбищем зрелся лес; кладбищем зрелся луг.
Пугалище дриад, приют крикливых вранов,
Ветвями голыми махая, древний дуб
Чернел в лесу пустом, как обнаженный труп.

Петр Вяземский

У лакея Липецких, Кондратия, имелась одна страсть. Страсть как любил Кондрат рыбачить. Червей накопал загодя, было у него свое место; завязал в узелок стащенную у Михайловны краюху черного хлеба и свежую луковицу и спозаранку спустился к воде.

Весла мерно погружались в курившуюся туманом воду — новый ясный день уж занимался наверху, в поле. Благорастворение воздухов и птичьи трели. А здесь, под обрывом, было еще совсем темно и тихо. Опознав в предутренней мгле по одному ему знакомым меткам богатый для ловли пятачок, Кондрат выпрямился в покачивавшейся лодке и выбросил на веревке за борт два старинных, еще с прежнего, польского барского дома оставшихся кирпича. Разошлась возмущенными кругами потревоженная гладь и вновь стала ровна и тиха. А Кондрат, развязав полотняный мешок, бросил подкормку по кругу и стал ждать клева. Клев и затеялся сразу: лещ пошел косяком, только успевай подставлять садки — и скоро рыбье племя забилось рядом с голыми ногами

Кондрата, выгибаясь то коричневым бочком, то золотистым брюхом. Лодка наполнилась жизнью: колотились влажно хвосты, разевались, будто проклиная его, Кондратия, безгласые рты, астматически вздымались и опадали бока. Не глядя на улов, Кондратий, ссадив с крючка, бросил очередную рыбину в общую блестящую чешуей массу, поднял глаза от удилища и — замер. Мимо него по реке плыла Глашка. Белая полотняная рубаха была влажна то ли от речной воды, то ли от обильной утренней росы, тоненькие ручки-прутики молитвенно сложены на груди, узенькие ступни вытянуты, будто покойница хотела привстать на цыпочки да увидеть то, что ее ждет на той стороне, в вечной жизни. Но страшнее всего, от чего Кондрат с отвратительным звуком шлепнулся в самую гущу своего улова, была голова девочки: чисто выбритая, совсем маленькая. Без привычной массы густых кос оказалось, что покойница по-детски лопоуха. Носик заострился, синюшные губы запали, обнажив два передних зуба с изрядным зазором, голубые глаза, почудилось Кондратию, смотрели в светлеющее небо с детской же обидой. Не сразу, но понял Кондратий, что девочка плывет не сама по себе, а на тесном плоту.

Подтянув дрожащими руками со дна кирпичи в лодку, он тронулся, то и дело крестясь и растерянно оглядываясь по сторонам, за Глашкой вниз по течению. Следовало перехватить плот с покойницей, только вот как это сделать, Кондрат понять не мог — так и плыл следом, будто за особенно крупной рыбой-царевишной, и не мог оторвать от нее завороженного взгляда, отмечая то царапины на сложенных на груди бледных руках, то нежную вышивку по подолу рубахи и вспоминая с упавшим сердцем, что мать покойницы Феклуша по части рукоделия у барыни любимая мастерица. Наконец впереди, над обрывом, показалась белая беседка. Оттуда уж рукой подать и до отмели и мостков, на которых бабы полоскали свое и барское белье.

Кондратий несколько раз взмахнул веслами, чуть опередил плот и, сдерживая дыхание, стал потихоньку теснить Глашку к мосткам. И плот, будто унаследовав за хозяйкой ее тихое послушание, беззвучно ткнулся в подгнившую опору и закачался меленько, в такт Кондратовой лодке, где продолжали прыгать и бить хвостами лещи — еще такие живые по сравнению с бледной обритой девочкой. Сглотнув, Кондрат одной веревкой привязал плот к лодке и лодку к мосткам, а после выпрыгнул на холодный песок и побежал вверх по тропе. Пару раз упал, запнувшись на торчащих из земли сосновых корнях, но вновь вскочил и уже у самого края обрыва наткнулся на высокую сутулую фигуру доезжачего.

— Глашка... — прохрипел он, впепившись тому в рубаху.

И Андрон, медленно отцепив руки Кондрата, молча глядел тому в вытаращенные глаза, чувствовал несвежий луковый дух от прерывистого дыхания... А видел все то ж, что не давало ему спать последние две недели: сумрачный лес и растерзанных окровавленных зверьков. Пора. Пора рассказать барышне о тех смертях, решил он. А о домыслах своих стариковских — ни слова. О них Андрону и самому страшно было думать.

* * *

Глашка лежала, прикрытая рогожей, на грубо сколоченном столе в леднике для челяди. Взгляд Дуни невольно искал под суровой тканью очертания тела, и это ей вполне удалось. Тоска сжала сердце: княжна положила ладонь туда, где должен был быть Глашкин лоб, но, почувствовав сквозь шероховатые волокна обритую голову, отдернула руку. «Велика рогожа, да носить ее негоже» — вспомнилась крестьянская поговорка. Знакомая дворовая девочка словно превратилась в иное, неизвестное существо. Оно, это существо, знало убийцу, мучилось в его руках и погибло, на него глядючи. И это знание тоже делало мертвую Глашку совершенно отличной от живой. Мертвая Глашка будто стала значительней ее, Дуни. Да что там, значительнее всех собравшихся вокруг взрослых.

Авдотья кинула взгляд на Пустилье, с потерянным лицом протиравшего и укладывавшего обратно в саквояж медицинские ножи.

— Как тяжело, княжна, — вздохнул он. — А я-то, старый дурак, воззрадовался было, что дело кончилось одной дуэлью... Как бы не так!

Дуня отвернулась. Она тоже надеялась, что у такой страшной истории получился столь ясный для людей их круга конец. Пусть Габих и был серьезным противником, но на речной отмели он играл в знакомые игры. Четко выверенный дуэльный кодекс позволял расправиться с ним по «их» правилам. Но от этого окоченевшего тела пахло раз и навсегда освобожденным от всех правил безумием. Реющим, как Дух зла, над полями и лесами вкруг Приволья. «Пусть и окружены они были неприятелем, — думала с горестью Авдотья, — а все же стояли на своей земле и, как Антей, черпали из нее свою силу. И вот теперь убийца будто отравил саму почву у них под ногами. И они стали хрупкими, как найденное в прошлогоднем гнезде пустое птичье яйцо».

— А я все-таки не могу понять, отчего он бреет им косы. — Пустилье закрыл с сухим щелчком свой докторский саквояж. — В этом есть что-то варварское... Вроде древнего колдовства с Алеутских островов.

— Возможно, для него женщина без волос уже будто и не женщина, — услышала Дуня негромкий голос от дверей ледника. — Она лишается своего пола. Знаете, как рожденный лысым младенец или полностью утратившая волосы древняя старуха.

— А ежели ему стыдно? — повернулась Авдотья к де Бриаку. — Ему кажется, что коли он обреет им волосы, лишив женского начала, и спустит по реке погребальный плот, то избавится от чувства вины?

— Не знаю, — устало пожал плечами Пустилье, закрывая со щелчком свой саквояж. — И, сказать по правде, не хочу знать.

— Никто не хочет, — вздохнул де Бриак. — Но надобно пытаться. Вы же сами сказали, доктор: мертвые умеют говорить. И пока, увы, они наши единственные собеседники. — Темные блестящие глаза заглянули в Дунино заплаканное лицо. — Княжна, — тихо сказал майор, подошед к ней чуть ближе, чем допускал этикет. — Родители девочки могут забрать тело. А вам следует пойти в дом и прилечь.

На сей раз Дуня не стала спорить, а кивнула и повернулась было к выходу, как вдруг заметила в руках доктора холщовый мешочек.

Лошадка, поняла она, содрогнувшись. А вслух спросила:

— Вы снова нашли ее?

Пустилье кивнул.

— И песок. Все тот же песок.

— Покажите, — сглотнула Дуня. — Пожалуйста. Я хочу ее увидеть.

Пожав плечами, Пустилье аккуратно развязал мешочек и вынул двумя пальцами за круто выгнутую шею. Дуня смотрела на игрушку, не решаясь взять в руки. Все в этой маленькой лошадке теперь казалось ей зловещим: и цвета — кроваво-красный и смертный черный, и сама примитивность ее, грубость, будто жестокий шаман использовал ее в своих страшных ритуалах.

Она тускло улыбнулась доктору — довольно, ничего особенного в ней нет. Пусть отправляется обратно в свой холщовый мешок, как мертвая Глашка — под мешковину, когда вдруг услышала от дверей ледника знакомый голос. Сначала по-французски:

— Да пропустите же меня!

А потом по-русски, совсем мальчишеским фальцетом:

— Это моя, моя лошадка!

* * *

Хитрец и не пытался сразу пробраться поближе — открытая дверь наполовину вросшего в землю ледника давала под определенным углом неплохой обзор, добавим к тому отцовскую подзорную трубу, умение барских детей не хуже дворовых лазать по деревьям и старую раскидистую липу...

— Это не твоя лошадка, — спокойно сказала Дуня, а де Бриак кивнул своим солдатам пропустить молодого барина внутрь.

Бросив любопытствующий взгляд на прикрытое рогожей тело в дальнем углу, Николенька протянул розовую полудетскую ладонь: покажите-ка.

Пустилье, улыбаясь, снова достал лошадку. Ничуть не смущаясь («Ах да, — вспомнила Дуня, — он же не в курсе, где *их* находят!»), мальчик выхватил ее из рук доктора и ласково погладил указательным пальцем гривку игрушечного конька. А после, повернув на свет, торжествующе протянул Авдотье:

— Вот же! Видите, сестрица, на хвосте подпалину? Это когда о позапрошлом годе весь день дождь шел, а я в солдатиков играл рядом с камином! Я забыл про него, он забился за экран, и на него упала головешка! Папá еще попенял мне, что я устроил пожар, помните?

И Дуня и вправду вспомнила тот позапрошлый бесконечный август... И как боролись в имении с сыростью, разжигая с раннего утра огонь, а после завтрака тотчас собирались вкруг него: Дуня с Алешей, как водится, с романами в руках, маменька — с рукоделием, а Николенька, объявив, что в детской его «противно», перенес всю огромную коробку с солдатиками в гостиную, где около часа старательно расставлял на полу перед камином свои войска, пытаясь, как он объявил маменьке, полностью воссоздать баталию трех императоров под Аустерлицем. В тот момент, когда Николенька выстроил уже центральное соединение под предводительством Кутузова, в гостиную после доклада управляющего вошел недовольный то ли Андреевым хозяйствованием, то ли обострившимися от вездесущей влаги болями в старом ранении, папенька. И сразу почувствовал запах горелого: упавшая за шелковый экран головня уже заставила куриться пол и оплавила лак на хвосте Гаврилова конька. Папенька тогда выгнал Николеньку со всем его игрушечным воинством из гостиной.

Не желая верить собственным воспоминаниям, Авдотья, упрямо выставив вперед подбородок, протянула руку и взяла не без внутренней дрожи лошадку к себе на ладонь. А Николенька, возбужденный находкой, все трещал рядом:

— Поглядите, сестрица, тут и царапинка есть, это я ее сам поцарапал, еще раньше, чтобы проверить на твердость, и тут еще краска потекла, видите, у моей так же было, я помню. Говорю же вам, Эдокси, это моя, моя лошадка!

А Дуня враз онемевшими пальцами все ощупывала и ощупывала ту метку с позапрошлогоднего лета, будто совсем уж из другой жизни. Словно старый шрам: думали, что затянулся, и вот на тебе — все на месте, на месте, на месте. Выходит, и ужас вползал в сердце, как тот змеистый туман из ее сна, эта лошадка не из внешнего мира. Не куплена убийцей где-то на ярмарке, не найдена, забытая деревенской детворой в соседней избе, не украдена из-под бока у ее пьяного вусмерть создателя. Нет, она родом из ее дома, всегда, даже сейчас, в войну, служившего ей защитой. А это значит, что между нею, Дуней, и душегубом, что мучил и насильничал над маленькими девочками, нет никакого зазора: он стоит прямо за ее спиной, внутри ее ласкового уютного мира. В ушах у княжны вдруг зазвенело, и она выпустила игрушку из рук. И та, будто насмехаясь над ней, перевернулась, проскакав себе весело в воздухе, и приземлилась на пол ледника в свежей деревянной стружке. А Николенька, оторвав глаза от лошадки, вдруг увидел, как сестра, словно в старинном менуэте, сделала, покачнувшись, шаг назад, и в ту же секунду, будто угадав этот шаг, французский офицер шагнул вперед и подставил руки, в которые та и упала. А наглец, одной рукой придерживая сестрицу за талию, другой поспешно скинул ментик с плеча и осторожно, как бог весть какое сокровище, опустился с ней на землю. Да так, что голова Эдокси легла прямо к майору на колени, отделенная от неприятеля лишь сложенной наподобие подушки гусарской курткой.

— Пустилье! — поднял нахал голову. — Давайте сюда ваши чертовы капли!

Толстяк доктор распахнул свой саквояж, вынул флакончик темно-синего стекла, несколько раз встряхнул его на тряпицу (в воздухе поплыл острый, схожий с материнскими гарлемскими каплями, запах) и склонился над Дуней, подставляя тряпицу ей под нос. А майор самым возмутительным образом схватил руку сестры и сжал ее.

Тут уж Николенька не выдержал, бросился вперед:

— Виконт, извольте вести себя пристойно!

Оба француза одновременно повернули к нему удивленные лица, но ответил ему только доктор:

— Боюсь, князь, вы неправильно поняли намерения майора: он считает пульс княжны.

Несмотря на это, де Бриак уронил сестрицыну ладонь, и тут она дрогнула веками, с шумом вдохнула и очнулась.

— Прошу прощения, — оперлась Дуня на поспешно поданную Николенькой руку и встала. — Лишаться чувств мне обыкновенно несвойственно...

— Что вы, княжна! — снисходительно улыбнулся, пряча обратно свою склянку, Пустилье. — Благодарите нонешние бескорсетные моды. Во времена моей молодости дамы лишались чувств по несколько раз за вечер. Танцы, жара, эмоции от смены партнеров в котильоне...

— Вы устали, — вступил, глядя в пол, де Бриак. — Мы все взвинчены, уже столько дней живем с этими невыносимыми смертями и собственной беспомощностью.

И почему-то покраснел.

Николенька, готовивший уж было слова извинения за свою неуместную выходку, решил-таки прощения не просить, потому как сестрица, быстро кивнув (и тоже порозовев!), объявила, что ей пора: следует еще проведать родителей погибшей девочки — Липецкие взяли на себя расходы по похоронам. Здесь имелся и расчет: обмывали тело дворовые, они же держали язык за зубами — истории с французовой аутопсией следовало уйти в могилу вместе с несчастной Глашкой.

Одетую как юную невесту, в вышитом цветами и птицами платье, бритая головка прикрыта белым платком, Глашку под плач родни вынесли из избы. Фекла, статная баба с таким же, как у дочери, волшебным светлым волосом, ныне наглухо заправленным под темный платок, сухими глазами следила, как бы гроб не задел за стену или за дверь. Рядом, опустив вдоль жилистого тела тяжелые руки, стоял Григорий-каретник и лишь часто смаргивал, когда особенно пронзительно вскрикивали потянувшиеся за гробом плакальщицы.

Гроб поставили на крытые сеном дрожки, и деревенские гурьбою пошли следом — вдоль реки к церкви. В церкви тело на ночь решили не оставлять — по жаре Глашка начала быстро «портиться». Псалтырь над ней был уже читан, а нагрешить девочка успела мало. Так, отпев, и понесли на погост. Первым, крепко держа на вытянутых руках икону Богоматери, шел Андрон, после — Кондрат с Иваном, лакеи Липецких с крышкою от гроба, за ними — сухонький деревенский поп, а потом уж — почти невесомый гроб с тонкой, будто лучинка, покойницей. Завершала похоронную процессию семья с рыдающей родней — почти вся деревня.

Зайдя за свежеструганные кладбищенские ворота, свернули налево — к новому, православному наделу кладбища — еще совсем прозрачному, в светлых деревянных крестах и высаженных меж ними недавно тонкими березках. Центр и землю над рекой занимали польские могилы — крытые сухим мхом, потемневшие от времени камни да приземистые каменные же кресты с высеченными неразборчивыми фамилиями на латинице. Вольно и мощно разросшиеся двухсотлетние дубы давали здесь, в старой части погоста, тяжелую тень. В сей глухой тени никто не заметил скорчившегося человека. А тот неотрывно смотрел на сгрудившуюся близ вырытой ямы процессию. Оттуда сюда, в темный, влажный угол, доносился бубнящий голос батюшки: он словно убаюкивал истеричные всхлипы родни, заговаривал догорающее светило, пока все кладбище не окуталось молочным светом летних сумерек. День умер, с ними утих плач, перешел почти на шепот священник, и, нарушая тишину, сильно и нежно запел вечерний дрозд.

А человек в тени, слушая птичью песню, видел в толпе вокруг могилы фигурку в светлом сарафане, словно одинокую свечку в темном храме. Девочка, прислонившись к боку оледеневшей от горя матери, то и дело поднимала к лицу ладошку, чтобы отереть текущие по щекам слезы. Плотно обхватывавший головку платок скрывал детский профиль, но из-под плата выпрастывалась и стелилась по спине широкая и тяжелая коса. Коса эта, будто белокурая змея, завораживала человека в тени, звала отдельным от девочки, низким колдовским голосом, искушала, притягивала к себе, томила, сводила с ума. Он прикрыл глаза, дабы справиться с искушением, не броситься тотчас же туда и, намотав туго косу на руку, не потащить ребенка к реке. Пел, подстрекая его, черный дрозд — диавольское создание, символ плотского греха. Сквозь сомкнутые веки человек слышал стук земли о крышку гроба, краткий финальный всплеск плача. А после — тишина: только та же навязчивая птичья трель.

Он решился разомкнуть веки — и увидел ее, замершую над свеженасыпанным холмиком с простым крестом, одну-одинешеньку. Будто зверь, огляделся по сторонам: где все? Поторопились прочь, есть кутью с блинами? А если так, то... Вспотевшая ладонь его сама потянулась в карман и до боли сжала деревянную фигурку.

— Анфиска! — позвал чей-то женский голос.

Чародейская белокурая коса, на мгновение помешкав, чтобы послать ему прощальный привет, дернулась и, подскакивая на спине у хозяйки, растворилась в жемчужных сумерках.

ГЛАВА ВОСЕМНАДЦАТАЯ

Здесь мы нашли мальчика лет четырнадцати, который в маленькой комнатке срисовывал копию с картины Рубенса. Копия прекрасная: она почти кончена. Это крепостной человек гр. Головина. Я говорил с ним. В нем определенные признаки таланта; но он уже начинает думать о ничтожестве в жизни, предаваться тоске и унынию. Граф ни за что не хочет дать ему волю. М-в (приятель Никитенко) просил его о том. Тщетно. Что будет с этим мальчиком? Теперь он самоучкою снимает копии с Рубенса. Через два, три года он сломает кисти, бросит картины в огонь и сделается пьяницею или самоубийцею. Граф Головин, однако, считается добрым барином и человеком образованным... О, Русь! О, Русь!

А. Никитенко

Дуне не спалось. То ей было душно и она, откинув полог, приказывала Настасье приоткрыть окна в сад, то докучали мошки, и она звала Настасью же их ловить. Собственная голова казалась ей чугунком из потасовского партизанского лагеря с густо намешанной в нем тоскливой кашей. Она не желала думать, не хотела ничего знать. Она хотела пережить эту ночь, отодвинув воспоминания о востроносом растерянном личике на столе в леднике. А еще княжна решила, что уедет, непременно уедет, как и предлагал ей сосед, домой в Москву, где нет Этьена (что ей Этьен? — твердила она себе. Его вскоре не будет и в Приволье!), но и привольского ее кошмара тоже нет. И тогда меж нею, Эдокси, и мертвой Глашкой проляжет не только время, но еще и расстояние. И два оных отлично себя зарекомендовавших лекарства избавят ее от тягостной хандры, а пуще того — от свернувшегося аккурат там, где проходил высокий пояс ее ампирных платьев, тревожного страха.

Страх делал ее неуклюжей — весь сегодняшний вечер у княжны все валилось из рук. После разбитой за вечерним чаем второй чашки из маменькиного любимого гарднеровского сервиза княгиня отправила дочь в постель. Александра Гавриловна предполагала рассеянность, свойственную влюбленным, и волновалась. Но не влюбленность, а все тот же страх мешал Дуне заснуть тихой ночью. Он поднимался, бился в горле, грозя выйти на поверхность криком. И тогда уже ничего не останется от княжны Липецкой, наследницы высокого рода, а, липкая от ужаса, она забьется, как напуганный кутенок, под кровать... Кутенок! — вдруг вспомнился ей солово-пегий Милкин сыночек, уютно уместившийся у нее на ладони. И так захотелось ей вдруг вновь прижать к себе теплое доверчивое тельце, почесать за нежным ушком! А то и вовсе (благо маменька по прошествии стольких лет не могла нынче заподозрить дочь в подобном) взять щенка к себе в постель и заснуть с уютно пахнущим молоком комочком.

Желание было столь сильно, что Авдотья спрыгнула на пол и накинула капот.

— Я на псарню, — прошептала она сонной Настасье, и та кивнула: на псарню так на псарню, лишь бы барышня боле не дергала, и вернулась на свой войлок.

А Дуня, внезапно уверившаяся, что все делает правильно (да-да, кутенок — это именно то, что ей нужно), отправилась по липовой аллее и вскоре свернула на тропу, ведущую к псарне. Щебень скрипел под домашними туфлями, а к сладким ароматам липового цвета стал примешиваться острый запах псины... И вскоре перебил все остальные. Еще несколько шагов и перед нею показалась и сама псарня. На пороге ее сидел Андрон.

Увидев шедшую к нему схожую в широком светлом капоте с бесплотным духом Авдотью, старик вскочил, покачнувшись, и громко икнул. «А ведь он пьян», — нахмурилась Дуня и очень удивилась. Само по себе пьянство дворовых было для нее делом привычным, но доезжачего она до сего дня ни разу во хмелю не видала — да и не доверил бы батюшка своих любимых собачек не трезвеннику. Однако, заглянув в тоскливые Андроновы глаза, поняла: пьян Андрон после Глашкиных поминок. И вздохнула: зря пришла. Никуда ей от своих страхов не деться. А Андрон вдруг медленно сложил циркулем длинные свои ноги и упал пред ней ниц.

— Матушка, Авдотья Сергеевна, — простонал он. — Грешен я перед вами, и батюшкой вашим, и всем миром честным...

— Господь с тобою, Андрон, — сделала она шаг назад. — Когда ж ты так нагрешить успел?

— Много лет уж. Молвить тяжко. А не молвить — так вон оно что случилось. Аспид невинные души губит, одну за другой. А я, выходит, за них в ответе...

— Ты... — дрожащим голосом начала Дуня. — Ты знаешь душегуба?

Андрон, пьяно всхлипнув, с силой замотал головой. Дуня осторожно выдохнула.

— Так в чем тогда, скажи на милость, твоя вина? И встань же наконец с колен!

Андрон послушно поднялся, сел рядом с Авдотьей на хранившее бесчисленные следы собачьих зубов бревно у входа на псарню.

— Помните, барышня, вы совсем дитятей были — пара гончих у нас пропала? Мне еще тогда Сергей Алексеич наказал плетей дать, а вы рвались ко мне, плакали шибко? — Дуня кивнула. Она помнила: это был первый и единственный раз, когда Андрона пороли. — Батюшка ваш о ту пору посчитал, что украли собачек-то. Может, кто из ляхов людей своих подослал — чтобы, значит, породы свои улучшить. Только вот не соседских рук это было дело. — Андрон склонил еще ниже лохматую голову. — Нашел я, барышня, собачек-то после. В ельничке, в канаве и сыскал. Батюшке вашему о том ничего не сказывал, боялся, осерчает на меня снова: собачки-то были задушенные и изрезанные все.

— Изрезанные? — Дуня почувствовала, как выползает исподтишка, будто волглый туман из темной норы, липкая тоска, заполняя ее всю своим холодом.

Андрон кивнул.

— На том дело не кончилось. Мужики зверюшек в своих силках находить стали...

— Изрезанных? — повторила эхом Авдотья.

— Изрезанных. А то и вовсе будто освежеванных. Одна кровь да мясо — уж не понять, какой зверь: заяц иль куница. Сказывали, волк какой сторожит наши плашки да кулемы. А может, и медведь. А после дерет изуверства ради.

— Но ты не поверил? — прошептала Дуня, стягивая ледяными пальцами капот на груди.

Андрон снова пьяно икнул, поднял слезящиеся глаза.

— Нет, барышня. Волк да медведь ради забавы не дерут. Ради нее один человек убивает.

— Но ведь... — Дуня почувствовала, что дрожит. — Ведь это давно было, Андрон.

— Давно, шесть лет как, — подтвердил Андрон. — А потом четыре года — тишина. Ничего.

— Первая девочка пропала пару лет назад. Думали, утонула, — вспомнила Дуня.

Андрон снова кивнул:

— И сейчас две с начала лета, барышня. Будто зверь в нем требует все больше.

Дуня кивнула, поднялась с полена, погладила старого Андрона по седеющей голове.

— Твоей вины здесь нет, Андронушка, — сказала она.

И пошла уж было к дому, но вновь повернулась к оставшемуся стоять у псарни доезжачему:

— Как думаешь, Андронушка, отчего он четыре года не убивал? Даже зверей не трогал? Почему выжидал?

255

Андрон молчал. Человечьим голосом что-то крикнула на речке выпь, но Авдотья даже не вздрогнула. Напряженно вглядываясь в белевшую в темноте фигуру, она ждала ответа. И увидела, как дернулись широкие жилистые плечи в светлой рубахе.

— Волк завсегда волк, барышня. Все одно убивал. Только, видать, в другом месте.

* * *

Приказав сварить себе кофию, княжна решительно отправилась в отцовский кабинет. С батюшкой переговорить она еще не успела и даже втайне обрадовалась, когда, выглянув после бессонной ночи в окно, застала над Привольем поволоку дождливой хмари. Смена погоды всегда вела у матушки к мигреням, а у папа́ — к болям в ноге, и потому оба родителя ее после утреннего чаю так и не вышли из спален. А это значит, с некоторым смущением решила Дуня, что кабинет и учетные отцовские книги оказались в полном ее распоряжении. Одна беда: без Андрея она понимала в них как в китайской грамоте. Ей нужен был управляющий. И она хотела видеть Этьена.

Послав за Андреем и отправив записку де Бриаку и доктору с просьбой прийти, она уселась за отцовский рабочий стол и неподвижно уставилась на бронзовую чернильницу с фигуркой арапчонка. За арапчонком в просвете между тяжелых гардин лил дождь; размеренно тикали напольные часы, погружая Авдотью в странную полудрему. Ей стыдно было себе признаться, что она более не желает искать душегуба, а мечтает лишь об одном, чтоб страх, охвативший ее с той минуты, как Николенька признал свою лошадку, отступил и дал дышать и смотреть на мир с прежней доверчивостью. Но страх только ширился, нарастал, подобно девятому валу. Прикрыв веки, Дуня с трудом сдерживала желание сбросить поднос с кофейником на пол. Да так, чтобы изящная чашка разлетелась на тысячу осколков, да еще и ошпарила кофием, дав повод вволю накричать на сенную девушку, отослав ее за нерадивость на конюшню. А самой весь день заниматься ожогом, делая припарки из настоя просвирника и шиповникового масла. И так переключиться на эту простую боль — чтобы та заслонила ставшую невыносимой душевную смуту.

Дуня вздохнула (может, и верно дать себе волю?), но тут в дверь постучали, и, поднявшись из-за стола, она увидела Этьена. Майор был в домашней серой куртке, темные волосы по-домашнему же зачесаны назад, обнажив чистый высокий лоб, и от одного взгляда на него терзавший ее страх отступил, а сердце замерло, но через секунду быстро и сильно забилось снова. А вместе с этим живым, радостным биением она почувствовала, как тепло расходится по всем членам, поднимается к щекам, вызывая непрошеные слезы. Он пришел! И пришел один, отослав за какой-то надобностью Пустилье, а от остального мира их отделяла стена дождя и его глухой шум. Авдотья, еще минуту назад убаюкивающая свое отчаяние, вдруг стала ошеломительно, непреложно счастлива. Смуглые губы де Бриака сложены были в неопределенную светскую улыбку, но взгляд его излучал напряжение, молил, требуя согласия на неминуемое объяснение. Смотреть в это лицо было мучительно, но оторваться — невозможно. Ненаглядный, вспомнила Авдотья слово, аналога которому во французском не знала. Так влюбленные дворовые девки говорили о своих суженых. «И верно, — подумала она. — Как на него наглядеться? Он источник, из которого пьешь и чувствуешь вечную жажду. А я... я рвусь в беду свою».

И, чувствуя, как краснеет и щеками, и шеей, и спрятанной под фишю грудью, Авдотья заставила себя отвести глаза и потупилась.

— Майор, — присела она в неглубоком книксене.

— Княжна, — склонился он в ответном приветствии.

— Я позвала вас, — она на секунду замолчала, так и не рискнув вновь на него взглянуть. — Я позвала вас... — хотела она сказать «Потому что по странной игре Про-

257

видения дороже вас у меня теперь никого нет», но вслух закончила: — потому что вчера мне стали известны некоторые факты, связанные с убийствами.

— Я весь внимание, княжна.

— Возможно, — начала Авдотья, — убийца на несколько лет уезжал из Приволья, а теперь снова вернулся. Я надеюсь с помощью нашего управляющего составить список людей, удаленных от усадьбы и вновь возвратившихся два года назад...

И княжна в подробностях пересказала де Бриаку свою беседу с доезжачим. Но в чем бо́льшие детали она входила, в тем большее приходила смущение, потому как даже подробное описание произошедшего не могло объяснить, отчего ей вдруг понадобилась его помощь.

Однако де Бриак, похоже, отсутствия логики у княжны не заметил. В конце концов, подумала Авдотья, барышням логику иметь и не пристало. Она почти успокоилась, особливо когда сам майор вдруг резко покраснел, поинтересовавшись, как княжна почивала в эту ночь, и немедленно пояснил:

— Мертвая девочка. Похороны. Бессоница была бы весьма простительна.

Авдотья уж было призналась, что едва сомкнула глаза, когда за дверью послышался неестественно громкий кашель и в кабинет мелким шагом вошел Андрей. Хмуро поклонившись «бусурманину», он выжидающе встал перед опустившейся обратно в кресло у стола Дуней:

— Чего изволите, барышня?

Авдотья раньше никогда не вела с Андреем долгих бесед и не совсем знала, как держаться. Но, ощупав домашней туфлей скамеечку для ног под папенькиным столом, сразу почувствовала себя увереннее и ровным голосом произнесла:

— Батюшка уверяет, у тебя, Андрей, память, как у слона. Потрудись вспомнить, кого из наших людей Сергей Алексеевич посылал на обучение? Может, и в книги учетные заглядывать не понадобится.

— Из дворовых?

Дуня задумалась: задача могла оказаться сложней, чем она предполагала.

— И из дворовых, и из барщинных, и из оброчных, — решила она.

— Как же-с, барышня, так и не припомнишь... — начал свою вечную прелюдию Андрей, набивая себе цену и притворно закатив глаза. — Ну вот Парашку отослали к французской мадам (тут он кинул быстрый взгляд на де Бриака) — чтоб, значит, заодно и по-французски выучилась...

Авдотья перевела:

— Одна девушка, прекрасная кружевница, была отправлена в услужение ко швее в Москву.

— Дамы, боюсь, сразу отпадают, — пожал плечами Этьен.

— Только мужеского полу, — уточнила Дуня для Андрея.

— Тогда Матвей, Федотов сын, — почесал в голове управляющий. — Их светлость его на повара послали выучиться. Чтобы, значить, и похлебки, и подливки студеные и горячие, и в варении и тушении разных мяс, рыб и дичины не хуже, чем в ихнем (кивок в сторону француза) Париже поднаторел. — И добавил не без зависти: — Такой до ста рублей в год получает, это ежели еще и пастеты умеет. А продать его и вовсе за тыщу можно...

Дуня перевела все, стыдливо опустив пассаж про продажу.

А Андрей продолжал:

— Дальше — на фершала Парамон Пафнутьев — оттого, что трезвенник. Чтобы, значить, и дворовым мог кровь отворить, и лошадок с собачками попользовать. Потом, из мальчишек, назначенных в науку, Савелий, Никифоров сын, в училище определен — в помощники мне, поверенные служители. И еще двое — в домашние счетоводы. Антон-то Кузьмин, ловкий черт, слыхали?

Дуня не слыхала.

— В Медико-хирургическую академию при московском гошпитале попал. Как хирургом станет, то его уж не секи, чего б ни натворил! Еще два года — и будет у вас с папенькой свой дохтур, — с гордостью закончил Андрей.

Дуня вежливо улыбнулась: ее саму в столицах пользовали исключительно немецкие врачи.

— Так разве ему вольную не дадут, Андрей?

— С чего бы вдруг? — покачал головой управляющий. — Ты сначала бумагу получи да шесть лет у хозяина послужи!

— Это все? — Дуня посмотрела в список, который вела одновременно с Андреевым рассказом.

— Куда там! Еще Рупин, сильно способен был к пению, его к итальянцу Мускети отдали, заодно наказали на скрипице научиться играть. — Андрей возмущенно втянул носом воздух. — А по мне, так баловство это все. Пусть в Петербургах своих поют, а нам в Москве того не надобно! — закончил он патриотично.

— В Петербурге, — пояснила Дуня де Бриаку, — и правда имелась традиция среди благородных семей иметь свои лодки, своих гребцов и своих певцов, дабы развлекать публику во время лодочных прогулок, как принято в Венеции. — И добавила: впрочем, она уверена, батюшка отправил Рупина учиться из соображений исключительно филантропических. Желания завести свой крепостной театр или хор, на манер графьев Шереметевых или покойного соседа Габиха, князь никогда не выказывал.

— Или вот еще, барышня: слыхали, как мы Карпа Макарова определили кондитерскому искусству, обучаться? К самому мусье Беранже! А тот, срамник, повадился заместо слоеных пирожков в соседнюю мастерскую к художнику бегать. Его уж тот мусье за отлучки и за волосья таскал, и плетью бил — ни в какую! Тогда мусье, значить, не выдержал, барину пожаловался: берите обратно, не способен он к моей науке! А Карп в ноги его сиятельству бросился: мол, хочу на художника учиться! Я Сергей Алексеичу говорю, мол, баловство одно, толку все равно не будет. Но Сергей Алексеич дал ему задание: птицу нарисовать.

— Помню! — улыбнулась Авдотья.

Карпов эскиз висел у нее в спальне в Приволье, изящно оправленный: вместо скучной птицы Карп изобразил саму Авдотью с букетом полевых цветов в беседке. Это был крайне лестный для княжны рисунок, на котором Дуня себе несказанно нравилась.

— Карпа же потом взяли в Академию художеств, так?

— Взяли, — кивнул Андрей. — Только вот их сиятельства столичные собрали аж три тыщи рублев, чтобы, значить, выкупить его у вашего батюшки. А барин денег не взял, так отпустил, а те тыщи, значить, ему же на Италию отложил.

Андрей вновь возмущенно шмыгнул носом, а Дуня улыбнулась воспоминанию.

Отец трепетно складывал работы Карпа в отдельную папку, что хранилась в его кабинете в московском доме, и гордился им так, будто тот был его собственным детищем. Эту историю она с удовольствием перевела французу. Более того, сама вспомнила о еще одном отданном в обучение не мальчишке уже, взрослом мужике из дворовых — столяре Никите. Никита придумал раздвижную лестницу, пригодную при тушении пожаров, и, несказанно впечатлив сей новацией виленского городничего, был отправлен барином «учиться технике» в тот же Геттинген, где обучался старший барчук...

«Может, — подумала Авдотья, — мы и варвары, каковыми считают нас европейцы, однако укажите мне на француза, который отправил бы слугу обучаться на свои средства в Академию художеств иль в Инженерную школу?»

Де Бриак же, внимательно выслушав Авдотьины рассуждения на тему осчастливленных помещиком крепостных душ, вместо умильной улыбки нахмурил бровь и повертел в руках листок; список включал в себя не более десяти фамилий.

— Тут не так много имен, — сказал он. — Но которые из них могли зайти к юному князю и незаметно забрать его лошадок?

Авдотья помолчала, чувствуя, как страх вновь сдавливает сердце.

* * *

Де Риваль, адъютант генерала Сорбье, прискакал в Приволье днем и был принят майором со всевозможным гостеприимством. Стол, несмотря на ясный день, был накрыт в бильярдной, как в комнате, наиболее отдаленной от центральной ротонды, что делало ее отличным местом для не предназначенных для чужих ушей переговоров.

Отдав чистить своему денщику пыльный адъютантский ментик и предложив гостю искупаться перед обедом в реке (предложение, кое де Риваль любезно отклонил), де Бриак повелел солдатам отодвинуть к стене бильярдные столы, приспособив их под холодный буфет — любимое императорское новшество. Взяв себе на тарелку фаршированных яиц и ростбифа, хмурый до сих пор де Риваль несколько приободрился, поведав майору и Пустилье последние новости, часть из которых они уже знали из армейских донесений.

Итак, император, проведя шестнадцать дней в Вильне, через двое суток самолично выедет в Свенцяны, дабы воссоединиться со своею гвардией.

— Прошло то время, — разглагольствовал де Риваль, — когда Екатерина деля Польшу, заставляла дрожать слабохарактерного Людовика в Версале и устраивала так, что ее превозносили все парижские болтуны.

— Вы держите за болтуна Вольтера? — поднял бровь де Бриак. С недавних пор любая критика российских императоров — и этой страны — отчего-то стала ему несносна.

Де Риваль поднял бровь:

— О да! И за преопасного. Но я о другом, — положил он себе в рот изрядный кусок сочащегося кровью ростбифа. — Я о ее внуке. Ежели Александру нужны победы, пусть ищет их на Востоке и не вмешивается в дела Европы, где его никто не ждет!

Де Бриак снова открыл было рот, но почувствовал на себе чуть насмешливый взгляд Пустилье и вместо этого спросил:

— А как вам показалась жизнь в Вильно?

Де Риваль закатил глаза, отпил кларета:

— Суета сует. Штабные, адъютанты носятся по всем дорогам. Император в неистовстве — русские ускользают!

— И много взято пленных?

— Увы. Стычки почти безрезультатны. Генерал Кульнев, отступая, изловчился взять в плен генерала Сен-Женье и немало солдат. — И де Риваль вздохнул: — Это наш первый пленный генерал за кампанию.

Между тем Наполеон был прав, срывая гнев на своих подчиненных. Промедление в кампании, — «этом польском деле», как называли ее в ставке, — обошлось уже весьма дорого. Первые же переходы под проливными дождями сказались губительным образом на войсках: в некоторых батареях пала треть лошадей. Отстали обозы, а обитатели деревень спасались в леса, угоняя с собою скот. Но и жара оказалась не лучше. Жара и пыль. Ветераны вспоминали Египет и сирийские пустыни.

— Говорят, — вновь подставил бокал под темную струю кларета адъютант, — в лесах формируются партизанские отряды. Мужики сами по себе не были бы бедой большой бедой, но вот помещики, встающие во главе отрядов! Все эти отставники, годами скучавшие в своих имениях, теперь, похоже, вспомнили запах крови.

Пустилье переглянулся с майором. Де Бриак кивнул: он слышал о партизанах. Решив не уточнять, от кого именно.

— Пуститься на такое предприятие, — понизил голос до шепота де Риваль, — было чистым безумием! Чего можно ожидать осенью, коли в июле ледяные дожди убивают лошадей и делают дороги непроездными? — Адъютант вздохнул. — Мюрат двинулся за армией Барклая, Даву устремился наперерез Багратиону. Вместе с восьмидесятитысячным войском короля Иеронима он быстро раздавит грузинского князька. Однако план императора разделаться с 1-й западной армией в приграничном сражении потерпел крах.

Veni, vidi, vici[1] не удалось. Де Бриак понимал расстройство де Риваля. Кому охота забираться во глубину российских степей?

— Однако мы заняли очень выгодную позицию, — сказал он вслух, подлив вина в бокалы доктору и адъютанту. — Вклинились между двумя армиями. А промедление — что ж. Отдых полезен и лошадям, и людям. Подтянулись тыловые подразделения, войска вновь обеспечены продовольствием...

— Все так, — вздохнул де Риваль. — Наш император, несомненно, разработал за это время новый блестящий план. Скажу одно: после промедления начнутся форсированные марши на Смоленск. Хорошо, если дадим генеральное сражение и Александр предложит нам мир. А ежели придется уходить все дальше на север? — Адъютант поежился. — Не знаю, как вы, Бриак, а я ненавижу холод!

— Значит, пора собираться, — вздохнул Пустилье, доставая трубку из кармана сюртука. — Император вряд ли даст простаивать конной артиллерии.

— Еще бы! Не за красоту мундира ваши молодцы получают повышенное жалованье! — хмыкнул де Риваль, с нескрываемой завистью оглядывая полный изящества интерьер бильярдной. — Место ваших батарей — в авангарде главных сил, под вражеским огнем.

— Ничего. — Де Бриак тоже закурил и открыл створку окна. — Наши молодцы нынче стреляют вдвое чаще из своих более легких пушек. Передайте генералу, что мы тоже времени зря не теряли: отрабатывали излюбленный прием императора, маневр подвижного резерва.

— Император наш и сам артиллерист, потому и маневр его весьма успешен, — выпустил кокетливое колечко дыма де Риваль.

Доктор мрачно покачал головой:

— Какие победы и прибавка к жалованью могут оправдать уязвимость от вражеского огня? Скольких

---

[1] Пришел, увидел, победил (*лат.*). Знаменитое донесение Гая Юлия Цезаря, ставшее крылатым выражением.

мы хороним, Риваль? Сколькие остаются без ног и рук и мечтают быть на месте похороненных? Иль вы, вслед за Расином, полагаете, что солдатам легко жертвовать жизнью, ибо она у них слишком тяжела? Забыли напитанную кровью землю Прейсиш-Эйлау?

Де Бриак молча кивнул, отвернулся к окну. На секунду ему показалось, что меж старыми липами подъездной аллеи мелькнуло знакомое белое платье. Это нежное платье отвлекало, теребило душу. Наступление, потери в людях и лошадях, перебои в поставках фуража, форсированные марши под будущими метелями — вот о чем стоило бы думать, а не о растерянном и счастливом лице русской княжны совсем рядом с его лицом сегодня утром. И что прикажете делать бедному сердцу? Мучиться скорой разлукой? Радоваться последней возможности заглянуть ей в глаза иль вновь страдать — теперь уже от пытки обращаться с ней словно с посторонней?

Он с досадой захлопнул окно, задернул гардину. Де Риваль взглянул на него с удивлением, приняв этот жест за сигнал откланяться. Де Бриак не стал его задерживать. Пустилье пошел провожать адъютанта, а вернувшись в бильярдную, нашел своего майора в глубоком вольтеровском кресле в глубокой же задумчивости. Пальцы выстукивали на солидной ручке красного дерева военный марш. Он вскинул черные блестящие глаза на доктора и произнес:

— Я никуда не уйду, пока не найду убийцу.

— Даже если получите приказ выступать? — улыбнулся доктор его запальчивости. — А получите вы его скоро.

— Как я могу оставить ее с ним? Одну?

Пустилье молча смотрел на своего майора. Он не спросил кого, лишь пожал плечами:

— Княжна, благодарение Богу, еще не сирота.

Девица находится под защитой своего отца, покамест не выйдет замуж. И, исходя из обстоятельств, вряд ли счастливым супругом окажется майор — вот что хотел сказать доктор своему командиру. И тот вполне понял намек: вскочивши, мотнул головой, что твой арабский скакун (кавалерист!), и, пробормотав нечто неразборчивое, быстро вышел из бильярдной.

* * *

Дуня столкнулась с ним на крыльце, минут через десять после того, как по липовой аллее ускакал неизвестный военный чин — лишь сверкнула под полуденным солнцем золотая бахрома на правом эполете.

— Дайте мне слово! — схватил он ее за руку и сразу отпустил, сам испугавшись своей горячности.

Дуня замерла: вот оно, неминуемое объяснение!

А тот продолжал:

— Дайте мне слово, княжна, что никогда более не отправитесь одна в лес. — Он поправился, глядя на свои отполированные денщиком сапоги: — В лес или куда бы то ни взбрело вам в вашу взбалмошную рыжую голову: в поля, на озеро, на реку! Ни днем, ни ночью! Дайте слово, что будете держать меня в курсе всех ваших... эскапад!

Дуня озадаченно молчала. Де Бриак метнул на нее взгляд, в котором читалась истовая мольба:

— Прошу. Я не смогу иначе уберечь вас. И если... когда... когда меня не будет рядом. Как мне сохранить спокойствие? Как командовать своими людьми? — И он вновь схватил ее за руку, но уже не отпускал, а все с большей силой сжимал в смуглом кулаке тонкие пальцы. — Ведь даже когда я живу под одной крышей с вами, вы умудряетесь исчезать подобно привидению! — Лицо его дергалось, лихорадочно пылали темные щеки. — Черт побери, княжна! Обещайте, слышите?!

Авдотья вдруг испугалась.

— Пустите, — сглотнула она. — Мне больно.

Он резко отпустил руку, и Дуня прижала другой рукой ладонь с красными следами от его пальцев к груди.

Он опустил глаза, с шумом выдохнул.

— Простите меня. Я сегодня сам не свой.

Дуня, сдвинув рыжие брови, смотрела на его горящее лицо.

— Что случилось, Этьен?

Майор вздрогнул, услышав свое имя, но так и не поднял на нее глаз.

— Вам скоро выступать? — Дуня склонила голову на плечо. — Да?

— Да, — наконец произнес он.

— Тогда нам надобно поторопиться. — Она на секунду задумалась. — У меня тут появилась одна мысль... Вы не могли бы попросить доктора одолжить нам коробок с песком? — И прошептала, будто боялась, что он не понял: — Тот самый, из-под ногтей.

— Хорошо, — послушно сказал он и, отрывисто поклонившись, пошел было прочь, когда услышал за спиной:

— Я обещаю вам, Этьен.

ГЛАВА ДЕВЯТНАДЦАТАЯ

> Красное солнце за́ лесом село.
> Длинные тени стелются с гор.
> Чистое поле стихло, стемнело;
> Страшно чернеет издали бор.
> ....«Что затеял ты, родимой!
> Образумься, Бог с тобой.
> В лес идти непроходимой
> Можно ль поздной так порой?»
>
> *Павел Катенин*

А затеяла Дуня следующее (пеняя на собственную глупость: могла б догадаться сделать это и раньше!): прошлась по дому и кого видела из дворовых, останавливала, показывая коробок доктора.

— Внимательно смотри, — говорила она дворецкому, батюшкиному камердинеру, буфетчикам, протягивая чуть светящиеся на дне бело-серые кристаллы. — Не видал ли где такого?

— Может, в соседних деревнях? — спрашивала она мастериц, повара и лакеев, кухонного мужика и ключницу.

— Может, в речке, может, в озерце? А может, в ручье каком? — чуть не насильно давая пощупать твердые крупицы истопнику, кухарке, мальчишкам на побегушках, садовнику с помощником в саду, Андрону, псарям и выжлятникам, каретнику Григорию. — Как? Ничего не напоминает?

Но те лишь пучили глаза и морщили лбы, однако ничего дельного молодой хозяйке так и не сказали, всем видом желая как можно скорее избавиться от бессмысленных вопросов, для чего прикидывались сильно занятыми. И это даже те, кто в обычные часы дня сидел, считая мух, в людской. Одна Настасья отнеслась к ее просьбе со всею серьезностью, понюхала песочек и даже вроде как растерла между пальцами. Дуня аж отступила на полшага, с надеждой вглядываясь в сосредоточенное чернобровое лицо, будто освещенное в эту минуту высшим знанием. Но Настасья только опустила озорно блеснувшие глаза:

— Не знаю, барышня, откудова такой.

— Точно не знаешь? — забрала с досадой из Настасьиных рук коробок Дуня.

— Нет, барышня. — Все так же потупив взор, Настасья уселась на скамеечку, где чистила мелом хозяйские атласные туфли.

Но едва барышня в досаде быстро вышла из девичьей, позволила себе, не прерывая движения туда-сюда влажной тряпицы, кривую усмешку.

* * *

Вечером семья собралась за чаем. Авдотья нашла папеньку в весьма взвинченном состоянии духа, на что были свои резоны. Немногие русские помещики, решившие остаться в своих имениях, почти не имели возможности обмениваться новостями, да и новости доставались им разрозненного толка — почты давно уж не ходили, надеялись разве что на ловкость слуг. Намедни граф Верейский, давний полковой товарищ и дальний сосед, прислал Липецкому со своим человеком весточку. Нынче князь, позабыв о боли в ноге, насвистывал целый день «Гром победы раздавайся» и с воинственным шумом прихлебывал из огромной чашки любимый липовый отвар. Несмотря на внезапную смену отцовского настроения, Авдотья не интересовалась причиной перемен, будучи погружена в свои мысли о горячей ладони, сегодня днем сжимавшей ее пальцы. Боль от этого пожатия сама казалась признанием — собственно, она и была им. Маменька же сонно клонилась головой в чепце к груди, и никто не задавал его сиятельству вопросов, на которые он втайне мечтал ответить. Сергей Алексеевич недовольно оглядел своих дам и фыркнул:

— Неужто никого в моем доме не интересуют победы русского оружия?

— Отчего же, батюшка? — не без труда вынырнула из сладостных воспоминаний Авдотья.

Князь, довольный, прокашлялся.

— Скороход Верейского — ловкий малый. Сегодня-завтра отдохнет, а после отправится в обратный путь. Может, и нам стоит передать с ним весточку? Правда, — помрачнел он, — похвастаться мне нечем. Живем в медвежьем углу, вдали от больших дорог. Новостей не имеем.

— Вот и слава Богу. — Княгиня запахнула поплотнее на груди капот. — Зато и поля целы, и скот. И люди.

— Что пишет граф? — решила прервать зарождавшуюся семейную перепалку Авдотья.

— Пишет, что наши молодцы дают арьергардные бои и хоть и отступают, а бьют француза, — выдвинул вперед покрытый седой щетиной подбородок князь. — Пишет, стычки случаются близ каждой крупной деревни, берут пленными и солдат, и лошадей. Что конница Платова разбила французскую кавалерию и в течение суток удерживала француза, пока наши обозы переправлялись через реку. Что Раевский лично повел своих ребятушек в штыковую и отбросил Даву. А сами французы так захвачены медвежьей болезнью, что даже ученья проводить не в силах: все деревенские избы полны больными, будто всем полкам разом дали слабительное.

— Серж! — подняла недовольно бровь княгиня, но не тут-то было: батюшка уже закусил удила, презрев все понятия о подобающей с дамами беседе.

— Ох, ангел мой, на войне понос — бедствие не лучше чумы! Корсиканский выскочка вынужден скоро наступать, покамест у него еще остались войска. Но какие там переходы с больными солдатиками? Они мучимы жаждой, на них оружия и амуниции одной на полтора пуда: пьют из луж вместе со своими лошадьми — и вот результат!

Авдотья неприличными деталями не смутилась, но удивилась другому.

— Разве, — подняла глаза она на папеньку, — русские воюют при иных погодах? Получается, одни французы страдают?

— Нет, — помрачнел князь. — Наши тоже страдают — и от жары, и от града. Верейский пишет, что платьем еще не обносились, но скоро обносятся и им, и обувью. Завшивели. Лошади отощали от беспрерывной езды и недостатка в кормах. У сына Верейского с товарищами открылась цинготная болезнь, но не на деснах, а на ногах. — Князь вздохнул, вспоминая собственные походные горести в бессарабских степях. — Ноги так зудят, что они расчесывают их до язв.

Княгиня, выразительно вздохнув, не удостоила сие очередное неподобающее для дамского общества выступление даже ответом, а Липецкий вновь стал напевать себе под нос, постукивая в такт здоровою ногой:

> Воды быстрые Дуна-а-а-я
> Уж в руках теперь у на-а-ас;
> Храбрость Россов почитая,
> Та-а-а-вр под нами и Кавка-а-аз!

И еще раз, срываясь на фальцет:

> Та-а-а-вр под нами и Кавка-а-аз!

И закончил обычным голосом:

— Пора и нам сниматься с места, барыни мои. — А на удивленное восклицание супруги ответствовал: — Верейский обещает довезти нас в целости до столицы. У него есть и люди, и быстрые лошади. А главное — карты лесных дорог, коими объездом можно двинуться на Москву-матушку. Дело сие небыстрое, однако того стоит.

— Лесные дороги? Полные лесных разбойников?! — в ужасе сжала руки княгиня.

Дуня благоразумно молчала: про лесных разбойников она знала поболе материнского.

— Поляков зарубим, — воинственно сомкнул тяжелые брови батюшка. — А наши нас сами не тронут. Верно я говорю, Эдокси?

Княжна, заалев, произнесла:

— Поручик Потасов обещал свое полное вспоможение, — чем вызвала мертвую тишину за столом.

— Потасов? Это не тот ли, что в партизаны подался? — прищурился наконец князь.

Авдотья молча кивнула.

— И когда же, позвольте спросить, мадемуазель?

Дуня потупилась.

— Гляди-ка, княгинюшка, как по военному времени женихи дочь нашу одолевают, — усмехнулся князь. — Никуда и вывозить боле не надобно.

Дуня и сама с удивлением отмечала, что война странным образом способствовала ее популярности у мужеского пола. Себе объясняла сию аномалию отсутствием соперниц в лице девиц Щербицких и иже с ними. И не было рядом мудрого старшего брата, способного открыть ей глаза. А причина меж тем была проста. Расцветая под сенью московского своего дома, Авдотья была, как сказал бы князь Вяземский, «бессильной для добра, но и не потребительной для зла». Война же и необходимость самолично расследовать убийства девочек выявили лучшее, что было в ней: характер. Но ведь в «Словаре любви» господина де Радье ни слова не было сказано, что темпераменту свойственно с легкостью перечеркивать и «симметрию и пропорциональность всех частей», и «сладостное дыхание», и даже «ровные виски». Оттого-то наша княжна пребывала в полном неведении относительно истинных причин собственной привлекательности.

Порозовев, она продолжила:

— Поручик опасается крестьянских бунтов, боится оставшихся в тылу после продвижения вперед француза дезертиров и мародеров. Он предложил нам своих людей — опытных и вооруженных. И приставил к дому своего человека. Довольно подать тому знак, и Иван Алексеевич организует наш отъезд.

Авдотья заметила, как переглянулись отец с матерью.

— Что ж, — наконец сказал князь. — Поручик — человек чести. Думаю, с его помощью и с людьми Верейского мы смогли бы...

— Нет! — вскочила маменька; вздрогнула столешница, звякнула чашка с остывшим чаем. — Это чистое безумие! Я отказываюсь, князь, слышишь? Майор и его люди прекрасно нас охраняют! Он также человек чести и...

— Боюсь, не стоит на него более рассчитывать. Французы переходят в наступление, — тихо произнесла Авдотья.

Княгиня насторожилась: проблемы военного времени мгновенно отступили перед материнскими обязанностями:

— Откуда такая осведомленность?

— Доктор, — соврала Дуня с постыдной легкостью, — доктор сообщил мне, что скоро выступать.

Маменька, побледнев, тяжело опустилась обратно на стул, уставилась на отблеск свечей в медном самоварном боку.

— Что ж это? — заправила Александра Гавриловна выбившуюся прядь под чепец. — Значит, мы останемся совсем одни?

Князь встал, положил руки ей на плечи:

— Пора домой, душа моя. Пора!

* * *

В комнате было тихо, лишь скрипнула половица, да позолоченные часы с амуром мелодично пробили семь — скоро семья встанет из-за стола, барышня придет готовиться ко сну. Надобно спешить.

Настасья огляделась. Ни на подоконнике, ни на умывальном столике коробчонки не оказалось. Не доверяя слабому свету свечи, Настасья ощупала рукой покрыва-

273

ла, выдвинула ящик псише — ничего, кроме флаконов с розовой и кервелевой водой. Она вновь обошла комнату: заглянула под кровать, звякнула ночным горшком, чихнула. Выпрямившись, оправила платье и почувствовала на себе взгляд: это амур на массивных часах смотрел на горничную с неодобрительным удивлением.

— Небось не укусит, — приободрила сама себя шепотом Настасья и, погладив мимоходом по головке голого мальчонку с крылами, неожиданно нащупала за золоченым бронзовым постаментом заветный коробок — и сжала в горсти.

— Что, — подмигнула она мальчонке, — не углядел за барышниным секретом?

Настасья поставила свечку перед псише: зеркало отразило бледное испуганное лицо. Села и открыла коробок, на дне которого собралось в мелкую щепоть песчаное зерно. И тут сделала нечто странное: сунула палец внутрь, вытащив, облизнула, а после, впервые прямо глянув на себя в барышнино зеркало, задорно улыбнулась, блеснув зубами и белками быстрых глаз.

— Небось, — повторила она. — И тот меня не съест!

Барышня тем вечером отправилась почивать ранехонько — и пока Настасья расчесывала ей косы, сидела непривычно тихо: не ойкала, не задавала вопросов. Смотрела на себя в полутемное зеркало, но будто и не видала, вся в своих мыслях. А Настасья и довольна, что барышне до нее дела нет и не замечает она ни бледных от волнения щек, ни подрагивающих пальцев, заплетающих на ночь рыжую косу.

— Поди спать, — приказала она, когда Настасья заботливо подоткнула ей одеяло.

— Огня-то оставить, Авдотья Сергеевна? Или молока горячего принесть?

— Гаси, — закрыла глаза барышня, — и ступай. Говорят тебе, ничего мне не надобно.

А Настасья, перекрестив хозяйку и задув свечку, прокралась в потемках к дверям, скрипнула напоследок половицей. Войлок свой, служивший постелью, бесшумно свернула в угол, где лежал, уже приготовленный, узелок с едой, и тихо прошла по спящему дому: мимо библиотеки и кабинета барина, мимо девичьей и людской, откуда доносился молодецкий храп лакеев и даже в коридорах пахло кислой капустою и потом.

— Эк рулады выводят, черти! — хихикнула она в кулак.

Толкнула дверь и вышла на крыльцо. В глубине аллеи, у старых ворот, горели французские костры. Настасья слышала обрывки переливчатой, как ручей по камням, птичьей речи и конское ржание. Прячась от лунного света в тени старых лип, Настасья прошла вдоль аллеи, а после свернула в дубовую рощу, откуда по знакомой наизусть тропе направилась в лес.

* * *

— Куда, скажи на милость, может подеваться горничная, да еще ночью, когда ее место — на войлоке у барского порога? — грохотал с утра батюшка.

Авдотье пришлось воспользоваться услугами материнской девушки и по необходимости признаться родителям в отсутствии своей. Беспокойства она не чувствовала: Настасья, с ее точки зрения, умела за себя постоять, французские солдаты не тронули бы ее, хотя... Пару дней назад, поутру, Настасья, одевая барышню, призналась, что майоров денщик уж давно на нее заглядывается. Однако Настасья только заливисто смеялась на галантную речь дюжего бретонца, не понимая в ней ни единого слова. И незадачливый Лизье вынужден был ретироваться. Увы, как ни парадоксально, простота кавалера в данном случае не служила простоте общения. Напротив, чем выше был социальный слой, тем легче строился диалог. Там, где у Авдотьи и де Бриака имелось множество точек соприкосновения — прежде всего общий язык, но еще знание европейской истории и литературы плюс абсолютно идентичные социальные навыки, Лизье с Настасьей не могли навести ни единого мостика для обмена любезностями. Так что поклонник был маловероятен, разве что...

— Разве что она отправилась в лес, — сказала она батюшке, густо намазав прозрачное смородиновое желе на кусок свежего калача.

— В лес? Это что за новости?! С чего это девки повадились в лес? Да еще ночами?

Дуня улыбнулась, понимающе переглянулась с маменькой, и та успокоительно погладила мужнину руку.

— Полно, Серж. Настасья молода, собою пригожа, а любой лакей, ставший разбойником, да еще воюющий с неприятелем, приобретает романтические черты. — И она повернула смеющийся взгляд к дочери. — А уж тем паче поручик.

Отец вместо новой бранной тирады усмехнулся в усы, и порозовевшая Дуня поняла, что вчера вечером, после ее отхода ко сну, имел место родительский совет, на котором было решено, что герой войны, пусть даже и картежник, как ни крути, лучше фальшивого виконта из стана неприятеля. «А что игрок — так кто без греха, ма шер?» — мог бы заметить батюшка на укоризненный взгляд супруги. Игра в карты в начале XIX века была одним из самых распространенных способов убить время, мужским хобби, вроде сегодняшнего футбола. Кроме того, в картах, как и в дуэлях, и в партизанской войне, центральным элементом была игра случая, и потому они могли считаться явлениями одного порядка. Потасов играл и воевал из того же побуждения нервной системы — дабы почувствовать руку судьбы на своем плече. Да и так ли важны поручиковы грехи, если вскоре Липецким предстоял путь домой, а значит, подальше от всех внезапных дочкиных ухажеров.

— Зри, премудрая царица! Зри, великая жена! Что Твой взгляд, Твоя десница Наш закон, душа одна, — запел фальшиво папенька, ласково поцеловав супругу в пробор.

— Что ж, — сказала маменька, проводив супруга нежным взглядом. — А нам, думаю, стоит потихоньку готовиться к отъезду. Жаль, Настасьи нет, ну да ничего — рук достанет. А как вернется негодница, изволь выбранить ее и отослать ко мне в теплицы.

— Теплицы? — нахмурилась Дуня. — Мы разве не собираемся в дорогу?

— Именно. Не желаю оставлять плоды рук своих мародерам-разбойникам! Да и плоды лесов наших им не достанутся. — Решительно одернув домашнее платье, Александра Гавриловна встала из-за стола. — Васька! Сгони-ка мне дворовых ребятишек!

Через полуоткрытую дверь Дуня видела сборы детворы — воробьиной стайкой, каждый со своим туеском, дети окружили крыльцо, пока маменька раздавала указания: далеко не ходить, ягоду брать самую спелую — а поспела она пока лишь на пригорках и открытых для солнца полянках и держаться гуртом. С ребятишками отрядили и несколько сенных девушек. Вскоре вся экспедиция — светлые головки да белые косыночки — отправилась со двора по липовой аллее к лесу.

Зачинался новый жаркий июльский день. Настасья все не объявлялась, и княжне вновь пришлось воспользоваться услугами материнской Васьки. Все-то в ней Дуне не нравилось — и как волосы убирает, и как бесконечно медленно застегивает пуговицы на корсаже, а пуще всего — как при этом глубокомысленно сопит.

— Поди, — отослала дуру Авдотья, все еще недовольно глядя на себя в психе, пощипала щеки и покусала губы для цвету, но не было рядом веселой, все понимающей Настасьи, чтоб клятвенно — вот вам крест, барышня! — уверить Дуню в несомненной ее привлекательности. Авдотья вздохнула, выглянула в окно, не мелькнет ли знакомое синее ситцевое платье, и решила, раз уж матушкиными стараниями в саду все равно в тиши не посидеть, отправиться верхом — недалеко, вкруг любимой дубовой рощи.

Пока Тимошка седлал Ласточку, Дуня успела переодеться в амазонку и, постукивая хлыстом по носкам туфель, рассеянно глядела в сторону французских бивуаков за воротами имения. Ей казалось, что сегодня кавалеристы как никогда оживлены и деятельны. Слышалось: «Portez... armes!», «Halte!», «Fixe!», топот коней и барабанная дробь. Дуня усмехнулась: с другой стороны имения приказы раздавала уже ее мать — армия дворовых так же вытягивалась во фрунт. И французы, и семья ее готовились выступить в поход: одни, груженные легкой артиллерией, — в поисках войны, другие, груженные банками со свежим вареньем — в поисках мира. Но покоя не находили ни те ни другие, а Авдотья если и мечтала сегодня, то именно о нем.

Наконец Тимошка вывел ей под уздцы взволнованную общей суетою Ласточку, подставил колено, чтобы подсадить молодую хозяйку. Дуня шагом пересекла аллею и вскоре углубилась под прохладную сень дубов. Здесь, с тоскою думалось ей, они с Алешей играли с деревенскими детьми в жмурки и разбойники, здесь последний раз говорили по душам. А теперь скоро уезжать. Еще немного — и тронутся с места Дебриаковы артиллеристы, а сам майор обернется врагом на поле брани. Ничего у них не вышло — ни найти убийцу, ни... Гордость не позволила ей закончить свою мысль. Авдотья с силой сглотнула тугой комок в горле. Досадуя на собственную слабость, Дуня пришпорила Ласточку и помчалась по узкой тропе, все быстрее и быстрее, выбивая пыль и мелкие камни, заглушая стуком копыт удары собственного несчастного сердца. Вперед, к простору и свету.

Она выехала из леса в поле, остановившись минуту на опушке и глядя с высоты седла на волнообразное движение разнотравья. Тугой от зноя воздух чуть подрагивал от оглушительного стрекота кузнечиков. Все было готово к покосу, пахло полынью и гречихой. Дуня почувствовала, как липнет к спине амазонка, и тронула взмокшую от галопа Ласточку, направив ее к близкому ручью. Тому самому, где они увидали странного повара Щербицких. Но перед глазами стоял не он а застывший к ней спиной де Бриак в насквозь мокрой льняной рубашке, сквозь широкие рукава которой, играя золотом, просвечивало утреннее солнце.

Спустившись к воде, Авдотья осадила кобылу и ленивым шагом двинулась вдоль сверкающей мелкой рябью ленты в сторону реки. Глаза, ослепленные полуденным светом, не сразу привыкли к прохладной полутьме, и потому она не тотчас заметила в тени обрыва знакомое синее платье. Первой она увидала погруженную в прозрачную воду загорелую руку. Затем — с неестественной бесстыдностью подвернутую белую ногу... И тут уже вскрикнула, поняв, кто лежал пред нею с выбившимися из густой косы волосами, милосердно укрывшими половину раздутого, неузнаваемого лица. Налитые кровью глаза глядели в небо — на мелькающих в высоте ласточек.

— Господи! Настасья! — соскользнула с лошади Дуня, бросилась было к своей девушке, но за шаг до нее будто запнулась, уставившись на темное от влаги лыко лаптей с налипшим на нем мелким песком. За ее спиной шумно пила воду Ласточка. — Кто-нибудь... — прошептала, враз потеряв голос, Авдотья. — Помогите.

Но никто не пришел на беззвучный зов, а горло сжало так, что Дуня поняла — кричать она не сможет.

— Сейчас, — также шепотом пообещала она мертвой Настасье, под бок которой мерно и ласково плескала речная вода.

Взяв под уздцы Ласточку, перешла вброд неглубокий — чуть выше колена — ручей и вновь вышла на поле. Шаг за шагом, путаясь в намокшей юбке, она удалялась от страшного места и лишь однажды обернулась назад: ей показалось, что чей-то знакомый женский голос звал, срываясь: «Анфи-и-иса! Анфи-и-иса!»

ГЛАВА ДВАДЦАТАЯ

*И когда человек окрылен восторгом или
погружен в скорбь, что-то останавливает его
и возвращает к трезвому, холодному сознанию
именно в тот миг, когда он мечтал раствориться
в бесконечности.*

*Иоган Вольфганг фон Гёте.
Страдания юного Вертера*

Неясно, что руководило нашей княжной, — от ручья
до Приволья и до усадьбы Дмитриева расстояние было
равным. Однако же она направила Ласточку не к родному дому, а к малопонятному ей и едва ли не обезумевшему от горя соседу. Отчего — мог бы задуматься
последователь Фрейда, но до рождения гениального
интерпретатора оставалось еще полсотни лет. А пока
Авдотья, зло сощурив глаза и кривя губы, летела вперед
по сельской дороге, а внутри ее дрожало, нарастая, отчаяние. И стоило ей, в облаке горячей пыли, появиться
перед домом Аристарха Никитича и почти упасть с лошади на руки к ошеломленному лакею, как она странно
закашлялась и, поддерживаемая неопрятным Архипкой,
стала подниматься по деревянному крыльцу.

Навстречу уже спешил хозяин дома, и Авдотьин кашель вдруг перешел в рыдания и она бросилась на грудь
соседу, оросив слезами и несвежий пикейный жилет,
и распущенный галстух.

— Милая моя, голубушка, полно, полно, — растерянно
гладил ее по дрожащим плечам Аристарх Никитич. —

Что стоишь истуканом! — прикрикнул он на слугу. — Принеси барышне воды! — И, вновь ласково зажурчал, приобняв княжну и уводя ее внутрь дома: — Ну будет, будет, душенька.

— Простите...

Первое слово Авдотья выдохнула, лишь будучи усаженной на стул в разоренном хорватами салоне. Аристарх Никитич, сочувственно топорща бороду, уж протягивал ей стакан с водой. Стуча зубами о край, Дуня сделала несколько мелких глотков. Аристарх Никитич уселся напротив, мелко закивал:

— Все понимаю, душа моя, антихристы и есть! Разве можно было Приволью посреди всего бесчинства сохранить свою чистоту?

Авдотья подняла на соседа заплаканные глаза: о чем он?

— А как мы, бывало, восхищались французом! Сами — только подумайте, голубушка, сами! — пили из сего отравленного источника! Все, все было заражено ими, как чумой! — И Дмитриев совсем по-мужицки сплюнул. — И вот, извольте видеть! Вот наказанье нам за грех идолопоклонства!

Увы, невозможно было в одночасье разлюбить нацию, подарившую остальному миру красоту и радость жизни: французские философы занимали умы наших предков, французские поэты услаждали сердца, французские модные портные облачали тело, а французские повара изобрели высокую кухню, дабы потрафить желудку. Одной войны 12-го года оказалось недостаточно, чтобы русское сердце остыло. И потому нам думается, что последняя точка в сем конфликте была поставлена лишь четверть века спустя — на Черной Речке. А покамест будущее солнце нашей поэзии корпел над лицейскими учебниками, мать будущей роковой красавицы проводила последние месяцы на сносях — младшей из сестер Гончаровых предстояло явиться на свет под грохот пушек Бородинской битвы... А Авдотья только мотала головой и, не в силах говорить нормальным голосом, прошептала:

— Погибла моя девушка, Аристарх Никитич. Ее задушили рядом с нашим ручьем. Там же и бросили... Я так испугалась, что не знала, куда бежать, я...

Она замолчала, чувствуя, что сейчас снова разрыдается: перед глазами стояла почему-то одна неестественно вывернутая белая нога. Вот же — княжна никогда не видела Настасьиных ног, вечно прикрытых сарафаном. Они казались странно чужими. Чужим было и опухшее лицо, и прикрывавшие его, словно черные водоросли, мокрые волосы. Господи, как страшно!

Она будто на секунду погрузилась за Настасьей в ледяную воду ручья, и не слышала, что говорил ей Дмитриев, а когда вынырнула, застала только:

— ...И не думайте, француз и соблазнил, и удавил.

— Нет, — прошептала она, так и не найдя в себе сил на полный голос, — не француз. — И продолжила так же едва слышно: — Отчего ровно на границе между нашими поместьями? — Она впервые встретилась глазами со своим собеседником. — Ежели только она не знала его, понимаете? — И княжна кивнула своим мыслям, хотя ее растерянный собеседник, конечно же, не понимал ровным счетом ни слова. Но Дуня продолжала думать вслух: — Положим, она была с ним знакома. Отчего тогда отправилась на встречу именно вчера ночью?

Минувший день казался ей уже таким далеким после нынешних потрясений. Что же в нем было? — вспоминала Авдотья. Визит вражеского адъютанта, беседа с управляющим Андреем, столь волнующая из-за соседства с де Бриаком. Обещание, данное ему же на крыльце. И еще вечером, — объявленное родителям предложение Потасова и последовавшее за сим решение возвращаться в Москву, однако прислуга узнала о планах господ лишь на следующий день. А где же была Настасья? Девушку Дуня видала утром при пробуждении, а также вечером, при отходе ко сну. Подавив истерику (как же она будет без нее, когда Настасьино присутствие, словно картина рамой или поэма прологом и эпилогом, обрамляло каждый ее день, придавая этому дню законченность и смысл!), Дуня вспомнила, что вечером они обе были рассеянны. Авдотья — оттого, что печалилась о скором отъезде и расставании с любезным сердцу Б. А у Настасьи явно были свои резоны. Значит, сии резоны произошли *до* того, как она пришла укладывать барышню. Авдотья нахмурилась, пытаясь вспомнить, где ж еще они встречались за день. Во дворе — Настасья относила прачкам ее белье. И еще когда Авдотья обходила всех дворовых со страшным коробком...

Княжна вскочила: ну конечно! Плутовка узнала песок! И, ничего не сказав, решила, что хитрее убийцы, и отправилась к нему сама! Зачем? Все это имело смысл, если душегуб был человеком ее, Дуниного, круга. Поскольку ежели у Настасьи и был грех, то единственно кокетства — ей всегда недоставало ни оставшихся от хозяйки перешитых платьев, ни подаренных к Рождеству платков. Но злодей не побоялся холопского шантажа — ему проще оказалось сделать то, что он уже не раз проделывал с несчастными девочками. Да, думала, возбужденно следуя за развитием собственной мысли, Дуня. Все сходится, как в англицком пазле. Кроме одного: отчего Настасья, верившая и в лешего, и в водяного, не испугалась встретиться в ночи с убийцей?

И не отрывая взгляда от собственных рук, в которых подрагивал стакан с водою, княжна произнесла впервые в полный голос:

— Потому что он носит такую маску невинности или беспомощности, что, даже подозревая, его невозможно бояться.

— О ком вы, деточка? — осторожно вынул из ее рук стакан Аристарх Никитич. — Кого вы боитесь?

Дуня подняла голову и попыталась улыбнуться, чтобы успокоить соседа. Она хотела сказать, что никого не боится, но это уже не было правдой. И поэтому она так ничего и не произнесла, а замерла, глядя в по-детски наивные выцветшие глазки. Нерешительный, слабый, склонный к возлияниям. Никогда не имевший ни жены, ни детей. Постельничал со своею ключницей да все не решался сделать ей предложение. Улита! Что он сказал давеча княжне? Что хотел удушить холопку, да слуга вошел больно некстати...

О боже! Авдотья вскочила. И Настасья! Настасья, найденная ровнехонько у ручья, между двумя их имениями!

— Что с вами, Авдотьюшка Сергеевна? — встал, чуть покачиваясь, Аристарх Никитич. — Вам нехорошо?

— Да. Нет. — Авдотья почувствовала, что дрожит, будто студеная вода ручья медленно поднялась от подола к самому сердцу. — Аристарх Никитич, — сглотнула она. — Отчего ж вы о прошлом годе не охотились?

Это был выстрел вслепую. А охота бывает разной...

— Ножку, ножку свою повредил, — выставил сосед с улыбкой тощую ногу в желтых нанковых панталонах. — Отдал, каюсь, долг Бахусу! А жеребец мой этого не любит — вот и бросился через поле бешеным аллюром. Посчитал, живее буду, коли сам упаду в мураву, а не Бедуин мой низвергнет меня где на каменья. Так и провел затворником все лучшее время. То ли дело о позапрошлом годе: мы с вашим...

Авдотья перестала его слушать — сердце стучало где-то у горла, глаза заблестели: надобно было отвлечь душегуба и бежать, бежать без оглядки домой! Пусть Этьен и батюшка запрут ее в комнате и более никогда, никогда не позволят выйти в этот страшный мир.

— Да вы вся дрожите, душенька! Пожалуйте, присядьте. Мыслимое ли дело для юной барышни наткнуться на подобное во время утренней прогулки! А я-то, старый осел! Позвольте, подам вам хересу — исключительно от нервов! — Он, почти силою усадив княжну обратно на стул, обернулся к полуоткрытой двери: — Архип! Неси хересу и мне рюмочку не забудь!

Однако ни Архип, ни кто другой не спешил откликнуться на зов хозяина.

— Хамово племя! Совсем распоясались. Ничего, Авдотья Сергеевна, погодите, голубушка, я сам сейчас...

И он, покряхтывая, встал и, не без труда неся свое скособоченное брюшко, вышел из комнаты.

Стоило несуразной фигуре исчезнуть за дверью, Авдотья вскочила и бросилась к окну: старые рамы открывались неохотно, но она с отчаянной яростью дергала за латунные ручки, и, когда окно наконец распахнулось, внезапный сквозняк вдруг с силой захлопнул дверь. Уже успевшая подобрать юбку и взобраться на подоконник Авдотья, вздрогнув всем телом, обернулась — чтобы увидеть застывшего на пороге с подносом хозяина дома. И прыгнула.

Ушиблась она несильно, не дала себе даже почувствовать боли, и, припадая на одну ногу, поспешила к конюшне, где радушный хозяин уж, наверное, дал наказ расседлать и покормить ее кобылу.

— Ласточка! — крикнула она, забежав под темный бревенчатый свод, и услышала ржание. — Седлай! — приказала она веснушчатому мальчишке и прикрикнула: — Да торопись же!

Но едва тот бросился за седлом, как стало ясно: она не успеет. Как ни медленно ходил на жидковатых своих ножках хозяин дома, он успеет добраться до конюшни и до нее, Дуни, много, много раньше. Нужно было спасаться! — она, зажав в зубах подол и встав на чурбан, очевидно, в помощь малорослому мальчишке, схватилась за гриву своей Ласточки, перекинула по-мужски ногу и ударила лошадь со всей силы в бока.

— Пошла!

Послушная ей Ласточка вылетела из дверей конюшни, чуть не сбив на своем пути и рыжего мальчонку, и торопившегося к ней хозяина дома.

— Авдотья Сер... — только и донеслось до нее, но, прижавшись к сладковато-терпкой Ласточкиной гриве, Авдотья Сергеевна и не думала останавливаться.

* * *

— Какой позор! — Князь стоял над успевшей переодеться бледной дочерью. — Как ты могла даже помыслить подобное?! Аристарх Никитич губит девочек да девок?!

— Как мы можем быть уверены? — не поднимая головы, негромко сказала Дуня персидскому ковру в отцовском кабинете.

— Да Авдотьюшка Сергеевна, как же я мог-то? — Сидевший рядом с батюшкой Аристарх Никитич шумно вдохнул табак и чихнул. — Улиту мою мне вернули, голубушка. Полуживую. — Авдотья бросила взгляд на соседа: розовое лицо его с мягкими щеками подрагивало, маленькие глазки блестели от непролитой слезы — результат то ли душистого табака, то ли сострадания ко вновь обретенной ключнице. — Врачей-то у нас нынче, сами знаете, днем с огнем. Значит, и настойки варю, и компрессы кладу сам, все сам, ничем не брезгую. — И он покивал мелко головой. — Всю ночь, не верите, сижу, за руку ее, голубку мою, держу, счастью своему не верю. Молюсь! Молюсь только, чтобы Господь дозволил ей в себя прийти и в церковь поведу — венчаться. Не скрою, грех на мне. Но смою, смою своею любовию!

Авдотья заметила, как поморщился князь, — выражения страстного чувства по отношению к холопке, к тому же еще не раз изнасилованной хорватами Великой Армии, казались ему более чем неуместными. Но недавнее поведение собственной дочери было неуместным вдвойне, и потому князь держал себя в руках, выслушивая слезливые излияния первого и терпя недопустимое в девице упрямство второй.

— Вы же, — повернула впервые к гостю бледное лицо Авдотья, — вы же и ее удушить хотели, разве нет?

Аристарх Никитич мелко закивал, затряслись, словно желейное пирожное, щеки:

— Хотел, в чем сам же вам каялся. Все родственник ваш, философ, Авдотья Сергеевна. Вот князю Кутузову война глаз отняла, а я, не поверите ли, лишь с войною да бедою прозрел. А два года назад как мучился — и любил без памяти, а что делать с любовию со своею, не знал. А тот, как выпьем у костра после охоты, все говорил, что, ежели правая твоя рука соблазняет тебя, отсеки ее и брось от себя. С чем жить нельзя, надобно уничтожить...

286

Дуня смотрела на соседа во все глаза — Нагорная проповедь не входила в список любимых Алешей философских притч. Увлеченная неожиданной гранью характера своего брата, она упустила из виду, что батюшка, держа руку на спинке стула, где сидел их гость, переместил ладонь к нему на плечо и легонько сжал, будто подбадривая.

Но супротив ожидаемого, Дмитриев вдруг замолчал, а после чуть смущенно улыбнулся княжне:

— А ежели нет у вас, голубушка, доверия моим словам, то извольте спросить хоть у людей моих...

Авдотья выразительно повела плечом, а Аристарх Никитич закончил:

— Более, увы, ничем помочь в ваших изысканиях, княжна, не смогу.

И с тем невеликим достоинством, кое позволял малый рост и кривое брюшко, встал и откланялся.

Переглянувшись с папенькой, Авдотья строптиво выдвинула вперед острый подбородок, но сердце, еще не оправившись от потрясений, вновь налилось знакомой тоской: можно было опросить с пристрастием всех соседских людей. Да только тоска в сердце не могла обмануть: в так отлично начавшем складываться англицком пазле не сходились две существенные детали. Первое — мертвые зверьки. Второе — пропавшие лошадки.

* * *

— Похоже, сие помещение уже официально можно отдать под мертвецкую, — сказал де Бриаку Пустилье, закрывая за ними дверь ледника. Там, в прохладной темноте, осталась лежать Настасья.

— Это ведь не он, доктор? — вынул свою бриаровую[1] трубку майор.

Пустилье пожал плечами:

— Что вы хотите от меня услышать, Бриак, чего не видели сами ваши глаза?

---

[1] Вересковую.

Этьен нервно застучал огнивом об осколок кремня, сбил до крови палец, — вспоминать, что видели его глаза в леднике, не хотелось. Несчастная княжна! Какое выдалось утро...

— Эта петля, — доктор, в свою очередь, вынул свой черешневый чубук, — мягкая — либо пояс, а может, и лента, вы заметили в косах у русских дев яркие ленты? У нашей коса растрепалась — ни ленты, ни какой тряпицы в ней не было. Еще интересный факт. — Пустилье выбил трубку о ствол яблони рядом, достал из кармана табакерку. — Чаще всего узел располагается сзади, в крайнем случае сбоку, вот тут, — и Пустилье постучал себя чубуком по левой стороне шеи. — Но вот чтобы спереди, над щитовидным хрящем...

— А след от узла? — с тоской поглядел в сторону барского дома де Бриак. — Не показался вам странным? Может, такие вяжут еврейские лавочники? Или здешние рыбаки?

Пустилье покачал головой:

— Сам узел мог бы нам помочь, майор. Но не след от него.

— Она совсем не похожа на других жертв. Много старше, брюнетка. Да и погибла иначе — никаких обритых волос, ни лошадки в горле, ни порезов, ни погребального плота. Просто выброшена в ручей, как... — де Бриак дернул плечом, — не пригодившаяся вещь.

— Полагаете, в сем идиллическом уголке скрываются два убийцы? — с наслаждением выпустил первое красивое колечко душистого дыма доктор. — И один из них — брюхатый Бахусом сосед?

Майор покачал головой:

— Он был влюблен в свою экономку. Да, темноволосую и крупную, как горничная княжны. И его действительно можно было бы заподозрить. Но главное тут — девочки. Ими он бредит, вокруг них выплясывает свои шаманские танцы. А эта разве что попалась под руку, не более. А ежели... — и он с детской надеждой вскинул блестящие глаза на Пустилье, — она сама рассталась с жизнью?

Доктор в ответ лишь хмуро улыбнулся:

— Прекрасная версия, шер ами, но маловероятная. Ей противоречит и узел спереди, да и как прикажете самой удавиться? Не на дереве же мы ее нашли. А при сдавливании сосудов, как бы девица ни была сноровиста, она скорее потеряла бы сознание, но не жизнь.

Де Бриак отвернулся:

— Что ж, придется признаться княжне, что...

— Что убийца, погубивший ее горничную, убил ее, глядя ей в глаза и, возможно, наслаждаясь видом ее страданий? Нет, майор, — похлопал Пустилье свое начальство по плечу. — Дозвольте мне донести до семьи Липецких грустные вести, прячась за медицинским жаргоном, как наши артиллеристы — за дымовой завесой пушек. В нынешней ситуации милосердие станет единственно правильным выходом.

— Что ж. Благодарю вас, доктор.

И, отрывисто кивнув, де Бриак направился было в сторону господского дома, но через несколько шагов вернулся обратно.

— Видите ли, Пустилье, не то страшно, как именно он ее душил. Страшно, что она, скорее всего, хорошо знала его, раз подпустила так близко...

* * *

Библиотека Приволья была беднее той, что владел его отец в Блани, однако для загородного имения весьма недурной. Книг на русском оказалось не столь много, зато немало на немецком, коим де Бриак неплохо владел. И того более — на родном французском. Тесным рядком друг за дружкой стояли тома Бейля, Монтескье, Вольтера, Буало, трактат Гельвеция «Об уме» — словом, почти все сочинения просветителей, чьи корешки были знакомы майору и рождали понятную ностальгию: не столько по милой родине, сколько по беззаботным детским и отроческим годам. Шаг за шагом продвигаясь от одной полки к другой, он с улыбкой перебирал собрание романов, без которых не обходилась ни одна библиотека начала позапрошлого века: любимый роман императора[1] соседствовал с «Шутливыми повестями» Скаррона и «Приключениями Робинзона Крузо». Рядом мирно сосуществовали Юлия и Матильда, Валери и Дельфина[2], сентиментальная госпожа Жанлис и готическая госпожа Радклифф... Рассудив, что нет лучшего лекарства от реальных ужасов (перед глазами майора все еще стояло опухшее синюшное лицо камеристки Липецких с налитыми кровью глазами), чем ужасы мнимые, он раскрыл сочинение последней и прочел наугад: «Вы целиком в моей власти, на помощь надеяться вам нечего. Если хотите сохранить жизнь, поклянитесь, что отвезете эту девицу в такое место, чтоб я ее никогда больше не видел...»

Мрачно усмехнувшись, де Бриак перевернул было страницу, когда услышал за спиной шорох и, обернувшись, увидел, что тяжелая гардина на окне отодвинута, а на широком подоконнике, обняв колени, сидит, неприбрана и боса, заплаканная Авдотья. Майор, отведя в смущении глаза на полку с сочинениями своих соотечественников, поклонился.

— Княжна.

— Виконт.

Они неловко замолчали: де Бриак боролся с искушением вновь увидеть каскад рыжих волос поверх бледно-голубого шелонового капота и нежную розовую ступню. Дуня же, еще пару дней назад страшась и мечтая об объяснении с Этьеном, нынче чувствовала какое-то странное оцепенение. Весь оставшийся вечер она скрывалась от сочувствия маменьки и зареванных сенных девушек — не разделяя ее уверенности в общем на всех душегубе, батюшка взялся было учинить средь них до-

---

[1] Любимый роман Наполеона «Страдания юного Вертера» Гёте.

[2] «Юлия» Руссо, «Матильда» госпожи Коттен, «Валери» баронессы Крюденер, «Дельфина» госпожи де Сталь — героини сентиментальных романов.

прос: к кому могла бегать в лес его горничная, что за любовный там, в ночных чащобах, имелся у нее интерес? А что Настасья решилась на подобное единственно ради непристойной страсти, сомнений ни у маменьки, ни у отца не вызывало. Однако все девки божились и истово клали кресты, что никакого непотребства ни с одним из своих, дворовых, ни с деревенскими, ни с французом, у Настасьи ни в жисть не было. Поверила им, впрочем, одна Дуня — уверенная в том, что не упустила, ежели б ее Настасья...

— Для вас это, должно быть, тяжелая утрата, — негромко произнес де Бриак.

Авдотья почувствовала, как от одного участливого звука его голоса тает ее, с таким трудом выпестованное к вечеру, помертвение души. Еще чуть-чуть — и она вновь разрыдается. Но вместо хрустальных слез, что по законам романа призваны лишь украсить огромные глаза героини, станет шмыгать красным, как у кролика, носом в ненавистных веснушках.

Она вынула из-за манжета уже насквозь мокрый кружевной платок. Ей горько было, что Этьен, несмотря на искренние слова сострадания, ее не понимает. И немудрено! Она и сама лишь сейчас осознала: самой задушевной подругой ее была вовсе не Мари Щербицкая, отсылавшая Авдотье из столицы по сотне писем за сезон, и не московские девочки Кареевы и Абатурины, с которыми они вместе кружились еще на детских балах у Йогеля. Нет, самой близкой оказалась та, что спала на войлоке у порога спальни, покрывала все ее шалости, делала притирку от веснушек и грела стакан молока перед сном, а с утра приносила медный чайник со свежим чаем. Которой не было нужды признаваться ни в обуявших перед первым выходом в свет страхах, ни в проснувшейся влюбенности. И которая так умела излечить все горести: когда сказанным без светской витиеватости верным словом («Небось, барышня, таких ручек красивых, как у вас, у девиц Щербицких нету!»), а когда и вовсе без оного — просто выложив с раннего утра на Дунину постель амазонку, чтобы барышня развеялась скачкой, или вот еще — правильной прической скрыв назревающий прыщ. Никогда, никогда бы она не рассталась со своей молочной сестрой, твердила себе Дуня. И замуж бы вышла, а ее б с приданым увезла! И как такое взять в толк французу?!

— Рабство, — вдруг произнес де Бриак, — ведет к степени близости между слугой и господином, которое в свободных странах себе сложно вообразить. Знание, что только смерть может разлучить вас, что вы имеете над своим слугой неограниченную власть, приводит к неограниченному же доверию. Мне сложно это прочувствовать. Но понять я могу.

Прижав мокрое от слез кружево платка к губам, Дуня молчала, отвернувшись к окну. Сказанное было ей совершенно не по душе. Но, очевидно, она ошибалась: ее горе не только тронуло майора, но он верно понял глубину постигшего ее несчастья. И хоть это было усилие ума, а не сердца, сердце было первопричиной.

— ...надобно уезжать, — тем временем говорил де Бриак. — Я оказался преступно самонадеян. Теперь уж ясно, что не в моих силах защитить вас. Я же останусь, чтобы попытаться найти...

— Я никуда не уеду, виконт, — весьма невежливо перебила его Авдотья. — Или вы полагаете, что только у вас есть чувство чести? Верности своим людям? — срывающимся голосом произнесла она. — Что если я женщина и зависима от своих родителей и от надвигающихся обстоятельств, то моя зависимость не даст мне возможности сопротивляться? — Тут, не выдержав, в противовес своей возвышенной тираде, княжна таки шмыгнула носом, на секунду замолчав, дабы справиться со слезами. А после продолжила, уже чуть спокойнее: — Я останусь тут, сколько бы времени ни потребовалось. Не свяжете же вы меня, в конце концов, вместе с папенькой и месье Потасовым и не увезете отсюда силой?

Де Бриак избегал смотреть на нее, но чувствовал по дрожащему голосу, что она опять плачет, и сердце его сжалось. Продолжая глядеть в пол, он сделал шаг в сторону окна.

— Поверьте мне, княжна, я многое бы сейчас отдал, чтобы носить фамилию Потасов.

Дуня, которая в тщетной попытке скрыть слезы оборотилась к темному стеклу, в удивлении вновь повернулась к майору. Он стоял, опустив голову. В полутьме библиотеки она едва ли могла разглядеть выражение его лица. Медленно, будто не находя в замкнутом, заставленном книгами пространстве довольно воздуха для дыхания, он заговорил:

— Будь моя фамилия Потасов, нас бы не разделяла война, княжна. — Дуня хотела было возразить, но француз качнул головой: не стоит. — И даже не будучи благородным разбойником, будьте покойны, я бы посмел выразить вам свои чувства. Нет, Эдокси. Я не только враг вашего государя и вашей страны. Я самозванец. Каждый раз, когда вы зовете меня виконтом, я чувствую себя прескверно, будто и уши, и глаза обманывают вас день за днем, видя на моем месте совсем иного человека. А я бастард, княжна. Моя мать...

— Я знаю, кто была ваша матушка, — тихо произнесла Авдотья.

Де Бриак поднял наконец к ней лицо: оно пылало, дергались уголки темных губ. Быстрые выразительные глаза блестели, он с силой провел ладонью по лицу.

— Что ж, — сказал он наконец. — Не буду спрашивать вас откуда. Оно и к лучшему. Ибо избавляет меня от ненужных объяснений, а вас — от естественного в подобном случае смущения и неподобающих...

Он хотел сказать «чувств», но запнулся, жалко усмехнулся, глядя мимо Дуни — на ее же отражение в темном стекле. К счастью, в нем нельзя было заметить, как княжне жаром обдало щеки.

Несколько секунд Авдотья молчала. И уж готова была признаться, что поздно, все неподобающие чувства успели поселиться в ее душе... Но де Бриак уже повернулся обратно к полке с книгами, провел пальцами по корешкам с готическими буквами.

— Это книги вашего брата? Княгиня говорила за ужином, что он учился в Геттингене?

— Да, — глухо произнесла Дуня. — Алексей изучал немецкую философию. И ненавидел войну.

— Тут, княжна, мы с ним схожи. — Голос де Бриака почти выровнялся. — Но, очевидно, у нас обоих не было выбора. — И, не желая, чтобы Авдотья восприняла его ремарку как попытку сближения, добавил совсем иным тоном: — О! «Тождество бытия и мышления»? Жаль, что нам не случилось узнать друг друга. Впрочем, учитывая обстоятельства... — Он вынул одну из книг: — И все-таки вашего брата интересуют не только философы, Эдокси. Гёте, Шиллер — прежде всего поэты. А вот это, — де Бриак открыл титульную страницу, провел по ней почти ласково ладонью, — и вовсе свежее издание прошлого года: «Времена года. Ежеквартальник романтической поэзии».

Он перебирал книги, стоя к ней спиной, и Авдотья могла, отбросив смущение, с жадностью вбирать предложенную глазам картину: темные кудри, тесно охваченный темно-синим сукном широкий разворот плеч, затянутый красным гусарским кушаком гибкий стан. Военная униформа того времени открывала женскому взгляду не менее, чем мужскому — легкие платья эпохи ампира. И, замерев, Авдотья думала, отчего император, отправляя своих офицеров на бойню, обряжает их в столь нарядные одежды? Почему идущие на смерть должны быть так прекрасны? И сколько осталось у нее в запасе дней, прежде чем Этьен навсегда покинет Приволье? Сколько, прежде чем русские ядра сорвут эту гордую голову с плеч, а штыки искромсают украшенную золотым шитьем грудь, раздавит ноги павший конь? Что готовит им будущее? Где окажутся они все через месяц?

— Странно. — Он повернулся к ней, и Авдотья быстро отвела глаза. — Вашему брату столь понравилось творчество де ла Мотта, что он приобрел одну из его поэм отдельным изданием.

Он попытался улыбнуться, протягивая ей небольшой, переплетенный в красную кожу томик. Дуня машинально взяла его в руку, а де Бриак продолжал смотреть на нее, забывшись, с такой тоской и отчаянием, что Авдотья содрогнулась: что будут они делать со своими чувствами, одни — против всего охваченного войной мира?

Стиснув влажными пальцами тисненую обложку, она сделала вид, что внимательно листает поэму, и вдруг — замерла. Затуманенным любовью глазам будто вернулась зоркость. Краска отлила от лица, она покачнулась и, если бы не рука де Бриака, упала бы с подоконника.

— Вам нехорошо, княжна?

Он обхватил ее за талию: на Дуню пахнуло кельнской водой и крепко выглаженным денщиком лионским сукном. Она прикрыла глаза: каких-нибудь пять минут назад... Но не сейчас. Сейчас она уже не имела права на слабость. Авдотья покачала головой:

— Оставьте, виконт. Мне хорошо.

Она почувствовала холодный пол под босыми ногами — озноб поднимался вверх, на лбу выступила испарина, она застучала зубами и, дабы скрыть дрожь, крепко сомкнула губы, вскинула острый подбородок.

Де Бриак, тоже побледнев, мгновенно выпустил ее:

— Прошу простить меня, княжна.

— Покойной ночи, — почти неслышно сказала Дуня, и, уж боле не заботясь о своем полураспахнутом капоте и голых ступнях, заторопилась в сторону двери, продолжая держать заледеневшими пальцами книгу в красном переплете.

А де Бриак, опустив свои никому не понадобившиеся руки, остался стоять посреди библиотеки, чувствуя звонкую пустоту там, где совсем недавно жарко билось сердце. Не оставалось никаких сомнений: если княжна Липецкая удалилась на свою половину, не удостоив его ни единым взглядом, то лишь потому, что он, бастард, таких взглядов более не стоит.

ГЛАВА ДВАДЦАТЬ ПЕРВАЯ

В красных девиц, нарядились, порхнули и разом исчезли.

В. Жуковский. Сказка о царе Берендее

На следующее утро, выйдя к утренней трапезе, Александра Гавриловна не застала в столовой ни супруга, ни дочери. В случае Сергея Алексеевича загадка разрешилась сразу же: лакей донес, что барин уединился по срочному делу с управляющим Андреем «в кабинеты», а отсутствие Эдокси княгиня объяснила с еще большей легкостью и даже некоторым смущением: от пережитых горестей милое дитя спала долее обыкновенного, а сама Александра Гавриловна забыла послать княжне замену Настасье, только вчера определенную барской ключницей. Новую девушку звали Акулькой, и она уже давно была на побегушках у ее Васьки.

Дабы загладить оплошность, Александра Гавриловна отослала обеих девок к барышне, наказав угождать ей по мере возможностей. А через несколько минут в столовую шаркающей кавалерийской походкой вошел супруг темнее тучи: из детей, что княгиня отрядила вчера в лес собирать раннюю ягоду, не вернулась младшая сестра Глашки Анфиса. Андрей порешил до вечера барина не беспокоить: искали, можно сказать, семейно — Григорий с Феклушей да Андрон со своими собачками. А утром Андрей уж прибежал, бросился Сергею Алексеевичу в ноги: третья девчоночка, выходит, за одно лето! Да еще и Настасья-покойница! Мужики в гневе пожгли поля на границе с бароновыми наделами. Говорят, ни царя-батюшки на них нет, ни барина. От разоренных нынче французом и преданных огню своими же холопами некогда великолепных имений Габиха шел, как запах гари, слух: вместе с чертом-Бонапартом грядет Антихрист и конец света. По уезду меж тем циркулировала бумага от французского «енерала»: мол, жителям, коли они не уйдут в партизаны, а останутся на своей земле, вреда сделано не будет. А за все, что возьмут ихние французские фуражиры, получат они сполна ассигнациями.

— Уезжать пора, барин, — твердил Андрей, переминаясь с ноги на ногу. — Да без подвод, а так, налегке.

Сергей Алексеевич и сам понимал, что пора. Останавливала его лишь гражданская помещичья совесть с твердо усвоенными с младых ногтей обязанностями дворянина: проливать кровь за отечество и нести ответственность за «своих» — включая дворовых и деревенских. Все они зависели от него, за всех Богу ответ давать и бросить их так, уехав на паре карет, как тать в ночи... Липецкий морщился, как от кислого, а Андрей всё увещал барина, что даже скверные российские дороги им на руку: француз, опасаясь завязнуть да экипаж свой переломить, с них не свернет, а им тракт и без надобности — тронутся своими тропами... Поедут одни домашние, взяв лишь самое необходимое, с вооруженными провожатыми из своих лакеев и потасовских молодцов. Деньги и драгоценности увезут, а все остальное ценное Андрей спрячет — будьте покойны! — до возвращения барина.

Князь был бравым воякой и недурным хозяином своим людям, но положение все более выходило из-под контроля, а знакомая реальность с каждым днем расползалась, как гнилая дерюжка. Война с Бонапартом, «свой» француз в доме, чужие кругом. Мертвые девочки, бунтующие мужики — что делать со всем этим, его сиятельство не представлял и в полной растерянности готов был слушаться собственного управляющего.

Княгиня, внимая доводам мужа и чувствуя его беспомощность, сидела неподвижно, сцепив пальцы под кружевной скатертью. Она была испугана и согласна с Андреем: надобно ехать, и скоро. В голове крутилась мысль о шкатулке с парюрами, сдуру вывезенными из Москвы, да так и не пригодившимися. Бриллиантовые эгретки, жемчуга, броши с камеями, кашемировые шали, перечисляла княгиня в уме, не забыть бы чего-нибудь важного! Ох, как же ненавидела она собираться в спешке!

— Васька! — крикнула она, вставая из-за стола, и князю почудился в сем зове клич полководца. — Ва-а-аська-а-а!

В дверях появилась горничная.

— Что, одела Акулька барышню?

...табакерка, усыпанная диамантами, с портретом на эмали старшего сына во младенчестве, золотые часы...

— Нет, барыня. Нету ее.

— Как нету? — прервала составление списка в уме княгиня, уставившись на свою девушку.

— Сама, видать, оделась. И гулять поутру отправилась.

— В сад? — нахмурилась княгиня, обычно приветствовавшая утренние прогулки.

— А нам почем знать? — обиженно засопела носом та.

— Экая ты дура, Васька! — раздраженно поправила шаль на сдобных плечах Александра Гавриловна. — Поди узнай, на конюшне ли Ласточка, да проверь, что из барышниного гардероба взято!

Но едва недовольная Васька вышла, княгиня, полная дурных предчувствий, сама бросилась в комнату дочери, распахнула задернутые с вечера гардины. И замерла, похолодев: Авдотьина кровать была и вовсе не смята.

Дальше все закружилось с обморочной быстротой: Ласточка оказалась в стойле, Тимошка божился, что барышню не видал и никаких указаний от нее не получал. Выходит, княжна ушла из дома пешком, а вот вечером или на рассвете, никому не ведомо. Несколько утешило Александру Гавриловну исчезновение жакета из английской шерсти — где бы дочь ни находилась, она не дрожала от холода. Но где?! Оглядев воинственным взглядом едва освободившийся от утреннего тумана пустынный сад и беседку, Александра Гавриловна подобрала полы капота и ринулась через ротонду к парадному крыльцу, где за липовой аллеей раздавались ставшие уже привычными Липецким шум выстрелов, лязг колец на стволах винтовок, короткие приказы.

Де Бриака она нашла рядом со старыми въездными воротами: с недовольным лицом он выговаривал что-то младшему чину. Не дожидаясь окончания беседы, Александра Гавриловна, похожая в развевавшихся лентах капора и необъятном капоте на двухмачтовый голет[1] под всеми парусами, решительным шагом двинулась к майору.

Дав знак офицеру, что тот свободен, де Бриак с любезной улыбкой повернулся к княгине, но при виде ее рассвирепевшего лица улыбка исчезла, уступив место озабоченности.

— Милостивый государь, — начала княгиня, и подбородок ее затрясся, майор не мог понять, от негодования или от испуга. — Когда вы в последний раз видели мою дочь?

— Княжна? — спросил он, побледнев. — Что с ней?

— Она пропала! Она... — Александра Гавриловна замолчала: остатки воспитания, не позволяющие выносить сор из избы, боролись в ней с материнской тревогой, но положение складывалось отчаянное, и потому она продолжила: — Может статься, этой ночью она не ночевала дома.

Де Бриак вздрогнул, побледнев еще пуще.

— Исключено, — сказал он наконец. — Княжна дала мне слово...

И увидел, как застыло лицо княгини.

---

[1] Небольшое парусное судно.

— Ваш обмен обещаниями мы еще обсудим. Так ответьте ж мне, виконт.

— Вечером. В десятом часу.

— Где, позвольте узнать?

— В библиотеке.

Лицо княгини обратилось в камень.

— С какой же целью вы встречались с моей дочерью наедине?

Де Бриак выпрямился:

— Наша встреча, княгиня, была случайностью.

«Как бы не так!» — читалось в яростном взгляде Александры Гавриловны.

— Осмелюсь поинтересоваться содержанием вашей беседы. — Вопросы сыпались на беспомощного майора, словно картечь из снарядов капитана Шрапнеля.

— Немецкая литература, княгиня, — поднял на нее прямой взгляд де Бриак. — Мы обсуждали предпочтения вашего старшего сына — Гегель и Шеллинг, если я правильно помню.

Губы Александры Гавриловны задрожали:

— Мой сын, майор, возможно, уже убит. Или смертельно ранен. А мы... мы пустили вас в свой дом, приняв за честного человека нашего круга. — И добавила через паузу: — Виконт! — Де Бриак вздрогнул, как от пощечины, а княгиня продолжила: — И верили, что вы не воспользуетесь нашим доверием, чтобы... — она махнула маленькой ручкой с зажатым в ней кружевным платком, — мы с князем... Нет, я сама посчитала, что правила человечности выше розни между нашими государями. Я ошиблась.

И, развернувшись, она почти бегом направилась по липовой аллее обратно к дому.

Некоторое время де Бриак остался недвижим, как памятник своему императору. В оскорбленных чувствах княгиня становилась очень похожа на свою дочь: будто сама Авдотья бросала ему в лицо обвинения. Он чувствовал себя смертельно виноватым: как мужчина, как старший и, наконец, как человек, изначально понимавший, что брак между ним и княжной невозможен, немыслим, он должен был избегать встреч и бесед, пусть даже на самые невинные темы. Избегать обмена взглядами, общего смеха... Не будь войны, злился на себя майор, разве оказался бы он в столь опасной близости с богатой русской наследницей? Война смешала все карты. Да, она убивала и калечила, но калечила не только тело. Она — будто отравленное вино, бродящее в каждом солдате. Близость смерти, жажда жизни. Любовь, которая становится дороже жизни, ведь жизнь на полях сражений не стоит и сантима. А цена любви — о, ее цена только растет! И вот он чувствует себя негодяем — какое бремя для его уже изорванной в клочки гордости. Ему следовало, твердил он себе, вспоминая ее заплаканное лицо вчера в библиотеке, поделиться с князем Дуниными дневными, а особливо ночными эскападами. Возможно, его сиятельство смог бы оградить дочь от опасности. Она рисковала из-за него. В висках у Этьена стучала кровь, на щеках выступили красные пятна. Только потому, что им с Пустилье вздумалось так бездарно поиграть в сыщиков. Аутопсии, рысканье по округе в поисках убийцы... Каково занятие для девицы, чье место за пяльцами или с романом в руках?!

Он дернулся, очнувшись от собственных мыслей, и устремился вслед за Александрой Гавриловной, нагнав ее уже у крыльца.

— Ваше сиятельство, — окликнул ее он. — Позвольте, по крайней мере, осмотреть вместе с вами комнату княжны. Возможно, осталась записка или иной признак, что поможет нам ее отыскать?

— Как вам будет угодно, — отмахнулась, даже не оглянувшись, княгиня.

* * *

Воспользовавшись этой — последней, как он чувствовал, — любезностью, в сопровождении новой горничной, они с Пустилье осмотрели комнату. Сам де Бриак лишь замер на несколько секунд в дверях: ему казалось неловко, того более, стыдно заглядывать в девичью спальню. Терзающий майора стыд был двоякого толка: он то представлял себе в глубине алькова рыжую косу и белокожий профиль княжны, то мучился виной из-за ее отсутствия. Но в комнате все казалось мирным. Солнечный свет ложился на медовые половицы, зажигал позолоту на бронзовой ножке кресла перед псише. На стене висел портрет Авдотьи — весьма удачная акварель, запечатлевшая Эдокси еще девочкой. Де Бриак заставил себя смотреть в сторону, и взгляд его, как нарочно, упал на золотые часы с фигуркой бога любви, что недвусмысленно целился ему прямо в сердце. Де Бриак не двинулся с места (стреляй же!), лишь втянул носом воздух: пахло розовой водой и садовой мятой. Пыль лениво кружилась в воздухе. Жужжала под потолком июльская муха. Акулька добросовестно залезла под кровать. Пустилье осматривал прикроватный столик. Вскоре девица вылезла и покачала растрепавшейся головой: ничего. Так же помотал головой и Пустилье, не найдя ни записки, ни какого иного следа. Зато обнаружил коробок со злосчастным песком.

Де Бриак вздохнул, взгляд его упал на подсвеченный солнцем красный переплет. Это была вчерашняя книжица — поэма немца де ла Мотта. И, повинуясь порыву, который в романах той поры было принято называть смутным, а ныне — зовом интуиции, а может, просто желая дотронуться до предмета, которого касалась ее рука, де Бриак сделал несколько шагов и взял книгу с прикроватного столика.

В следующие несколько часов дивизион почти в полном составе был разослан искать следы пропавшей барышни (о несчастной крепостной девочке никто более не вспоминал). Сергей Алексеевич, увидев столь кипучую деятельность француза, в свою очередь, решил снарядить дворовых под собственным предводительством к границам имения. Де Бриак, побеседовав с ним при закрытых дверях, предложил князю часть своих вооруженных легкой артиллерией людей — скорее для устрашения, чем для ведения настоящих боевых действий (Липецкий опасался новых поджогов на рубежах своих владений. Мужицкий бунт следовало подавить, заодно опросив деревенских). Наконец, Андрону с собачками приказано было вновь отправиться в леса, определив каждому из псарей по паре гончих, и дав им что-то из одежды или обуви барышни.

Дом и двор опустели. Застыли в тишине французские бивуаки. Из домашних остались лишь сама княгиня, Николенька (коему, несмотря на злые слезы, отец не разрешил присоединиться ни к одной из операций, оставив «охранять» маменьку) и терзаемый тревогой и чувством вины де Бриак. К последнему, как к полководцу, каждый час прибывали гонцы с новостями, точнее, с их полным отсутствием. Запершись в спальне, майор все более мрачнел: он то представлял себе княжну в растерзанном платье в толпе обезумевших от крови мужиков, то мерещилась ему темная тень, сомкнувшая руки на белоснежном горле... Но чаще всего виделась ему княжна в объятиях лесного поручика Потасова. И ко стыду своему — в конце концов, Этьен, как и Авдотья, был сыном эпохи Просвещения и великой революции, объявивших ревность предрассудком (занятно, что веком позже на ревность, как на пережиток, ополчатся и революционеры 17-го), — сия картина мучила Этьена более, чем все фантазии о жестоком душегубе и разбушевавшихся холопах.

Пытаясь унять разыгравшееся воображение, он нервно листал красный том в попытке отыскать пометку на полях или закладку из полевого цветка — тщетно. Готические буквы немецкого текста глумливо плясали перед глазами: «О, прекрасный, приветливый гость, как же очутился ты в нашей бедной хижине? Ты, верно, долго блуждал по белу свету, прежде чем попасть к нам?»

Было около четырех пополудни, когда вернулись солдаты, приведя с собою пленного — мелкорослого мужичонку. Рукав армяка неизвестного был порван, шапки он также лишился, очевидно, в неравной баталии с французом. Все лицо его было густо-нагусто покрыто черной бородищей: дикая поросль милосердно тормозила лишь под самыми глазами — небольшими, но крайне выразительными. И выражали нынче те глаза ярую неприязнь.

— Руку на отсечение даю, майор, это один из партизан, что нападают на наших фуражиров. — Дюжий лейтенант, дотронувшись до широкой царапины под скулой, встал за связанным мужиком, будто продолжал ждать от него какой-нибудь пакости. — Сначала бросился петлять по лесу, что твой заяц, а после, даром что без оружия, кинулся на нас, будто разъяренный медведь!

Де Бриак молча смотрел на мужика. Мужик смотрел без всякого смущения в ответ. Этот человек, думал майор, возможно, единственная ниточка между ним и Потасовым. Не воспользоваться ею было бы глупо. Но как воспользоваться? Он беспомощно оглядел своих подчиненных: среди них не имелось ни единой души, говорившей на местном наречии. Ему надобен переводчик. Князя не было на месте. Оставалась только княгиня, но ее, боясь навредить Дуне еще более, де Бриак в толмачи взять не рискнул. Майор вздохнул: отпустить молодца? Проследить за ним и выйти на потасовский лагерь? Разгромить лагерь своими силами, к чести императорского оружия и еще из иных, менее связанных с честью и императором, а более с его, майора, ревностью, соображений?

— Заприте его в леднике, — сказал он наконец и дал знак всем выйти из малой гостиной, служившей ему последние две недели кабинетом.

Присутствующие с топотом удалились, уводя за собой пленного, а Этьен вернулся к книге с красным переплетом и нашел потерянное место.

«Ты пришел из страшного леса, прекрасный друг? Ты пришел из страшного леса... — водил рассеянно глазами де Бриак по строчкам. — Из страшного леса...»

Но сосредоточиться на тексте никак не получалось: снаружи то и дело доносился детский крик и посвист. Открывши окно, де Бриак увидел их — тройку дворовых ребятишек в компании младшего брата Эдокси. Обычно занятые на посылках, сегодня мальчишки стали хозяевами опустевшего двора. Севши на корточки, они во что-то увлеченно играли, возмущенно надрывали грудь, старший давал подзатыльник младшему... Николя, в аккуратной серой курточке и коротких панталонах, вел себя куда более сдержанно — как и подобает барчуку. Но и он время от времени не мог удержаться от радостного иль возмущенного возгласа. Судя по тому, что успел понять де Бриак, игра заключалась в следующем: разбросать по земле несколько камешков довольно далеко друг от друга, еще один подбросить в воздух и, пока тот летит, суметь подобрать другой с земли, поймав подброшенный. Не поспевший из игры выбывал. Вскоре удача отвернулась и от юного князя. Вскочив и пнув от обиды на судьбу злосчастный камешек, мальчик направился к центральному крыльцу.

— Николя! — позвал его из окна де Бриак.

Тот косо взглянул на француза, но все же подошел, вежливо, совсем по-взрослому поклонился.

— Доброго дня, майор.

— Николя, мне нужна ваша помощь, — не стал ходить вокруг да около де Бриак. И, увидев упрямое выражение на мальчишеском лице, добавил: — Человек, который, возможно, способен помочь нам отыскать вашу сестру, заперт под стражей в людском леднике.

— Под стражей?! — Глаза Николя восторженно расширились. — Кто он?!

— Думаю, доблестный партизан, — с улыбкой произнес де Бриак. — Так как, князь, могу я на вас рассчитывать?

Почтительное «князь» завершило дело, Николенька степенно кивнул, не преминув, впрочем, добавить, что делает это исключительно «ради блага любимой сестрицы».

С легкостью перемахнув через подоконник — чем вызвал плохо скрываемый восторг Николеньки, — Этьен вместе с юным Липецким отправились к леднику, откуда совсем недавно вывезли тело Настасьи. Майор кивнул часовому, тот, покосившись на мальчика, отодвинул засов и распахнул дверь перед начальством. Свет едва доставал до дальнего угла, где, сложив под себя армяк, сидел давешний мужичонка.

— Узнаете его, Николя? — спросил де Бриак, едва арестант поднял всклокоченную бороду.

Николенька медленно покачал головой. Выражение лица его было самое что ни на есть завороженное.

— Только не вздумайте бежать в партизаны, — хмыкнул, угадав мысли юного князя, майор. — Даже если и отыщете — погубите маман. Второго вашего побега она не перенесет. Вы теперь опора семьи, не забывайте.

Мальчик, потупившись, виновато кивнул.

— Кроме того, главное для нас сейчас — поиск вашей сестры, — добавил де Бриак. — Спросите его, не в лагере ли месье Потасова она оказалась без возможности вернуться?

Николя обратился к пленному с длинной торжественной тирадой. А мужичонка, выслушав, вдруг осклабился, обнажив средь бородищи желтые крупные зубы.

— Вон оно как выходит-то, ваше благородие! По сестрице вашей, значит, обое сохнуть: и наше начальство, и ваш француз! А она, птичка вольная, видать, фьить! — от двоих улетела!

Де Бриак увидел, как лицо Николя пошло красными пятнами: он вдруг сделал шаг вперед и замахнулся — майор едва успел удержать его за хлястик суконной курточки.

— Стойте, князь. Пленных бить — последнее дело. Что он сказал?

Николя потупился:

— Княжны у партизан нет, майор.

— Тогда что он делал в ближних лесах?

Николя, все так же глядя в земляной пол, перевел мужику вопрос.

— Знака ждал, — просто ответил тот.

Постепенно выяснилось, что поручик собирался вывезти семейство Липецких под своим конвоем и что Авдотья запретила ему нападать на людей де Бриака. А что мужик по имени Игнат должен был по поручению поручика каждый день приходить в Приволье, дабы удостовериться, что на окне у барышни не стоит заветного букета: знака для Потасова, что ей нужна помощь.

Чем далее продвигалась беседа, тем более задумывался де Бриак. Ревность отступила, и единственно страх заполнил все его существо. Где она?! Почему не обратилась за помощью ни к одному из них? Ведь еще вчера так страшно погибла ее горничная... Словно предгрозовая пыль на сельской дороге, вихрились в голове майора обрывочные мысли. Пытаясь сосредоточиться, он прикрыл глаза, но перед глазами встала погибшая сестра, отчего-то в Дунином платье. Он поднял чуть дрожащие руки к онемевшему лицу и с силой потер. А когда отнял, увидел, что Николя с партизаном молча уставились на него и ждут.

— Скажите ему: мы устанавливаем перемирие, — медленно произнес Этьен, не отрывая глаз от мужицкого лица, будто вдавливая каждое слово в непокорную бороду, торчавшие над ней скулы, горящие неласковым огнем глазки. — Скажите, что мы не будем трогать партизан, не станем заходить в леса. Пусть все силы — и его и наши — будут направлены на поиски сестры вашей. Если наши люди столкнутся, они пройдут мимо, не нападая. Скажите: его область лес, моя — все владения Липецких и река. Соглашение действует, пока мы не найдем княжну.

Де Бриак вышел, приказав солдату развязать и напоить пленника, а после сопроводить его к опушке ближайшего леса и отпустить на все четыре стороны.

Он не видел, как Игната вывели из ледника и как тот, едва перестав щуриться на солнце, все время, пока удивленный солдат распутывал грязную веревку за его спиной, провожал глазами невысокую фигуру майора. И лишь тогда, когда француз взбежал по ступеням в господский дом и исчез за дверью, позволил себе осклабиться в бородищу.

ЗА ДВА ГОДА ДО ПРОИСХОДЯЩИХ СОБЫТИЙ

Письмо Дмитрия Вереинова, отосланного сестрой покойного, после безвременной кончины последнего.

Зоннерштайн.
Марта 18-го 1810 года
Милый мой анахорет!
Последнее письмо твое, проплутав порядочно в дороге, наконец, добралось до своего адресата. В нем ты просишь поделиться новостями о моих изысканиях и не представляешь, как близко подвели они меня к твоей славной особе!
Но все по порядку. Итак, путешествуя от одной лечебницы до другой и почитывая в пути месье Дакена, третьего дня прибыл я в самою Мекку новейшей психиатрии — замок Зоннерштайн. Овеянный горным воздухом саксонской Швейцарии, всем видом своим представляет он живую противоположность позорных грязных дыр, вроде Бедлама с его сырыми подвалами и мрачными казематами. Здесь, с любезного разрешения директора Р., имел я возможность воочию убедиться в разнообразии современных методов и самолично (ты ведь знаешь мою дотошность!) примерил Sack и маску Аутенрита. Не успокоившись сими приспособлениями, вместе с врачами участвовал в двух экспериментах модного ныне водолечения. Представь: больных меланхоликов держат здесь под водой до первых признаков удушения (врачи как раз успевают не-

309

спешно произнести Miserere[1]), а на связанных ипохондриков в ванной выливают со значительной высоты до 50 ведер ледяной воды. Придя в себя, пациенты и точно выходили из состояния болезненного сосредоточения. Однако, вопрошаю я себя не без скепсиса, насколько действенны сии изобретения? Среди пациентов отметил я много случаев буйства, кои директор склонен приписывать воздействию Солнца, а также приливам Земли, Юпитера и Венеры (P. в свободные часы — астроном). В Венере ли тут дело, но на прошлой неделе трое больных порезали друг друга, а еще один, из смирных, бросился с самого высокого донжона замка. Уцелевшие же после влажных пеленаний и приема чемерицы пациенты приписывали совершаемые ими гнусности голосам, что вещают через стенки их комнат, а то и напрямую в больничной столовой. Типичный пример болезненного бреда, мой друг, но тут, по-видимому, водолечение бессильно!

Теперь же перейдем к самому интересному: третьего дня, прогуливаясь в парке вокруг замка, неожиданно столкнулся я с весьма элегантным (единственная faute de goût[2] заключалась в нелепейшей тирольской шляпе) господином средних лет, в коем, несмотря на идеальный французский выговор, я сразу опознал соотечественника. Румяный, с ласковою улыбкой на ярких устах, он производил впечатление человека добродушного и неглупого. Мы начали с беседы о погодах (здесь не принято представляться случайному собеседнику — оно и понятно), далее от свежих фортепьянных сонат Бетховена перешли к теориям цвета, высказанным Гете. Сойдясь во мнениях, он протянул мне дружески руку и представился. Вообрази мои удивление и радость! Я тотчас рассказал ему о нашем знакомстве, и он заявил, что вскоре сам собирается навестить родные пенаты! Остановится N. в соседнем дружественном имении, дабы не смущать ипохондрическою личностию своих домашних,

---

[1] Католическая молитва.
[2] Безвкусица (*фр.*).

но очень рассчитывает на встречу! Будет сидеть при закрытых дверях — прополощи-ка себе рот свежими речами. А то знаю по себе: засохнет там от домашних разговоров! Смотри же, я все уши о тебе прожужжал сему удивительному человеку!

Vale, будет болтать.

Обнимаю тебя от всего сердца.

Дмитрий Вереинов.

P. S. Пиши ко мне теперь уж на московский мой адрес.

ГЛАВА ДВАДЦАТЬ ВТОРАЯ

Полно плакать и кручиниться,
Полно слезы лить горючие:
Честь и родина любезные
Мне велят с тобой не видеться.
Владимир Раевский

— Трое, самое большее — четверо суток. — Пустилье
сидел, нацелив остро отточенный карандаш на блокнот,
где только что высчитал дни: с момента пропажи девочек и до их появления на плотах уже убитыми. — Однако правило сие не срабатывает с теми, кто не подпадает
под нужный типаж.

Де Бриак стоял у окна, заложив руки за спину, и смотрел в сумеречный сад. Стоило выйти к беседке, чтобы
увидеть, как догорает за рекой этот страшный день. Но
смотреть на прекрасное было невыносимо. Хотелось,
напротив, оказаться в полной темноте и думать, думать
о том, что, несомненно, уже имелось у них в руках, кружится, как невесомая паутина в самом этом остывающем
после дневного зноя воздухе. Намеки, обрывки правды,
будто едва различимый шепот. Все это находилось тут,
в этом доме, который больше не казался де Бриаку гостеприимным. Авдотья услышала этот шепот и пошла за
ним, как за болотным огнем...

— Настасья была убита сразу, — говорил тем временем
доктор. — Я не хочу пугать вас, Этьен, но...

— Почему она сбежала?! — перебил его де Бриак, не желая выслушивать фразу до конца. — Она же дала мне слово!

— Обещания юных девиц... — пожал плечами Пустилье.

— Нет, — замотал головой майор. — Не в случае Эдокси. Обещая, ты поручаешься честью, а честь значит слишком много для девушки ее круга, чтобы... — Он вдруг осекся, потрясенный возможной догадкой. — Если только, доктор, тут тоже не была замешана честь! Честь, превышавшая ее собственную.

— Честь родины? — хмыкнул Пустилье. — Полноте, Этьен. Соображения патриотизма...

— Патриотизм тут ни при чем, — покачал головой де Бриак. — Иначе она отправилась бы за помощью к этому... лесному поручику. — Он махнул рукой, будто отгоняя от себя мух. Грозный его соперник, как он уже понял, оказался, подобно самому Этьену, еще одной жертвой рыжеволосой княжны на поле любовной брани. — Помните, доктор, она упала в обморок?

— Когда вы так удачно не дали себя застрелить? — усмехнулся доктор, а майор покраснел.

— Нет. Когда после аутопсии Глашки в ледник ворвался ее младший брат, они что-то звонко обсуждали, а потом она лишилась чувств прямо там, на земляном полу?

— Этьен, вам известно мое мнение о дамских обмороках...

Де Бриак покачал головой.

— Не стоит обобщать. Княжна лишилась чувств всего дважды. Первый — полагая, что я прощаюсь с жизнью. Второй — в ситуации, уже мало располагавшей к подобной слабости.

Доктор пожал плечами.

— Напряжение последних дней — кажется, вы сами дали такое объяснение?

Де Бриак кивнул.

— Но что, если я не прав? Вспомните, Пустилье, эта девушка пыталась ворваться в горящую избу, самолично ускакала ночью искать правду в леса к партизанам, присутствовала при ваших аутопсиях... Господь вложил в нее неробкую душу. Княжна крепка здоровьем, а значит, возможно и другое объяснение. И еще...

— Есть еще? — грустно улыбнулся Пустилье.

— Да. В тот вечер, когда княжна исчезла, мы имели с ней серьезный разговор. — Де Бриак на секунду замолк, но пересилил себя. — Я рассказал ей, Пустилье. И она ответила, что уже знает...

Пришла пора краснеть доктору. Де Бриак поднял руку:

— Я вовсе не обвиняю вас, дорогой друг. Тогда я решил, что ее ответ — лишь попытка избежать неинтересного ей более объяснения, и прекратил свои нелепые... Но что, если она говорила правду? И действительно уже все знала? И тем не менее она побледнела и едва устояла на ногах, как человек, потрясенный тяжелой вестью. Это все странности, доктор. Как и та, что ее горничная ни с того ни с сего убежала в лес на поиски убийцы — и нашла его... Горничная нашла. А мы, Пустилье, не можем! — ударил де Бриак ладонью по столу. — Что за тайное знание может хранить горничная?

— Не будьте столь снисходительны, Бриак, — улыбнулся горячности майора Пустилье. — Слуги знают много больше, чем кажется их господам. Кроме того, если я правильно понял, она с детства ходит за барышней, живет в доме...

— Живет в доме... — повторил де Бриак и вскинул голову. — Значит, и ответ следует искать именно здесь.

* * *

Николя проснулся от шороха и с сильно бьющимся сердцем быстро сел на кровати — на стуле у окна сидела, чуть сгорбившись, некая тень.

314

— Кто вы? — мальчишеским дискантом вскричал он. — Что вам угодно?! — И, устыдившись своего страха, добавил неожиданным басом: — У меня под подушкой пистоль!

— Простите, князь, — услышал он во тьме, — я не хотел вас пугать. И решил не жечь свечей, дабы не переполошить весь дом.

— Майор? — Николенька узнал этот голос. — Что вы здесь делаете?!

— Зовите меня Этьен, если угодно, — вздохнула тень. — Послушайте, Николя, мне вновь нужна ваша помощь.

— Я... готов, ма... Этьен, — оправил ночную рубашку Николя.

— Помните, вы чуть не упали со старой липы, пытаясь разглядеть, что мы делаем в леднике с утопленницей?

— По-помню, — смутился Николенька.

— Вы еще вбежали внутрь, схватили игрушку — такую деревянную.

— Гаврилову лошадку?

— Да. Все не могу запомнить ее прозвища. А после ваша сестрица внезапно лишилась чувств, помните?

Николенька хотел было сказать, что помнит также, как майор посмел положить ее голову к себе на колени, но сдержался и только молча кивнул в темноте.

— Так вот, — продолжил де Бриак. — Я хочу, чтобы вы рассказали мне, о чем говорили с княжной как раз перед этим?

Николенька задумался:

— Мы спорили. Но о глупостях, право.

— А все же?

Мальчик почувствовал, как майор улыбнулся в темноте, и пожал плечами.

— Я говорил, что эта лошадка — моя. Именно та, что еще о прошлом годе упала было в камин, да мы ее спасли. Еще она была поцарапана, я точно знаю...

— А сестра с вами спорила?

— Сначала. А после перестала. А потом...

— Что потом?

— А потом упала в обморок, Этьен.

От Николеньки майор отправился на свою половину, но задержался в ротонде, впервые вглядываясь в темные портреты Авдотьиных предков на стенах. Сюда, в имение, явно свозили не лучшие образчики живописи — самые удачные оставались в московском доме. Но майор, не дерзнув забрать из опустевшей комнаты столь тронувшей его акварели, все искал, поднося подсвечник близко к позолоченным рамам, какого-то сходства со своей сбежавшей Элоизой. Из темного, часто потрескавшегося фона выступали сошедшие в небытие лица и костюмы: глухо застегнутые мундиры, вольно открытые декольте платьев. Ленты, ордена, цветы на корсажах, перья на шляпах, чепцы и парики. Призраки семьи Липецких — и в каждом из них он узнавал Эдокси. У одной дамы с брезгливо поджатыми губами оказались ее глаза, у господина с кипейным кружевным жабо — нос и брови. Это было нечто вроде мучительной игры — и потому, что он тосковал по своей княжне и боялся более никогда не увидеть ни этих глаз, ни этого носа с бровями, и потому, что ему, бастарду, ни почтительные, ни насмешливые разглядывания пращуров никогда не грозили. Отец его матушки служил сельским поверенным, и Этьену ни разу не пришлось видеть деда — ни на портретах, которых последний скорее всего и не имел, ни воочию. В Блани же его теперь не приглашали. Однако что такое семейная честь, он понимал не хуже княжны.

Шаг за шагом поднимался Этьен по пологим ступеням, освещая зыбким светом все новые лица, и вдруг нахмурился. Одна из тяжелых рам оказалась пуста. «Le prince P.A. Lipetsky», гласила шедшая по центру надпись. Однако самого П.А. Липецкого внутри богатого резьбой овала не наблюдалось. Картину мог взять реставрировать тот самый талантливый крепостной художник, о котором ему третьего дня рассказывала Эдокси. Но вот инициалы в сочетании с фамилией он уже видел, и совсем недавно... На секунду задумавшись, де Бриак вновь направился в библиотеку.

Позолоченное солнце — маятник тяжелых мраморных часов — качнулось в последний раз и звонко, слишком звонко в ночной тишине, пробило полночь. Этьен вздрогнул, поставил подсвечник рядом с собой на подоконник. Здесь, на этом самом месте, поджав под себя невозможной красоты голые ступни, еще вчера вечером сидела княжна. Там, ближе к дверям, стоял он. Этьену показалось, что он и сейчас видит в глубине комнаты свою несчастную тень. Но что видела сама Эдокси? Вот эти полки с книгами, эти часы, ажурную бронзовую корзину ампирной люстры, лесенку красного дерева — доставать расположенные под потолком тома... Вот он, окончив с пыткой нелепого своего признания, задыхаясь от смущения, переводит разговор на книги. Вот вынимает ту самую, красной кожи... Де Бриак повторил в точности свой жест — достал изученный вдоль и поперек за сегодняшний день томик — на внутренней стороне переплета, как ему и положено, красовался экслибрис. Таким были отмечены все книги княжеской библиотеки, и потому майору не пришло в голову присмотреться к виньетке поближе. Меж тем экслибрис был на французском: «De la bibliothèque de prince Paule Alekseevich Lipetsky»[1] — шла надпись под копией фамильного герба: черная пушка на серебряном поле. Итак, книга принадлежала Полю, однако де Бриак не раз слышал, как княгиня называла супруга Сержем. А раз так, то кто такой Поль? И случайность ли, что портрет Поля изгнан из семейной портретной галереи, а его книга про глухой лес и утонувшего

---

[1] Из библиотеки Павла Алексеевича Липецкого (*фр.*).

в реке ребенка произвела столь странное впечатление на княжну?

Будто испуганные внезапной мыслью, замерли в воздухе обрывки паутинок. Еще немного — и они свяжутся в одну-единственную нить, что так ему необходима. Нить Ариадны.

* * *

Пустилье нашел начальство в постели, полуодетым, открытая на середине книга домиком прикрывала лицо от утреннего света.

— Бриак! — потряс он за плечо майора. — Бриак! Предпочел лично вручить...

И он протянул сонному Этьену запечатанный сургучом конверт. Де Бриак сломал печать, быстро пробежал глазами писанные изысканнейшей каллиграфией строчки.

— Мы выступаем? — не дождавшись, чтобы майор поднял голову от письма, озвучил доктор свою догадку.

Де Бриак кивнул, отшвырнул в сторону одеяло, прошел за ширму, где стоял кувшин для умывания.

— Полейте, доктор!

Пустилье послушно полил начальству на руки, и тот, отфыркиваясь, поплескал в лицо водой, наскоро обтерся полотенцем, провел пятерней по влажным темным волосам, блеснул глазами.

— Вы должны прикрыть меня, доктор.

— Полагаю, вы заболели?

— Тяжко, но не смертельно.

— Этьен, не мне говорить вам то, что вы и сами отлично знаете... Вы рискуете.

Де Бриак опустил глаза: насколько проще было бы поделиться с доктором своими ночными открытиями. Но если подозрения его верны, то как довериться даже добряку Пустилье и тем самым вновь подвести княжну?

— Я оставлю с собой в арьергарде с десяток людей. И постараюсь как можно скорее к вам присоединиться, — только и сказал он.

Они помолчали.

Де Бриак застегнул на все пуговицы ментик, поднял глаза на доктора:

— Я втравил ее в эту историю. И не уйду отсюда, пока не найду. Либо ее самою, либо ее убийцу.

Пустилье кивнул, протянул майору свой кожаный блокнот с записями.

— Будьте осторожны, друг мой, — вздохнул он. — Будьте очень осторожны. И помните: у вас сутки. Самое большее — двое. Дальше я прикрывать вас не смогу.

Они пожали друг другу руки, де Бриак развернулся, взялся за ручку двери.

— Вам приходилось бывать в Лувре, Пустилье?[1] — И, не дождавшись ответа, добавил: — Не правда ли, моя княжна похожа на одну из тех рыжих мадонн, что так любят рисовать фламандцы?

* * *

Завтрак Липецких проходил в молчании — свежий калач не лез в горло, лучший китайский чай не имел вкуса. Отъезд и связанные с ним приготовления — все было забыто. Все замерло в начале этого бесконечно тягучего июльского дня, ничто не имело более смысла и продолжения... Утром князь объявил супруге о плане присоединиться в поисках Авдотьи к поручику, и княгиня слабым голосом приказала Марфе собрать барину в дорогу еды, а сама тайно ждала всегдашнюю мигрень в надежде, что боль, от которой темнеет в глазах, спасет от той, что снедает изнутри. Ночью ее сия-

---

[1] Лувр стал доступен для широкой публики 10 августа 1793 года, во время Французской революции. При Первой империи именовался музеем Наполеона, который внес особый вклад в расширение коллекции.

тельству снились погибшие еще во младенчестве дети, числом пять: три девочки и два мальчика. «Не сберегла ты нас», — плакали они и отворачивались от княгини, когда та в мольбе протягивала к ним руки. Никого не сберегла. Потому что не любила... Вспомнилось, как выговаривала княжне за легкую сутулость и за слишком живой нрав, с грустью признаваясь соседке Щербицкой, что дочь не так хороша собой, как требовалось для ее амбициозных матримониальных планов. Дура она, дура! Как могла она так обижать своего ребенка?! Слезы княгини капали в чашку, муж накрыл ее руку своей:

— Ну, будет, будет, княгинюшка. Чай, пока не хороним.

Под обеспокоенным взглядом жены — как-то проведет весь день в седле? — князь поднялся, покряхтывая, со стула, но тут дверь распахнулась, и Кондратий с важностью объявил, что «их хранцузские благородия» просят принять.

На пороге стоял де Бриак. Княгиня смутилась, слишком хорошо помня их последнюю беседу, отвела заплаканные глаза. Князь же поприветствовал гостя, поблагодарив за хлопоты по розыску пропавшей дочери. Он сам, сказал Сергей Алексеевич, отправляется на поиски. Повисла пауза: на поиски князь отправлялся не с де Бриаком. Его же просил в качестве последнего одолжения приглядеть со своими людьми за домом и за оставшимися в нем членами семьи.

Де Бриак кивнул — князь может на него положиться. Пусть полк его и выступает, сам майор вместе с десятком людей останется злоупотреблять гостеприимством семьи Липецких еще пару дней. В столовой вновь стало тихо — ангел пролетел. Всем троим было ясно, отчего, несмотря на прямой приказ императора, остается в доме командующий дивизиона, более того — почему хозяин дома считает возможным оставить на его попечение супругу с младшим сыном.

Княгиня смотрела в стол, на шитую гладью скатерть. Де Бриак — на наборные плашки орехового паркета. Липецкий, кашлянув, поцеловал супругу в лоб.

— Что ж, мне пора собираться.

Де Бриак поднял глаза.

— Если позволите, князь, я бы хотел задать вам один вопрос.

Князь склонил голову.

— Тогда прошу, майор, в мой кабинет.

— Успеется, — раздался голос княгини. — Дозволь, мон шер, сперва напоить гостя чаем.

Князь, ежели и был удивлен, виду не подал, а, кивнув де Бриаку — жду! — и мельком огладив плечо супруги, вышел. Они остались вдвоем.

— Вот вы и сделались защитником семьи, майор. — Княгиня подставила гарднеровскую чашку, золотые вьюнки по белому полю, под кран самовара. — Не откажитесь от чая. Русская привычка. Вряд ли вам сервируют китайский на ваших-то бивуаках.

Де Бриак сел, осторожно принял из рук Александры Гавриловны хрупкий фарфор. От чая шел легкий пар, растворяясь в счастливом, полном утреннего солнца воздухе.

— А мне вот, — жалко улыбнулась ему княгиня, — и вода в рот не идет. — И добавила через вздох: — Не держите зла, майор. Когда-нибудь и вы узнаете: родителям свойственно винить иных в собственных ошибках в воспитании.

— Вам не за что просить у меня прощения. — Де Бриак отставил чашку и встал, чувствуя, как лицо заливает краска стыда. — Вы были правы. Все происшедшее — исключительно моя вина.

Княгиня горько усмехнулась, похлопала унизанной кольцами рукой по спинке стула — садитесь.

— Будет вам, майор. Характер моей дочери всегда отличался независимостью. Выбросьте из головы, ежели вам кажется, что вы имели на нее какое-то влияние. — Она вздохнула. — Что ж, теперь, когда мы оба покаялись, пейте, пейте чай.

Она совсем по-родственному огладила его по руке, и де Бриак понял: как и в истории с партизанами Потасова, здесь, за дымящейся чашкой чая, тоже было заключено перемирие. И как бы хотелось ему, чтобы эта женщина, великодушная даже в своем горе, оставалась ему другом... Но он знал: стоит на горизонте появиться княжне — живой и здоровой, и хрупкому миру придет конец.

Он отставил чашку и встал:

— Благодарю за чай, княгиня. Пора!

— Пора? — повторила она, вскинув на него вновь повлажневшие глаза, и, когда тот направился к дверям, тайком перекрестила французу спину православным крестом.

ГЛАВА ДВАДЦАТЬ ТРЕТЬЯ

Ундина, с памятного дня,
Когда заметил я недаром
Твой чудный свет в преданье старом,
О, как ты пела для меня.

Фридрих де ла Мотт Фуке. Ундина

Его сиятельство смотрел на книгу: на щеках разгорались багровые пятна.

— Это невозможно, — сказал он.

— И между тем... — Де Бриак позволил себе опуститься на стул напротив, поскольку ошеломленный хозяин кабинета, похоже, забыл о вежливости. Нервными пальцами вынул из ящика стола янтарный мундштук, но не торопился зажечь его. Лишь перевел взгляд с экслибриса на де Бриака.

— И вы нашли это в моей библиотеке?

Де Бриак кивнул и задал, в свою очередь, вопрос:

— Поль Липецкий, полагаю, ваш брат?

— Старший. — Князь глядел в окно. — Вы думаете, — начал он после паузы, — мертвые девочки?..

— Я мало понимаю в этой истории, — пожал плечами де Бриак. — Но думаю, дочь ваша думает именно так.

— Невозможно, — повторил князь. — Эдокси ни разу не видела Павла, она ничего о нем не знает!..

Он вскочил и, все так же истово сжимая бесполезный мундштук в ладони, бросился, припадая на левую ногу, мерить шагами пространство между столом и окном.

— Хорошо. — Князь встал перед де Бриаком. Подбородок его чуть подрагивал, и, дабы сдержать эту дрожь, его сиятельство напрягал, играя желваками, челюсти, — я расскажу вам, ежели иначе никак не доказать, что вы ошибаетесь.

И князь опять сел, устремив немигающий взгляд на печать экслибриса.

— Павел всегда отличался блестящими способностями — к языкам, точным наукам, философиям и прочим штудиям. Я с детства желал стать гусаром, но он... Родители чаяли видеть его по меньшей мере министром, правой рукой государя! И были весьма удивлены, когда он также выбрал для себя военное поприще.

— Но почему? — Этьену, вынужденному идти в армию, подобный выбор был странен.

— Он говорил, — пожал плечами князь, — что на войне человек слаб. Брат с детства обожал итальянские кукольные представления — знаете венецианские марионетки?

Де Бриак кивнул: во время церковных праздников кукловоды ходили из города в город по всей Европе, собирая вокруг детвору; пускал их в Блани и его отец.

— Думаю, он имел в виду, что ими проще управлять. А манипуляции были с младых лет любимой забавой Поля. — И князь потемнел лицом, вспоминая те забавы. — Впрочем, смелости брату было не занимать, так что и здесь достиг он немалых успехов. К тому же весьма выгодно и, как нам казалось, счастливо женился. Все поменялось, когда он решил привезти домой из похода, кхм, еще одну супругу. И так стал двоеженцем, отставником и помещиком. Александрин... — Его сиятельство махнул ладонью, и Этьен не сразу понял, что речь идет о Дуниной матери. — С тех пор отказалась его видеть, полагая источником разврата, оказывающим, — тут князь попробовал усмехнуться, — на меня пагубное влияние. Так отношения наши прекратились. Впрочем, мы и раньше не особенно ладили... — Сергей Алексеевич вздохнул, хмуро поглядел на цветущие липы подъездной аллеи. — Однако окончательным разрывом послужила смерть обеих его супруг.

— Что произошло?

— Они покончили с собою.

— Они? — замер де Бриак. — Вместе?

— Да, — вскинул на него глаза Сергей Алексеевич и сразу отвел взгляд. — На самом деле они убили друг друга. Однако это действительно произошло одновременно. За семейным ужином.

Ошеломленный де Бриак уставился на князя: что значила его банальная фамильная тайна в сравнении с тем, что многие годы держал в себе его сиятельство?

Будто угадав мысли собеседника, Липецкий поморщился, шумно выдохнул через нос:

— Уездный предводитель дворянства долго покрывал эту историю. Думаю, его удерживала, кхм, некоторая дворянская и воинская солидарность. — И пояснил: — Оба бились с турками на Кинбурнской косе.

Де Бриак кивнул: боевое братство, вполне естественно.

— Выдали же брата беглые крестьяне — в своих землях он лютовал. Началось судебное разбирательство. — Князь вынул огниво и, наконец, закурил. — Дальше все просто: по смерти родителей я стал ближайшим родственником и сделался опекуном брата. Учитывая заслуги семьи нашей перед отечеством, его ранения, а также признав брата неполным умом, удалось избежать каторги. — Князь постучал сухими пальцами по столешнице. — После врачи говорили, что Павел не способен испытывать ни сострадания, ни любви. Никаких чувств. Редкая аномалия. В этом, впрочем, и заключалось все безумие... Но о ту пору принято было определять поврежденных рассудком в монастыри, дабы изгнать из них духа тьмы. — Князь, сбоку запустив себе в рот янтарь, порывисто втянул дым. — Я выбрал Тобольск, и не дай Бог вашему императору добраться до тамошних мест, — Липецкий усмехнулся. — Это, мон шер, отнюдь не Париж. — Но усмешка князя быстро исчезла, и он еще раз глубоко затянулся. — Мне мнилось, тамошние суровые нравы и святость монастырской жизни изгонят из него нечистого...

Де Бриак поднял бровь: удивительно, как в просвещенном веке они еще способны потакать своим суевериям! Князь же, вновь усмехнувшись на французов скепсис, закончил:

— Однако случилось иначе: это мой брат призвал в далекие сибирские пределы Князя тьмы.

— Что произошло?

— Подробности мне неведомы. Единственно результат. Павла изгнали из монастыря, словно провинившегося ученика из пансиона. Не смирившись с положением дел, взялся я опробовать иной, научный способ, определив его в московскую лечебницу. Не стану утомлять вас рассказами про тамошнюю грязь, оковы и голых по пояс людей, что сидели в общих камерах, воя, визжа, царапая лицо руками... Но, жертвуя больнице, я смог оговорить для Павла пристойное содержание: я надеялся, что, навещая брата, смогу вместе с опытными лекарями исцелить душу несчастного... — Он помолчал. — За семь лет, что Поль провел в лечебнице, он ни разу не согласился со мной встретиться. Когда же, по моей настойчивой просьбе и без его ведома доктор Кибальчич наконец организовал мне аудиенцию, окончилось сие весьма плачевно.

Князь нервно дернул ногой, кинул сумрачный взгляд исподлобья на майора, но все-таки продолжил:

— Поначалу брат весьма доброжелательно расспросил меня о супруге и детках, а я, счастливый его добрым ко мне расположением, изложил все семейные новости. А после... после с разительным спокойствием взял у прикроватного стола Священное Писание и поклялся на нем самою страшною клятвой, что отомстит мне на этом или на том свете. — Князь как-то жалко, совсем постариковски улыбнулся. — Видите ли, майор, Павел был уверен, что не сирые его холопы, а я, брат, предал его, организовал дознание и суд, дабы заточить в лечебницу и на правах опекуна пользоваться его частью состояния...

Де Бриак сглотнул: дядюшка Эдокси — одержимый жаждой мести безумец. И чувства к племяннице у него вовсе не родственные. Черт бы побрал его сиятельство с его семейными тайнами!

— Где он сейчас? Где сейчас ваш брат?

— О, не волнуйтесь, майор, — в надежном и далеком месте.

— Насколько надежном, князь? И если далеком, то как книга оказалась в вашей библиотеке?

— Возможно... — князь потер переносицу, — во время позапрошлогодней охоты. — Сергей Алексеевич вновь вздохнул: признавать собственную недальновидность перед французом не хотелось. — Два года назад Павел наведывался в Трокский уезд.

— В уезд, но не в Приволье?

— С момента его определения в Зоннерштайн, по настоянию московских врачей, я решился, майор, испробовать наимоднейшую европейскую методу. — Де Бриак нетерпеливо кивнул: заведение было известным, — брат впервые написал мне нежное, подробное письмо. Душа его, я уверен, излечилась, в том числе и от гнева ко мне. Понимая, насколько его визит будет тягостен для Александрин, Павел предложил воспользоваться гостеприимством любого из наших соседей, дабы мы могли наконец увидеться.

— И кто же из соседей оказал себе честь, приняв у себя князя Поля?

— Все понемножку: проще всего мне было объяснить свои семейные обстоятельства Дмитриеву. Сверх того, Аристарх Никитич — холостяк, а значит...

— ...нет опасности, что через его супругу о визите узнает княгиня Александра, — нетерпеливо закончил за него де Бриак: дальше, дальше!

— Именно, майор. Визит Павла пришелся также на охоту, организованную бароном.

— И на убийство первой девочки два года назад. Столь же сходное с теми, что случились этим летом.

— Да, но мой брат никак не может быть в сем замешан. — Князь выдвинул ящик стола орехового дерева и вынул конверт: — Едва ли в начале июня мне пришло второе письмо. В швейцарской Саксонии бушует холера, и замок находится на строжайшем карантине. Письмо писано по-французски. Ознакомьтесь, ежели угодно.

Но де Бриак, так и не взглянув на протянутый ему конверт, лишь молча смотрел на князя, словно и не видя его сиятельства. Волна паники ударила в грудь, перехватило дыхание: где она? Что с ней? Он сжал кулак, и дрожь в пальцах ушла. Прочь, слабость. Ему нужны все силы — времени мало. Возможно, его и вовсе не осталось.

— Майор? — окликнул его Липецкий.

Де Бриак шумно выдохнул — затрепетали крылья крупного носа — и, не попрощавшись, быстрым шагом почти выбежал из кабинета. Хлопнула дверь, и в ту же минуту до князя донесся поминальный звон.

Князь вздрогнул и перекрестился, оттоняя мысли о пропавшей дочери.

Задумаемся и мы: пройдет еще месяц, и по всей России-матушке наступит предгрозовая тишина: не раздастся ни красного, ни венчального Божьего зова. Колокольная медь деревенских церквей пойдет на переплавку. И вскоре церковный звон заменит грохот орудий. А едва окончится война, пушки вновь обернутся колоколами — с торжественной надписью: «Во славу русского оружия». Так уже случалось после турецких кампаний, где служил наш герой, и после Семилетней войны, в которой наверняка участвовал его дед... Будет и после войны с Наполеоном, и дальше, год за годом, все ближе и ближе к нашей реальности, в которой войны уже не требуют меди, а требуют расщепляющего атом урана и плутония... Но мы останемся при своей красивой метафоре, этой вечной смене лучшего и худшего в человеке: звона и грохота, колокола и пушки, войны и мира.

— Не откажетесь, князь, одолжить мне подробные карты уезда и губернии? — прервал тем временем задумчивость князя вновь вставший перед ним бледный майор с блестящими черными глазами. — Доктор забрал с собой мой сундук с документами.

* * *

Primus. Письмо могло быть отправлено любым доверенным лицом безумного Авдотьиного дядюшки — месяцем позже.

Secundus. Нет никакой возможности проверить наличие эпидемии холеры в Саксонии.

Tertius. На границах империи нынче творится такая неразбериха, что любой мог пересечь ее не будучи замеченным и без единого документа.

И наконец. Quartus. Место. Логично было бы предположить, что месье Поль поселился у того же соседа Дмитриева — на то указывала и погибшая на границе с его имением горничная. Но убийца, за которым они гонялись уж без малого две недели, по сю пору не оставил им ни единого следа. Было бы глупостью в таком случае не донести девушку до близкого места, где ручей впадает в реку. Последняя, в свою очередь, с большой долей вероятности прибила бы покойную к отмели — той самой, где он совсем недавно стрелялся с Габихом. Сумасшедший князь, тут же пришло Этьену в голову, мог также укрыться у своего приятеля по охотничьим забавам, барона. Но великолепный габиховский чертог сгорел дотла, а девочки продолжали пропадать. Итак, какова диспозиция? На открытом месте велика вероятность столкнуться с неприятелем. Все соседние с Привольем дома в любой момент могут подвергнуться мужичьей либо французской осаде. В лесах же нынче хозяйничают партизаны. Они же способны по чистой случайности обнаружить и самую уединенную хижину в глубине чащи.

К тому же — де Бриак был в том уверен — старый доезжачий прав. Причина, по которой ни один из здешних породистых нюхачей-псов так и не смог ничего

329

отыскать, — река. Убийца не идет за жертвой. На охоту и с охоты он плывет, осуществляя свои набеги глубокой ночью или ранним утром, так ни разу не спугнув жителей прибрежных деревень. И наконец, главное: именно на лодке он оказывается в том роковом водоеме, где на дне лежит столь искомый, но так и не найденный ими песок.

И Этьен с видом генерала, собравшегося изучить порядок будущего сражения, расстелил на столе одолженную князем подробную карту.

* * *

Довольный заданием Николенька то и дело сбивался на радостный бег. Но, оборачиваясь на де Бриака, укрощал щенячью стремительность в попытке придать шагу взрослую степенность. К материнским слезам Николя решил отнестись с мужскою снисходительностью — уверенный, что сестра не пропала, а отправилась на поиски восхитительных приключений. И был даже втайне обижен на Эдокси, что та не взяла его с собой. Впрочем, быть толмачом для французского офицера, героя наполеоновских войн, да еще и почтительно называющего Николеньку князем, оказалось делом тоже весьма волнующим. И сейчас они направлялись к папенькиной псарне, о чем уже свидетельствовали крепкий запах со все приближавшимся лаем.

— Уверяю вас, майор, — почти весело повторил Николя сказанное им уже дважды, — лучше Андрона никто не знает здешних мест.

Прикрыв лицо дырявой поярковой шапкой, старый доезжачий спал прямо на сваленной у псарни и предназначенной для выстила собачьих клетей соломе. Андронов храп с подсвистом естественной нотой вплетался в тявканье и визг его питомцев. В дверях псарни прекрасным видением показался дурачок Захар, улыбнулся, обнажив десны, юному князю и майору и побрел себе за псарню с ведрами, полными собачьего фуража: пшенной кашей с рубленым говяжьим желудком.

Де Бриак подошел и двумя пальцами осторожно поднял с лица старика шапку. Тот, последний раз с посвистом всхрапнув, распахнул затуманенные сном глаза, а увидев склонившегося над ним французского офицера, от неожиданности повалился со своего соломенного ложа на землю.

— Господи, избави! — перекрестился он, и тут только заметил стоящего рядом барчука. — И вы здесь, Николай Сергеич!

— Спросите его, Николя.

Тут, подняв голову, де Бриака отметил движение на границе дубовой рощи: князь Липецкий на каурой лошадке, рядом лакей, тоже конный, явно кого-то поджидали. Отвернувшись, Этьен вынул из кармана карту с обведенными на ней кружками, крестами и стрелками. Стрелки указывали на ближайшие пути, ведшие от границы в сторону Приволья и владений Дмитриева. Кресты стояли там, где пути пересекались с рекою. Наконец, кружки отмечали ближайшие к ним водоемы, куда можно было приплыть непосредственно из реки. Из трех кружков два оказались зачеркнуты. Так, один находился слишком близко от того еврейского местечка, где он покупал лекарства для доктора, а второй — от тракта, по которому шли французские войска. Ноготь Этьена ткнул в единственный оставшийся — река в сем месте будто раздваивалась: основная ее часть продолжала течь в сторону Вилии, а другая, тонкая, как волос, на полверсты оторвавшись от материнского полноводного тела, вливалась обратно, создавая на карте нечто вроде игольного ушка. Вряд ли де Бриак и заметил бы его, ежели оно идеально не попадало бы в круг его нынешних поисков. Николя быстро стал объяснять Андрону по-русски:

— Видишь, Андронушка, кружочек? Это вот речка, а тут Приволье, а там главная дорога. А здесь что?

Не пытаясь вникнуть в мальчишескую скороговорку, майор вновь бросил взгляд в сторону лесной опушки. И увидел, как к князю подъехал крупный мужчина в темном рединготе. На таком расстоянии Этьен не мог разглядеть неизвестного, когда тот вдруг обратил лицо в его сторону и приподнял в знак приветствия шляпу. Этьен склонил голову в ответ. Как и следовало ожидать. Месье Потасов собственной персоной. Герой-разбойник. Ежели сей герой отыщет пропавшую княжну, с горечью подумал он, она же и станет ему наградой: счастливый отец сам соединит руки молодых. Что ж. Ему, иноземцу, награды не грозят. До наград ли? Найти б ее живою, а потом пусть выходит замуж хоть и за сего партизана, ему, де Бриаку, все равно. Да, все равно.

Тут рядом кто-то громко охнул, и Этьен, нахмурившись, развернулся к Андрону. Старик был бледен, руки тискали шапку, в глазах стояли слезы.

— Вот я дурак-то, барин! Вот старый-то дурак! Они ж там с детских лет играются. А я думал, лучше со мною, чем одни, все ж одно пойдут, Авдотья-то Сергеевна аж на веслах сидеть научилась, только б в те подземелья бегать. Ручки-то нежные, быстро в кровь — никаких перчаток не хватало!

Де Бриак растерянно посмотрел на стоящего рядом Николеньку. Барчук пожал плечами — он тоже мало что понимал.

— Когда б раньше сообразил, дурная моя голова! — все причитал Андрон. — Что ж я наделал-то...

— Что он говорит? — нетерпеливо сдвинул брови де Бриак. — Что за место?

— Соляные шахты, — перевел медленно Николенька. — В Стоклишке. — И обиженно развел руками: — Только я не знаю, где это.

* * *

Соляные копи, говорил Андрон, тут испокон веков. Добыча соли считалась королевским делом, но уж давненько была заброшена — то ли русские не пожелали добывать польскую соль, то ли ни у кого не нашлось средств восстанавливать старые туннели и подъемники, раз за разом выкачивая проникающую в шахты воду.

Глубина шурфов — сажени три (де Бриак не без труда определил, что сия длина более всего соответствует французскому брассу). Добраться туда на лошадях невозможно, но можно водою — там, где река ответвляется своим игольным ушком и где грузили в свое время соляные комья, сплавляя их вниз по течению. А ему, Андрону, сподручнее пешком, пусть даже большую частью лесною чащей.

— Сможет он меня проводить? — сосредоточенно глядя в выцветшие глаза старого доезжачего, спросил Этьен.

Услышав перевод Николеньки, Андрон истово закивал.

Де Бриак размышлял: солдат в его распоряжении осталось мало, да и экспедиция требовала максимальной приватности. Он положил руку на плечо Николя:

— Мон шер ами, — сказал он со всею серьезностью, — пришло время просить вас о настоящей услуге. Оставляю в вашем распоряжении всех солдат под началом моего сержанта. Со своей стороны я должен проверить еще и эту версию — жизнь вашей сестры в опасности.

— Я отправляюсь с вами! — возмущенно вскричал Николенька.

— А ваша матушка? — сощурился де Бриак. — Сможете бросить ее один на один с солдатами?

Николя осекся, опустил голову, носок летней туфли сковырнул камешек близ тропинки.

А де Бриак продолжал увещевать:

— Вы мне очень помогли, князь, и я уверен, с вашей помощью моя экспедиция была бы проще. Но проще не есть правильнее, не так ли?

Николя, не поднимая опущенной русой макушки, кивнул.

— Надобно, чтобы этот человек проводил меня. Передайте, что я буду ждать его у главного крыльца через полчаса.

Вернувшись к себе, он выплеснул из чашки остатки утреннего кофию, налил из кувшина для умывания на дно чистой воды. И, бросив в прозрачную воду серые песчинки из оставленного Пустилье коробка, медленно помешал в чашке кофейной ложечкой. Будто по волшебству таяли, растворяясь на дне, прозрачные кристаллы. Де Бриак с трудом удержался, чтобы не бросить в сердцах чашку об стену. Каков болван! Что ж, поздно просить у Господа иную, более наполненную голову. Остается только попытаться исправить результат собственной глупости. А именно: зарядить пистолеты, отдать приказ сержанту охранять дом и дождаться, пока Николя по его просьбе заберет из комнаты сестры кружевной платок — квадрат батиста с вышитой монограммой.

* * *

Прежде чем отдать его Андрону, де Бриак, отвернувшись, сам на секунду прижал платок к губам — но ткань пахла розовой водой, и только. Кивнув, Этьен дал доезжачему с его гончими фору в десяток шагов: ему необходимо было подумать.

Они пересекли липовую аллею и, свернув влево, двинулись через дубраву дальше в лес. Поначалу чаща то и дело редела: то слева, то справа посверкивало радостно солнце. Но мало-помалу вокруг все более сгущался частый ельник: меж черных стволов лениво блуждал сумеречный свет, не слышно стало птиц, под каблуками вместо роскошных ковров из торфяного мха заскрипели омертвевшие еловые иглы. Ни о каких тропах по-прежнему речи не шло — де Бриаку было не понять, как старый доезжачий ориентируется средь однообразно уходящих ввысь тусклых стволов. Этьен чувствовал себя все более одиноким. Пытаясь не потерять из виду Андроновой поярковой шапки, он вновь и вновь выстраивал в голове своей цепочку, которая привела его в сей лес. Как же не хватало ему сейчас верного Пустилье! Его эрудиции, ума, здорового скепсиса...

— Итак, мой дорогой друг, начнем. — Этьен представил, что доктор в легкой одышке идет рядом с ним по лесу. — Книга в красном переплете. Совсем свежее, прошлогоднее издание, однако судя по состоянию страниц, весьма и весьма зачитанное.

— Фридрих де ла Мотт, — кивнул фантом-Пустилье. — прусский барон, большой поклонник нашего императора.

— Именно. Я дважды прочел повесть о загадочной приемной дочке рыбака. Она была столь схожа с земной девушкой, что никто не мог заподозрить в ней духа воды.

— Иными словами — русалку?

— Именно. Теперь понимаете связь с речкой? И еще: в книге немало сравнений Ундины с ребенком (вчера в ночи я вооружился карандашом и не поленился подчеркнуть все отвечающие моей теории места, их оказалось не менее десяти). К примеру, та «все никак не может отвыкнуть от ребяческих замашек, хоть и пошел ей осьмнадцатый год». Или: ее отец, старик рыбак, ведет себя с ней так, как «обычно ведут себя родители с избалованными детьми». Et cetera. Кроме того, у русалок нет вечной души, и потому они никогда не стареют.

— Остаются вечными девочками? — Фантом-Пустилье даже останавливается, пораженный блестящей догадкой майора.

— Да, как и те девочки, которых убил душегуб. Ведь они так больше никогда и не повзрослеют.

— Но откуда такая страсть к волосам, Бриак?

Этьен пожал плечами, проверил, мелькает ли впереди пояркова шапка.

— Не знаю. Возможно, те же немецкие сказки. И у Ундины, и у ее фольклорной сестры Лорелеи прекрасные светлые косы, что они расчесывают на закате.

— А знаки? — задает следующий ожидаемый вопрос доктор. — Те узоры, что он вырезал на телах девочек?

Тут Этьен замолчал; впору покаяться перед другом в собственной дурости — все было так просто. Все на поверхности детской кожи и песка прямо перед ним. Он вздохнул.

— Помните, Пустилье, тот повар из Эльзаса, которого мы с княжной встретили у ручья? Сумасброд, помешанный на собственной кулинарии? Он и правда рисовал на песке тот же узор, что резал на коже девочек убийца. Но ведь Эльзас — местность, будто застрявшая между Францией и Германией, откуда и пришла легенда об Ундине. Островок немецких сказок на нашей земле. Отсюда же и древний германский орнамент — не случайно издатель де ла Мотта избрал именно его для виньетки в книге Фуке. — Этьен покачал головой. — Она повторяется после каждой главы, как ночной кошмар — снова и снова. Этот узор и увидела в тот вечер Эдокси! Именно он, Пустилье, и оказался той каплей, что прорвала плотину ее памяти, подсознательного нежелания узнать правду. Вот отчего княжна побледнела. Вот почему покачнулась, но не упала ко мне на руки: не имела права, — а нарушила данное слово и отправилась в леса — спасать честь семьи! Какой же я болван!

Фальшивый Пустилье, подобно духу леса, исчез, а на его месте возникла Дуня с иронично поднятой рыжей бровью:

— Признавайтесь, вам и в голову не пришло, что дело тут не в вас и не в вашем фальшивом виконтстве! Вы, очевидно полагаете, что все мои мысли вертятся исключительно вокруг вашей бесценной персоны!

— Я... — начал было оправдываться де Бриак, но запнулся за торчащий корень и вовсе упал бы, не подхвати его вовремя подоспевший Андрон.

— Пришли уж почти, барин. — Отцепив деревянную флягу, он предложил глотнуть французу, который, поблагодарив, вынул в ответ свою из серебра. — Да какое там, мерси! — махнул Андрон рукою. — Гляди-ка, барин. — Он показал вперед, на подобие поросшего молодым ельником небольшого кургана.

Здесь казалось яснее, чем в остальном лесу, — будто из-под самой земли шел пасмурный печальный свет. Это было иное, отличное от здешних приветливых и богатых земель место. Даже от близкой реки пахло не свежестью, а влажной мертвечиной. А старик продолжал говорить на непонятном для Этьена наречии:

— Вишь как. Все быльем поросло. Да и с соседних деревень растащили что смогли. Давно уж. А вход заложили, так детишек разве остановишь? Вот я и подумал: лучше с ними пару раз схожу — прослежу, чем сами бегать станут. Пойдем-ка, — поманил он за собой напряженного де Бриака.

Вместе они поднялись на холм, переступая через крупные камни — остатки окружавшей копи крепостной стены. Под сапогами Этьена крошилась кирпичная крошка некогда существовавшего фундамента, нога то и дело скользила на кусках полусгнившего дерева.

— Тут где-то. Дыра в земле. Бывший барин, из поляков, велел завалить все входы крепко-накрепко, но деревенские, бывало, приходили соль со стен соскрести. А после бросили — рядом еще много соли нашли, государь разрешил местным пользовать до пуда на брата...

За бессмысленным для де Бриака потоком слов старый доезжачий сдвинул, навалившись, несколько крупных камней, частично высвободив уходивший под землю темный лаз. Де Бриак подошел, заглянул внутрь.

— Погоди-ка, ваше благородие, — тронул его за рукав куртки Андрон и полез в холщовый мешок, что нес на плече с Приволья. В мешке оказалась обмотанная паклей палка. — Смолица, — подмигнул он де Бриаку, доставая огниво. — Подпалишь, и сам черт тебе не брат.

— Ты, — показал на него Этьен, забирая у доезжачего факел, — здесь. Я, — указал он на себя и перевел палец на открывшийся внутрь земли зев, — иду туда. Жди меня.

Андрон посмотрел на него внимательно и кивнул.

— Ты это, барин... Ори, ежели что.

Де Бриак мельком улыбнулся, заподозрив в последней фразе пожелание вылезти живым из подземной передряги.

— Жди! — повторил он и исчез в черной дыре.

* * *

Некоторое время он шел вперед, а когда снаружи совсем перестал проникать свет, зажег факел. От полыхнувшей пакли пахнуло дегтем, от черного едкого дыма защипало глаза. Он поднял факел выше: отражая пламя, сверкнули на стенах кристаллы соли. Туннель был широк и медленно спускался вниз. И чем ниже он спускался, тем сильнее преображался воздух, становясь сухим и будто звонким.

Странное место эти соляные месторождения, размышлял, глядя по сторонам, Этьен. Остатки древнего высохшего океана. И нынче он, как древняя рыба, плывет по туннелю и совсем не испытывает страха перед вооруженным и явно безумным убийцей. А напротив, чувствует нечто вроде эйфории. Возможно, думал он, это есть влияние здешнего подземного воздуха. То же чувствует и тот, другой, вдруг понял он, прислушиваясь, — все было тихо, лишь шуршал под ногами соляной песок. Насыщается здешним эфиром и кажется себе бессмертным хозяином подземелья. Чародеем, лишающим жизни своих ундин.

Тем временем факел, все более разгораясь в его руке, осветил нечто непредвиденное: вместо одного туннеля перед майором ныне зияло два. Оба зева были абсолютно равновелики и одинаково темны, и понять, по которому следует продолжить путь, казалось невозможным. Ошеломленный, Этьен сделал еще один шаг.

ГЛАВА ДВАДЦАТЬ ЧЕТВЕРТАЯ

Удалите, удалите от глаз моих эту картину,
сдвиньте с сердца о ней воспоминание!

А. Бестужев-Марлинский

ДВУМЯ ДНЯМИ РАНЕЕ

Дуня знала о чести и о том, как честь повязана с данным словом. Оттого его еще и зовут честным. Но есть кое-что еще, о чем слова не дают, потому что оно и так сидит внутри у каждого с рождения: защитить семью. Серп луны дробился в воде, темные деревья шептали по берегам. За поворотом с воды сорвалась с истошным криком огромная тень. Отдышавшись от нечаянного испуга, Дуня поняла: цапля.

Честь семьи дороже ли личной чести? Для дворянина начала XIX века подобного выбора не существовало — оступившись, ты лишал чести семью. И напротив, бесчестье семьи вечной отметиной ложилось на каждого из ее членов. Выбор имелся лишь меж меньшим и большим злом. И он оказался довольно прост. На секунду княжна подумала взять с собой француза — чуждость Этьена ее кругу в данном вопросе обернулась бы внезапным благом. Авдотья не сомневалась, что сможет положиться на его молчание. Пусть даже его нескромность способна была испортить ее репутацию, а дурная репутация, в свою очередь, с легкостью уравняла бы законную наследницу и бастарда. Но Дуня была уверена: столь низкий расчет даже не пришел бы майору в голову. И все же при мысли, что ей придется открыться — кому угодно, любой живой душе, — ее охватил такой замешанный с темным стыдом ужас, что она мгновенно отказалась от этой идеи, и потому нынче в полном одиночестве вглядывалась в берега, чтобы не пропустить оставленных еще в детстве меток. Не будь войны, думала Дуня, план был бы ясен: продать имение вместе с семьями пострадавших крестьян. А его — она не решалась назвать безумца по имени — отдать в те страшные доллгаузы[1] на Божедомке и Мясницкой, мимо которых Авдотья даже в закрытом экипаже проезжала с зажмуренными глазами.

Да, но сейчас, твердила себе Дуня, идет война. И в общей неразберихе можно было бы обойтись без следствия и официального признания родственника безумцем. Они могли бы вновь увезти его за границу. Снять просторный деревянный дом и хорошую сиделку. Неподалеку от знающих врачей, — мысли Авдотьи прыгали, словно птицы, с ветки на ветку. Додумалась она даже до необходимых для больного преобразованиях в старом замке в Гаскони, где они жили бы поживали с де Бриаком долго и счастливо, оставив «ему» лишь часть замка с красивою башнею. В Гаскони прекрасные виды... И тут же княжна начинала уговаривать себя, что он, конечно же, не виноват, как она смела так сразу увериться в его виновности? Подумаешь, книга немецких сказок! Нет-нет! Есть другое объяснение, и она его получит! Однако вновь возвращалась мыслью к темному экипажу с туго задернутыми шторами. Увести его подальше от тех мест, где он творил страшные свои дела! Исчезнуть в полной сумятице наполеоновской кампании, спасти — вот главное!

Предстояло еще объяснение с отцом и матерью; от сей перспективы в голове у Дуни совсем путалось, а к горлу подступала тошнота. Об этом она подумает

---

[1] Дома для умалишенных; от *нем.* Tollhaus — сумасшедший дом.

позже — и, возможно, найдет способ не испугать до смерти папа́ и маман. «Боже мой, — снова заголосил в голове растерянный, совсем бабий голос, — оба родителя сойдут с ума от горя». Всех, всех придется держать в замке в Гаскони! Замок велик, но, возможно, Этьен откажется от обилия ее безумных родственников и заподозрит Дуню в том, что и сама она также повредилась рассудком... Тогда все-таки больница где-нибудь в Швейцарии, пыталась собраться княжна с мыслями. Но ей представилась одинокая жизнь близ Женевского озера и она, в черном платье и глухой вдовьей вуали, приходящая каждую неделю навещать «своих». «Матерь Божия, — взмолилась она, — к Тебе прибегаю аз, окаянный и паче всех человек грешнейший: вонми гласу моления моего и вопль мой и стенание услыши. Не презри отчаяннаго и во гресех погибающаго...»

Так, увлекшись молитвою, и пропустила нужный поворот.

От неожиданности Дуня вскочила, попыталась схватиться за шелковистые ветви серебряной в лунном свете ивы, чем чуть не опрокинула лодку, но удержалась и сумела пристать к берегу. Привязав лодку к торчавшим над водой корням, Авдотья спрыгнула на речной песок. Луна благоволила ее предприятию, и княжна без особого труда вышла к холму, что возвышался над соляными шахтами. Оставалось отыскать вход. Высоко подобрав в который раз за это проклятое лето намокший подол, благо здесь ее никто не видел, она сделала решительный шаг вперед, и...

И вдруг правая нога не нащупала под собою твердой опоры. Ахнув, Дуня почувствовала, что летит вниз, обдирая об острые выступы в темноте колени и локти. «А-а-а!» — закричала княжна, ударившись на сей раз виском, и тут одна нога ее дернулась вверх: Дуня зависла над бездной — головою вниз, чувствуя, как течет по лицу теплое. Кровь. Некоторое время она качалась, морщась от боли, — особенно в попавшей в тенета ноге, а после попыталась руками нащупать что-нибудь под собою.

Пустота. Осторожно выдохнув, оперлась ладонями о неровную стену: ссадины на руках тотчас заныли от попавших в них соляных кристаллов. Обдирая ногти и согнувшись, чтобы хоть на секунду отыскать нестойкую точку опоры спиной и ягодицами, княжна дотронулась до щиколотки. Так и есть — на ней, будто аркан, затянулась веревка: Авдотья качалась маятником в вертикальной штольне. Той самой, куда добывавшие соль рабочие спускались в свое время по пеньковой лестнице. Остатки веревки и захватили в плен ногу. Но вот как глубоки были штольни или как далеко она успела пролететь? Память и здравый смысл отказывали ей: кровь приливала к голове, била молотом в висках. Вряд ли она сможет долго продержаться в этакой позиции. Какая унизительная и смешная смерть — вниз головой. Однако продолжать падение казалось еще страшнее — есть ли тут дно, или она будет бесконечно лететь с замершим сердцем, ожидая удара, как точки в своем земном существовании. Да, но удар был выходом. И, решила она, лучше уж так, чем вечность раскачиваться здесь мертвым маятником.

«Помоги!..» — хотела окликнуть она того, кто скрывался под ней в соляных лабиринтах, но из горла вырвался только хрип. Маменька и в данных обстоятельствах нашла бы в себе силы сотворить молитву, но Дуне ни слова не приходило на память — еще чуть-чуть, и она потеряет сознание. Вновь скрючившись, она попыталась дотянуться до веревки. Туго перехваченная пенькой миниатюрная ступня уже опухла. Свободной ногой Авдотья сбросила мокрую от речной воды туфлю, и петля поддалась: медленно, вместе с шелковым чулком, заскользила вверх. «Помилуй мя Бо...» — едва успела прошептать Дуня и снова полетела вниз, потеряв сознание от скорого, но весьма ощутимого удара.

Очнулась княжна, чувствуя, как солоно во рту, — падая, она прокусила себе язык. Авдотья попыталась поднять руку, отереть лицо и охнула от резкой боли в боку. Никогда до сих пор не ломавшая костей, Дуня поняла: она сломала ребро или несколько. Зато, осторожно согнув и разогнув пальцы, убедилась, что те, по крайней мере, невредимы. Держась за стенку, попыталась встать — ноги оказались также целы, пусть огнем горели растянутые сухожилия, саднили коленки и щиколотки. Собственная голова казалась ей огромной, раздутой, — Авдотья плыла, будто в речном тумане. К примеру, она не сразу поняла, отчего может различить темные пятна на платье, где кровь просочилась сквозь тонкий муслин. Просто там, над землей, занимался день. Столб еще неясного света спустился в колодец: тускло и недобро блистали на стенах соляные кристаллы. Где-то высоко — так высоко, что не добраться — болтался спасший Авдотье жизнь кусок пеньковой веревки. Прямо перед нею открывал жерло широкий туннель. Часть его оставалась в темноте, но впереди, саженях в ста, она видела круг такого же бледного света — значит, и там имелся схожий колодец, а возможно, еще и целая лестница.

Чуть пригнувшись, Дуня пошла вперед, выкрикивая имя того, ради кого рисковала жизнью и презрела свое честное слово. Но из опухшего горла наружу вырывалось одно воронье карканье. Облизнув обметанные засохшей кровью и соляной пылью губы, она, напрягши легкие, позвала снова, уже громче... Ей ответила эхом лишь острая боль в подреберье. Авдотья замолчала, переводя дух. И тут услышала стон. Не мужской. Детский.

Дуня застыла. Холодный пот выступил на лбу, снова пронзительно укололо в боку — это откликнулись на взволнованное дыхание сломанные ребра. За внезапным ошеломляющим открытием в библиотеке, за неотступными думами, как спасти семью, она совсем забыла о пропавшей девочке — Глашкиной младшей сестрице Анфиске. Сколько она уже здесь? День? Два? Что он с ней делает? Гримасничая на каждом шагу, Авдотья похромала на звук.

— Анфиска! — крикнула она с нарастающей истерикой в голосе. — Анфиска!

Даже не подняв головы, чтобы удостовериться у следующей штольни, осталась ли тут пеньковая лестница, сильно припадая на ногу, Авдотья бежала все дальше по коридору, страшась того, что увидит, но еще более того, что не успеет. Чем дальше, тем у́же становился туннель: сумрак превращался в полумрак, полумрак — и вовсе в густую тьму.

— Анфиска! Ты здесь? — Дуня, наклонив голову, оперлась ладонями на сжимающуюся вокруг стену.

И услышала тонкий голосок совсем рядом:

— Ба... барышня...

— Анфиска! — Чуть не плача от стыда и ужаса, Дуня упала на колени, ощупывая пространство рядом. И нащупала маленький лапоток, край сарафана и тонкую, как птичья лапка, ручку. — Я тут, Анфиска, тут!

— Барышня... — повторила почти неслышно та.

В кромешной темноте Дуня попыталась погладить девочку по голове. И резко отдернула ладонь: вместо прикрытой платком россыпи пшеничной косы рука ощутила совершенно гладкую кожу. Волна вязкой паники накрыла Авдотью, рыданием перехватило горло. Он побрил ее! Значит, все так и никак иначе. Все, что она напридумывала, — правда, правда, страшная правда! И Авдотья, проведшая ночь в планах спасения, вдруг со всею отчетливостью поняла: спасения не может быть, потому что не может быть прощения. Потому что этот ребенок уже подготовлен к страшному обряду, дожидается в вязком темном углу той же участи, что и ее старшая сестра. И отменить его намерений, забыть о них она не в силах. Она может только спасти эту, последнюю, Ундину.

— Ничего-ничего. — Не найдя в себе смелости гладить обритую головку, Авдотья снова сжала девочкину ручку. — Он... давно ушел?

— Давно... — тоскливо выдохнула девочка. — Уж скоро будет.

И в ее словах Дуне почудилась такая бесконечная покорность судьбе, что ужас уступил место бешенству.

Она сжала кулаки. Что происходит с девочками, спасибо французовой аутопсии, Дуня знала.

— Он связал тебя? — попыталась Авдотья скрыть бившую ее дрожь — то ли ярости, то ли испуга.

— Ножки, — прошептала та жалобно.

А Авдотья уже ощупывала пол, покамест рука не наткнулась на холодное железо. Цепь. Из тех, на которые сажают молодых бычков. Звено за звеном поднимаясь вверх, она нашла вбитое в стену тяжелое кольцо. Дернула, вновь почувствовав боль под ребрами, — кольцо держалось крепко, даже слишком для маленьких узниц. От пережитого ужаса ни одна из них и не пыталась бежать. Авдотья стала перебирать звенья обратно к ноге: такое же кольцо крепко охватывало Анфискины онучи.

— Снимем-ка все с ноги, — сказала Дуня, вспомнив о своих потерянных в колодце шелковом чулке и туфле, — а после и железо стянем.

Поначалу она сама пыталась на ощупь развязать лыковый обор, но Анфиска отстранила ее руку:

— Дайте, барышня.

И привычно ловко развязала сначала его, а затем, сняв лапоток, размотала и конопляную онучу. Без онучей и лаптя ступня девочки оказалась совсем узенькой — именно такой, как Авдотья и предполагала.

— Умница, Анфиска, — поглаживая детскую лодыжку, Дуня покивала в темноте головой. — Теперь я стану железо держать, а ты тяни ножку к себе — так и вырвемся.

— О-о-ой! — тонко застонала Анфиска, а Дуня, не выпуская кольца из руки, другой обхватила и сжала девочкину ступню.

— Бо-о-о-льно, барышня, — тоненько заплакала девочка, и Дуня, испугавшись, сразу выпустила ногу.

Авдотья оперлась на неровную стену и несколько секунд сидела недвижно, прикрыв глаза и чувствуя разъедающие их слезы. Что она делает здесь, в темноте, когда где-то там, наверху, Марфа уж водрузила на покрытый белоснежной скатертью стол фарфоровую супницу? И все обитатели Приволья сели обедать: и охваченные смертельным беспокойством маман с папá, и с ними, возможно, Этьен... Этьен, в ярости, что она вновь сбежала одна в леса! Глупая, глупая девица без понятий о правилах и воспитании!

— Анфисушка, голубушка, — жалобно прошептала она, открыв глаза в темноту звериного логова и сгоняя ладонью вместе со слезой картинку как бледного от негодования лица де Бриака, так и озабоченного отцовского. — Попробуй еще раз, душенька. — И добавила, ненавидя себя: — Вечером больнее будет, как тот зверь придет.

И сразу почувствовала, как застыла испуганно девочка рядом.

— Раз, — стала считать Авдотья, — два... три! Тяни!

— Аааа! — закричала Анфиска, а Авдотья услышала хруст — девочкина ступня прошла сквозь кольцо.

— Умница, умница!

Она крепко прижала обритую голову к своей груди: тощее тельце сотрясалось от рыданий. Дуня раскачивалась с ней вместе, баюкала, пока девочка не затихла. Посидев так с полчаса, княжна оперлась о стену.

— Пора нам, Анфисушка.

— Больно, барышня, — захныкала девочка.

— Ничего, — осторожно поднялась на ноги Авдотья, чуть сама не вскрикнув от острой боли в боку. И добавила, уже больше для себя: — Перемелется, мука будет. Найдем выход, а там в лодку сядем и домой приплывем. — Как она станет грести со сломанными ребрами, Авдотья решила покамест не задумываться. — Помнишь, откуда пришла?

— Нет. — Дуня услышала, как девочка встала и ойкнула в темноте.

Конечно, нет. Скорее всего, ее сюда принесли. Что ж. Где-то здесь ведь имеется выход? Авдотья с детских лет помнила, что, несмотря на обилие туннелей, ориентировались они в них без особого труда: пол ближе к выходу постепенно поднимался — это и было главным признаком правильного направления.

— Обними-ка меня, — сказала она. — И пойдем себе потихонечку.

— Не успеем, барышня. — Не смея обхватить хозяйку, Анфиска прислонилась к ней острым дрожавшим плечиком.

— Не успеем, ежели никуда не пойдем, — отрезала Авдотья.

Она хотела пить и есть, ей было больно. Привыкшая, что ее желания сразу удовлетворялись, княжна чувствовала нарастающее раздражение. И радовалась ему: раздражение и злость все лучше, чем растерянность и страх. Впервые с тех пор, как она поняла, кто стоит за похищением девочек, ей пришло в голову, что он может отказаться ее слушать. Того более: Авдотья вовсе не была уверена, что готова его увидеть. А ежели и увидит — отыщет ли нужные слова, чтобы он отпустил ее со своею приготовленной на заклание жертвой? «Право, княжна, вы разочаровываете меня», — холодно говорила она себе по-французски. Будто и этот язык, и светские интонации могли хоть немного отодвинуть от нее происходящий кошмар, будто благодаря им она выныривала из чужого безумия — туда, где еще текла нормальная, затерявшаяся в довоенном времени, жизнь.

Каждый шаг отдавался у княжны в ребрах и израненной голой ступне. Гудела голова, а рука опиравшейся на нее Анфиски, казалось, все более тяжелела. Так они доковыляли до первой выходившей на поверхность шахты, где не обнаружили ни гнилой лестницы, ни даже обрывка веревки, а после и до второй, откуда упала сама Авдотья. В круглом оконце вверху сияли звезды, и Дуня уж было испугалась, что наступила ночь, как вспомнила: звезды из колодца видны и днем. Она повернулась к Анфиске: бескровное детское личико светилось в полутьме. Анфиска глядела на хозяйку с такой жаркой надеждой, будто ждала, что та тотчас же сотворит, как Мессия, чудо. Авдотья нахмурилась. Чудеса были не в ее власти.

— Видишь веревку? — показала она на пеньковую петлю над собою. — Я подниму тебя, ты за нее зацепишься, да так по ней и заберешься.

— Я, барышня, не смогу, больно высоко! — тут же заныла девочка.

Авдотья топнула здоровой ногою: трусливое дворовое племя! Жаль, розог здесь взять неоткуда, а девчонку надобно спасать, покамест у нее еще осталось время и, главное, хоть какие-то силы. Она со злостью взглянула на Анфиску:

— Еще как можешь! Вскарабкаешься, будто мартышка, и спрячешься в кустах. А я тебя кликну после, как сама вылезу! Ну!

Анфиска смотрела на нее ошарашенно, и Авдотья вздохнула: ну конечно, откуда ж ей знать, кто такая мартышка, которую и сама-то княжна видела лишь раз — в заезжем итальянском зверинце у китайгородской стены.

Вся напускная злость вышла из нее, вновь уступив место страху.

— Анфисонька, — не без труда опустилась она на корточки перед девочкой, погладила ее по щеке, — хочешь, как домой вернемся, я тебе золотой рубль подарю? Конфет купишь, пряников, ситцу себе на новый сарафан...

Золотой рубль, которого, как и экзотическую мартышку, Анфиска в жизни своей не видывала, возымел действие. Звонко шмыгнув носом, девочка кивнула, а Авдотья, щурясь в полумраке, оглядела пространство шахты в поисках хоть скудного, да выступа. И отыскала — для взрослой ноги тот был, возможно, и мал, но Анфиске и его должно быть довольно.

— Снимай второй лапоть, — приказала она. — Видишь тут, — она подняла руку, — ступенечку?

Анфиска испуганно смотрела, куда показывает хозяйка.

— От нее и до веревки недалеко.

— Да как же я до той ступеньки доберусь-то, барышня?

— На мне, — вздохнула Авдотья, вспоминая, как ее, бывало, подсаживал Алеша, когда им взбредало в голову лазить по деревьям, и от этого воспоминания чуть

сама не расплакалась. Подняла рваный подол, высвободив колено. — Одну ногу — сюда. Отсюда — на плечо. —
И прикрикнула: — Да поторопись!

Распухшая Анфискина ступня встала на ее изодран-
ное колено. В глаза княжне бросился почти черный кро-
воподтек по кругу — результат их баталии с железным
кольцом. Анфиска сморщилась и приготовилась рас-
хныкаться, но, взглянув на раздраженное лицо хозяйки и ее стиснутые челюсти, передумала. Вторая грязная
стопа переместилась на некогда элегантную кружевную
косынку на Авдотьином плече. Дуня привстала на цыпочки, Анфиска оперлась о выступ, подняла руки и схватилась за веревку.

Раскачиваясь — и правда как мартышка, — девчонка
отталкивалась то от одной, то от другой стенки, ловко
перебирала руками, то и дело охала от боли в ноге, но
упрямо лезла вверх. Вскоре маленькая тень заслонила от
Авдотьи круглое отверстие шахты и дневной свет.

Запрокинув голову, полностью увлеченная Анфиски-
ным спасением, Дуня не заметила быстрого промелька
в туннеле, не услышала крадущихся шагов.

Тем временем Анфиска выбралась из шахты и, склонив обритую головку над краем колодца, крикнула гулко:
— Теперича вы, барышня!

Но Авдотья едва успела кинуть недоверчивый взгляд
на качавшуюся веревку, как почувствовала движение
воздуха рядом и сразу после — острую боль в затылке.
И в который раз за сутки потеряла сознание.

ГЛАВА ДВАДЦАТЬ ПЯТАЯ

Так Христос Господь всякому христианину
вещаетъ: иди за Мною; но диавол шепчет во
уши человека и к себе отзывает...

Учение святителя Тихона об истинах
Веры и церкви

Де Бриак вздохнул: зная, как поскупилась Природа,
одаривая его удачей, страшно выбирать один шанс из
двух. Вернуться и попросить старого слугу спуститься
с ним, охватив обе возможности? Но что, если из шахт
существовало несколько выходов? И, найдя и погнав
зверя, они упустят его снаружи? Нет, одному точно следовало ждать на поверхности. Взять с собою собак? Псы
могли бы помочь ему с выбором. Однако они же с легкостью выдали бы его присутствие лаем, а он хотел по-
добраться незамеченным. У сего застрявшего в соляных
лабиринтах Минотавра находилась в пленницах его
Ариадна, и рисковать он был готов лишь собственной
никчемной жизнью.

Итак, выбрав правый лаз (де Бриак был правшой)
и пытаясь производить как можно меньше шума, он двинулся вперед. Пол под ним неуклонно уходил вниз — более никаких изменений не наблюдалось, и Этьен решил
уж было, что ошибся с выбором, как вдруг ему почудилось, будто он слышит женский голос, говоривший на
его родном языке. Это казалось безумием — здесь, под
землей, в чужой стране, отзвуки близкой речи.

350

Он замер, прислушиваясь. Голос тоже замолчал. Этьен ждал; кроме потрескивания смолы на сгорающей пакле факела да звука собственного дыхания, ничто не нарушало абсолютной тишины.

И вот он снова раздался — тот голос.

— Негодяй! Подлец! Как ты мог? О чем ты только думал?!

На секунду почувствовав, как от облегчения ослабели ноги, де Бриак прислонился к стене. Эдокси! Жива и, судя по всему, еще вполне в силах осыпать кого-то ругательствами. Ничего, улыбнулся он в полутьме, только бы до нее добраться — и тогда у него тоже достанет сил высказать ей все, что он думает о ее одиночной экспедиции в подземелье. И почти бегом бросился вперед, покамест не увидел впереди чуть колеблющееся слабое сияние.

Решив, что дополнительный свет ему вряд ли понадобится, а вот обе руки — вполне вероятно, де Бриак осторожно положил факел на землю и преодолел последние пару туазов, стараясь ступать как можно тише. Тем временем голос Эдокси замер, будто она набиралась сил для следующей уничижительной тирады. Этьен сделал еще один осторожный шаг — и перед ним открылась округлая соляная пещера. Из стены торчал факел, подобный тому, что он оставил позади себя в коридоре. Прямо под ним, глухо отсвечивая железным замком, стоял походный сундук. Далее чернело продолжающее туннель устье шахты. Слева от сундука, на вбитых в стену крюках, висели конские хвосты. Светлые, с легкой волной, они казались охотничьими трофеями. Майор застыл. Волосы. Обритые косы. Де Бриак стиснул зубы: что ж, пришла пора взглянуть и на охотника. Готовый немедленно спустить курок, он вступил в круг факельного света...

И тут же растерянно опустил пистолет. В пещере, прислонившись к стене, стояла одна Авдотья в изорванном и грязном платье. Слипшиеся от пота спутанные пряди свисали на лицо. Край лба, висок и часть щеки были черны — корка из грязи и засохшей крови. Толстая пеньковая веревка опутывала колени и руки. Веки были прикрыты, губы беззвучно шевелились.

— Эдокси... — бросился он к ней.

Она вздрогнула, распахнула покрасневшие глаза и взглянула на него с такой смесью ужаса, отчаяния и гнева, что тот отшатнулся.

— Негодяй! — прошептала она.

Этьен кивнул согласно, вынул флягу и отвинтил крышку.

— Так и есть, Эдокси. Простите, я, похоже, слишком медлителен и, как водится, не уследил за вами.

Он поднес флягу к ее губам. Тонкая струйка воды полилась, прочертив влажный след по подбородку и шее, исчезла за изорванной грязной фишю, на которой виднелся след детской ступни. Не обращая внимания на эту загадку, Этьен приподнял рукой ее подбородок, еще ближе приставил горлышко фляжки, но княжна вновь закрыла глаза.

— Давайте же, Эдокси, пейте! Прошу вас. Не наказывайте меня так. — Он легонько дотронулся пальцами до припудренной соленой пылью щеки — она казалась неживой, будто пергаментной. — Ну же!

Он продолжал гладить ее по лицу, стирая соль с рыжей брови и со скулы, проводя кончиками пальцев по маленькому уху с запекшейся на нем кровью, прислонился лбом к ее пылающему лбу, продолжая шептать: «Ну же, Эдокси, ну же», — пока не почувствовал лежащей на ее горле ладонью, как оно дернулось: Дуня сделала первый глоток, потом второй, третий. Этьен отодвинулся, чтобы взглянуть на нее, — все так же не открывая глаз, она жадно пила.

— Вот и хорошо.

Он отнял от Дуниных губ почти пустую флягу, достал, встряхнув, свежий носовой платок, намочил его остатками воды и сосредоточенно обтер ее лицо от лба до подбородка, убирая следы слез, крови, соленой пыли.

Вслед за движением его руки Авдотья распахнула глаза и сомкнула непонимающе брови:

— Вы?

— Всего лишь. — Этьен попытался улыбнуться.

— А он? — быстро повела она глазами по сторонам.

— Здесь никого нет, — оглянулся он следом.

Она с облегчением выдохнула.

— Развяжите меня, Этьен. Он скоро вернется.

Проклиная свою забывчивость — пистолеты он взял в количестве двух, но лезвия при нем не оказалось, — он стал биться над узлом на ее лодыжках. Узел оказался тугим. Чертыхнувшись, Этьен опустился на колени, чтобы попытаться перегрызть твердые волокна зубами. Он не заметил, как она покраснела, без труда вообразив, что представляет собой вблизи изорванный подол ее платья, и, чтобы скрыть смущение, произнесла скороговоркой:

— Он часто так уходит, не выдерживает...

— Ваших ругательств? — поднял он к ней лицо, на котором читалась ласковая насмешка.

И она опять покраснела, но не от того, что он слышал, как она вела себя — вновь! — совершенно неподобающе для молодой девицы, а вот от этого выражения ласки на его лице.

— Я ругаюсь, — сказала она, — потому что только это приводит его в чувство. Будто мой французский язык и мой укор напоминают ему о том, кто он. Думаю... — замолчала она, заглядевшись на Этьенов затылок — теперь он склонился над веревкой, связывающей ее руки, — думаю, когда я ругаюсь, я похожа на маменьку, и он ничего не может со мной сделать... Тогда он уходит куда-то к себе, в темноту своего логова, — голос ее задрожал. — Чтобы снова стать зверем.

Этьен отбросил наконец веревку, задержавшись взглядом на ее руках —исполосованных алыми следами от пеньки.

— Это должно быть мучительно, — сказал он. — Видеть, как ваш дядя снова и снова превращается в... — Он осекся, заметив ее явное замешательство. И вдруг она запрокинула голову и расхохоталась — эхо подхватило ее смех, утащило в глубину туннеля.

— Дядя? Значит, даже вы в курсе, что он у меня имеется! Похоже, я единственная, кто не подозревал о его существовании! — Она прижала ладони к щекам. — Бог мой! Нет же, Этьен! Неужели вы решили, что я готова была предать свое слово и рисковать жизнию ради неизвестного мне дяди! Если так, то вы слишком хорошо думаете о силе наших родственных чувств!

И она снова засмеялась — очень резким неприятным смехом.

— Тогда... — растерянно нахмурился де Бриак. — Тогда кто же?

— Кто? — Авдотья замолчала, натужная улыбка ушла с ее лица, она смотрела на него, будто решала про себя некую задачку, а потом кивнула: себе же, не майору. — Помните, Этьен, Захар-дурачок говорил о зеленом человеке? Откройте этот сундук, и вы увидите его зеленую шкуру, или мундир, если угодно! Да и ради кого бы моя бедная влюбленная Настасья была готова отправиться в леса! Ну, думайте, Этьен, думайте!

* * *

Прошлой ночью.

— Видишь ли, сестрица, дух и бытие подчинены одним и тем же законам, а ежели так, то что можно ожидать от духа при таком-то бытии? Вот она, подножка философских трудов, — когда бытие мое стало отвратительным, дух мой последовал за ним. Помнишь, в Евангелии: «Когда же услышите о войнах и о военных слухах, не ужасайтесь: ибо надлежит сему быть, — но это еще не конец... Это — начало болезней». Начало болезней, Эдокси! Болезней духа. Может, ты думаешь, я ненавидел войну из-за юношеских идеалов гуманизма? Или подозреваешь во мне труса? Так ты ошибаешься, mein Herz.

— Не смей называть меня так!

— Хорошо, не смею. Но дозволь закончить мысль: все мы измучены желаниями, далекими от христианской морали, и вот чем страшна война — она дает нам волю. Как просто и страшно мы умираем в ратных трудах. Где здесь святость вершины Божьего творения — человека? Где преклонение пред самым ценным Божьим даром, жизнью? Где прелесть мирных дней, в которую мы эту жизнь старательно обряжаем? Искусство, философия — ты ведь понимаешь, почему я избрал философию?

— Потому что тебе нравилась игра ума.

— Потому что мне нравилась красота этой игры, потому что она удаляла меня от всего уродливого, к чему меня так тянуло. Это были два полюса, меж которыми метался мой дух. Философия помогала избегать людей и обстоятельств жизни, способных качнуть маятник в ненужную сторону. Но началась война, и я понял: вот она, реальность. Далекая от философии, но как близка она моим тайным кошмарам! Ржание гибнущих лошадей, разрываемая на куски снарядами еще живая плоть... А этот тошнотворный запах, Эдокси, если б ты только знала! Он повсюду: кислый — пороха, железистый — крови. Но вот что страшно: за тошнотой последовало упоение. Упоение от убийства. И не подумай, что я был одинок.

— Так почему же вместо невинных девочек ты не продолжил убивать неприятеля?

— Нет, mein Herz. Эта война не моя, а нашего царя-батюшки да их, французова, холопского императора. Просто она оказалась тем зеркалом, в котором я впервые увидел себя не изгоем. Он был прав: границ нет, они лишь тут, в твоей голове.

— Не трогай меня!

— В твоей вовсе не глупой головке. Но чтобы добраться до сути, нам всем нужен ключ. И ключ он к каждому подбирает свой.

— Кто — он?

— А, вот тебе и стало интересно!

— Ничуть. Ты мне отвратителен!

— А все же. Тебе стоило с ним познакомиться хоть бы и из соображений семейственности — ведь он тоже Липецкий.

— Дальняя родня?

— О нет, весьма близкая. К несчастью, вам не суждено встретиться. Он умер от холеры — какая ничтожная смерть для великого человека. Но вместо того чтоб гордиться подобной родней, папá оберегал его, как чудовище готических романов. А маман почитала своего beau-frère[1] источником разврата. Что касается разврата — не думаю, что ему было это интересно. В подобных историях желание власти всегда преобладает над просто желанием.

— А тебе, тебе разврат интересен? Они дети, Бог мой, Алеша, они же совсем дети...

— Ну, не плачь. У меня здесь нет чистого носового платка. Я старался, mein Herz. Какое-то время убивал животных, дабы уберечь свою бессмертную душу. А после...

— А после?

— А после война показала мне, что Бога нет. А значит, и души не существует. Сопротивляться бессмысленно.

— Нет, не война! Первую девочку убили два года назад!

— Это и был его ключ, глупая.

— Он задушил ее?!

— Да, он. Но прежде вывернул меня наизнанку, произнес вслух непроизносимое, обозначил все давние мечты мои и кошмары. Он показал, как превратить их в реальность. Всем нам диавол шепчет сладкое в уши, но мы заглушаем его шепот молитвою. А наш дядюшка побеседует с тобой по душам — и ты начинаешь верить, что все возможно. И либо решаешься, mein Herz, либо не выдерживаешь первого за жизнь честного своего отражения и кончаешь — но уже с собой.

----
[1] Шурина (фр.).

Впрочем, результат все тот же: дьявол улавливает тебя в свои тенета.

— Тогда он сам — демон во плоти...

— О нет, mein Herz. Не будь столь прямолинейна. Думай о нем скорее как о ветхозаветном пророке, отделяющем зерна от плевел. Он — «страж подле Бога; сеть птицелова на всех путях его; соблазн в доме Бога его»[1]. Праведные избегут его сетей, грешники уловлены будут ими. И к слову о праведниках и нас, грешных, — все собравшиеся тогда на охоте мужчины попали под его влияние.

— Я не попала бы!

— Что ж, тогда ты святая. А вот Габих с тех пор позволял себе... Да что там, даже добряк Дмитриев едва не придушил свою крепостную Дульсинею. Один я держался, mein Herz. А мне было всех тяжеле, ведь во мне бродит та же отравленная кровь. Но я держался даже после того, как он послал мне книгу де ла Мотта — ведь с ней, Ундиной, мои желания обрели законченность и поэзию. Ах, mein Herz, ведь я всего-то и хотел, что жить с тобою, вдали от греха и искуса, в уединении Приволья.

— Значит, оттого ты и желал моей независимости? Затем и привез мне из Европы статьи Олимпии?

— Я надеялся, что через нее у меня получится попасть в твою голову и уговорить отказаться от всего, что внушают юной девушке как высшее наслаждение жизни. Слепое следование канону — удачный брак, дети. Да, mein Herz, я попытался, но ты отказала мне в счастии. А после грянула война. И я сорвался, и ты можешь, должна меня понять, ведь война тоже изменила тебя, разве нет?

— Боже милосердный! Как ты мог? О чем ты только думал?! Что будет с нами? Маман умрет от горя! Папа́ сойдет с ума, а я...

— А тебя скоро не станет, mein Herz.

---

[1] Ветхий Завет. Книга пророка Осии 9:8.

* * *

Авдотья скривила рот, будто защищаясь усмешкой от его унизительной жалости и страшной правды: ее брат оказался чудовищем. Но это была еще не вся правда. Ведь Алеша не ошибся, и она тоже изменилась. Да, война посеяла в ее жизни хаос, но в этом хаосе она нашла свободу, которую ей не дано было бы испытать, не перейди Наполеон Неман. Это благодаря войне в ее жизни появилась и страсть, и цель, и счастье. Потому-то слова Алеши и отдавались в ней болезненной сладостью и виной: они оба обрели свободу, только распорядились ею по-разному.

Вот о чем думала Авдотья, а вслух сказала:

— С того часа, как мы объяснились, я все пытаюсь пробиться к нему. К тому, что еще осталось в нем от моего старшего брата, товарища детских игр, кумира моих отроческих лет. Трачу на это все силы души. А он снова и снова тянется ко мне руками — чтобы задушить. И не может, Этьен, понимаете?

Скользя по стене, она опустилась на пол. Он сел рядом. Оба смотрели на темную дыру, в которой исчез убийца.

— Но я так устала, Этьен, — прошептала она. — Так устала пытаться... что думала: пусть. Пусть вернется зверем и задушит меня наконец. У меня больше не было сил. И маман с папá... Это убьет их! — И Авдотья, закрыв лицо ладонями, разрыдалась.

— Им незачем об этом знать. — Он отодвинул ладони от мокрого лица.

— Но вы, Этьен! — Губы ее тряслись, как у обиженного ребенка. — Вы знаете! И никогда более не захотите...

Чего он никогда не захочет, Этьен так и не узнал, поскольку услышал в туннеле слабый шорох и мгновенно вскочил на ноги.

— Это он! — Рука Авдотьи впервые сама нашла его ладонь и с силой сжала.

358

— Возвращайтесь. — Он быстро поднес эту грязную исцарапанную руку к губам. — По этому проходу. Там вас будет ждать Андрон. — И, заметив, что она не двигается с места, повторил: — Идите же, Эдокси!

* * *

Андрон скрутил себе цигарку, присев прямо на сложенный армячок. Собачки тихо лежали у его ног, за рекой румянился закат. Пели, перекликаясь, лесные птахи. Мир Божий казался намедни сотворенным, в нем не было еще человеков. А значит, не было ни смертоубийств, никаких иных печалей. Но глаза Андрона то и дело наполнялись слезами — старики плачут чаще молодых.

Андрон знал, что идет война и принесет много горя, а еще чувствовал, как под ним, в глубине земной тверди, в подземных ходах соляных шахт поселилось зло, взросшее в сероглазом мальчике. Никто из дворовых уже не помнит, как князь Сергей Алексеич назначил его дядькой при наследнике. И то сказать, должность видная — у дядьки и стол свой, и одежа из тонкого покупного сукна, и жалованье — десять рублей в год, а на каждое Рождество с Пасхой — подарки. Как войдет Андрон на кухню — вся дворня встает, уважение проявляет и по отчеству, Васильичем, величает. Да и старость дядьки проводят в тепле, в своей каморке, а не на общих полатях в людской. Одним словом, отличить хотел князь своего молочного братца, зная за ним доброе сердце и истовую честность. Да не вышло.

Поначалу все справно было: Андрон за малым барчуком пуще няньки ходил. И на Тверской гулять водил, и на пони катал, сам заливал ледяную горку в московском саду, ладил змея с трещоткой под мочальным хвостом. Учил мальца с лету городки сбивать, карасей удить в пруду... Когда ж начал он лишнее думствовать? Даже не так, чуять, как его легавые — дичь. А что чуял — поди разбери. Чувствовал Андрон в барчуке чужое, непонятное и совсем не детское. Ничего вроде худого еще не случилось, но задержится, бывало, взгляд княжича на дворовой псине или выводке пищащих котят под крыльцом, так у Андрона сердце опускается и торопится он увести мальчика в дом. А в доме с ним рядом Андрону будто воздуха не хватало и душу крутило при одном взгляде на, как его звала матушка-княгиня, «сероглазого ангела».

Противен стал Андрон сам себе: холопье ль то дело, решать, какую работу исполнять? Но, вот те святая Параскева Пятница, на барщину б пошел, лишь бы отказаться от чести при барчуке службу нести. Да только как отказаться? Как объяснить нежелание исполнять почетные обязанности?

Но тут случилось несчастье и Андронову счастью помогло. Прибило паводком к берегу Москвы-реки покойницу. Из бежавших каторжных, видать, волоса начисто обриты. И потопла та, по всему, совсем недавно — еще не вспучило. Красивая девка, только кожа голая вся ветками да камнями изрезана. Пока ж Андрон рот открыл да крестился, на девку глазеючи (молодой еще был), барчук из-под руки у него как выскочит — подойти поближе. Да не рассчитал по любопытству, поскользнулся в береговой грязи и прямехонько в воду повалился. И унесло б мальца течением, ежели б тогда в руку мертвой девке не вцепился. Андрон же, охнув, бросился в речку и вытащил воспитанника, как кутенка, а после пал в ноги князю, винясь: мол, не годится он присматривать за дитем. И хоть сам Сергей Алексеевич бранил за непослушание только сына, но просьбу уважил, и дважды. Первый раз, когда назначил барчуку другого дядьку. И второй — оставив Андрона при собачках.

Так Андрон Васильевич обернулся просто Андроном, сменил сюртук тонкого сукна на армяк, ел и пил с прочими дворовыми из рук Михайловны-кухарки и ни разу о своем решении не пожалел. А терзался нынче лишь об одном: дай он тогда речке унести барского первенца, засекли б его, старого дурня, до смерти... Зато девчоночки были б живыми. И стоило доезжачему прикрыть глаза, как все трое, взявшись за руки, принимались кружить перед Андроном в воскресных синих сарафанах. И отсвечивая на солнце липовым светом, кружились за ними их длинные тугие косы.

Андрон почувствовал, как скуренная цигарка обожгла пальцы, и отбросил окурок. Пока сидел-вспоминал, створожились вокруг густо замешанные с речным туманом поздние сумерки. Выдохнул над тонкими деревами ветер и стих, а за спиной у Андрона громко хрустнула ветка.

Он резко крутанул головой, и показалось доезжачему, будто качнулась в наросшем на теле кургана молодом ельнике маленькая тень.

— Стой! — крикнул Андрон, вскочил и схватил ружье. — Кто тут?

В ответ — тихий жалостливый вой. Что за чертовщина? Тень между тем обмерла, и вовсе слившись с влажной в тумане хвоей.

Андрон достал из кармана армяка кресало и кремень, щелкнул огнивом. Всполох искр ослепил его и закрывшую лицо ладонями фигурку.

— Не надо, дяденька, — тонко проскулила та. — Анфиска я, Феклы и Григория дочка.

— Анфиска? — Андрон сделал несколько шагов к девочке, нахмурился, разглядев опухшую ногу, исцарапанные руки и бритую головку. — Нешто сбежала?

Девочка кивнула, вздрогнула всем худеньким тельцем:

— Барышня помогла.

Андрон кивнул: конечно, помогла. Все лучшее в барской семье Господь этой рыжей егозе передал.

— А сама-то она где?

Лицо Анфиски сморщилось, того и гляди снова заплачет:

— Там осталась, внизу.

— Это не дело, — кивнул Андрон, взял армяк и набросил на девочку. — Пойдем, покажешь, откель вылезла?

— Не могу, — отшатнулась она. — Нога, вишь, как у меня распухла.

— Ништо, давай-ка на закорки — я тебя отнесу, — улыбнулся Андрон, и Анфиска решилась сказать правду:

— Боюсь я, дядя Андрон. Он там, внизу. Нож у него.

— Так и у меня ружьишко. Небось выдюжим. — Кряхтя, опустился на карачки: — Полезай, голуба.

Медленно обходили они холм над старой шахтой.

— Тут? — спрашивал Андрон. — Али тут?

— Не, дяденька, — обхватив его шею руками, мотала головой Анфиска.

И тут Андроп, глядь, сам увидел саженях в двадцати исходивший прямо из земли столп колеблющегося света.

— Ну-тка, голуба, сходь на землю, — склонился он, чтобы дать Анфиске спуститься.

— Нет, дяденька Андрон, не бросай меня одну, — захныкала Анфиска.

Но старый доезжачий молча снял ее со спины, аккуратно отцепив от рубахи девчачьи пальцы.

— Т-с-с! — шепнул он.

Анфиска и правда замолчала: села на землю, обхватив себя руками, — маленький холмик на большом холме.

А столп света, становясь все ярче в густеющей вокруг темноте, будто сдвинулся — и в нем возникла тень, словно дух ада выходил из земли. Андрон быстро перекрестился, взвел ружье и, подойдя к штольне, заглянул внутрь. И увидел его: подсвеченный снизу плавающим огнем факела, медленно и осторожно переставлял тот ноги по одному ему известным неровностям в стене колодца, шаг за шагом продвигаясь вверх. Вот уж Андрон увидел давно не стриженные — а некогда такие ухоженные — волосы, и грязное, все в белесой пыли, оборванное платье... Еще чуть-чуть, и вылезет наружу.

Тут молодой барин поднял голову — и замер. Андрон трясся всем телом, но глазок ружьишка смотрел барину прямо в глаз. А тот будто не удивился и не испугался вовсе.

— А вот и мой Strafschwert der Vorsehung[1], — осклабился он. — Ну, здравствуй, брат. — И, не дождавшись ответа,
добавил, подмигнув: — Да жива, жива твоя Авдотья.

Андрону стало легче дышать, а барин, заметив, как
сразу опустилось дуло ружья, усмехнулся:

— Видать, нам, старшим, на роду написано пропадать.
Токмо младшие Липецкие в чести у Господа. Ее единственную на свете и любил. — И добавил для Андрона
непонятное: — Да видно, одна она с моей войной не сла-
дит. Что, Андронушка? Думаешь, простит меня сестрица?

«Нет», — качнул головой Андрон, все так же молча
глядя в красивое лицо, что не смогла испортить даже
многодневная грязь.

— Верно, — кивнул барин.

Андрон заметил, как дрожат от напряжения вце-
пившиеся в камни кладки руки. Но голос звучал по-
прежнему ровно, насмешливо:

— И захочет, а не простит. Она не простит, значит,
тебе грех на душу за меня взять придется. Один в ад не
спущусь, тебя с собой заберу, а, дядька Андрон? Пойдешь
со мною? На то ты и дядька...

Андрон сглотнул. Так оно и есть, не помогли собачки-
то. Все одно через ирода пропадать. Он заставил себя
задержать дыхание, выравнивая мушку ровно посредь
иродова лба. Щелкнул первый раз курок.

— Нет! — Доезжачий обернулся: к нему, прихрамывая,
бежала барышня — белело в полутьме светлое платье. —
Не стреляй, Андронушка, слышишь!

Андрон услышал тихий смех за спиной.

— Авдотья Сергеевна, матушка, — безвольно опустил
он ружье.

А та прохромала мимо него, встала на колени над ко-
лодцем. Андрон видел, как бьет ее дрожь под изорван-
ным платьем, как протягивает она руку, чтобы вытащить
черного человека, которого Андрон и по имени назвать
нынче не мог.

---

[1] Карающий меч Провидения (*нем.*).

А Авдотья смотрела в лицо брата, и это снова был он, ее Алеша. И ничего более не имело значения, она должна была его спасти. Рука его была теплой, но чуть подрагивала от напряжения, и, когда он сжал ее ладонь, она почувствовала острые кристаллы, вонзившиеся в кожу: соль к соли, кровь к крови. На мгновение она испугалась, достанет ли ей сил, чтобы вытащить брата, или это он всем весом перетянет ее вниз; хотела было обернуться, кликнуть на помощь старого доезжачего, но не могла отвести глаз от родного лица: как же она по нему скучала! Он улыбался — зубы средь отросшей щетины казались желтыми, как у зверя, но улыбка была снисходительной, ласковой: что за фарс мы тут играем, сестрица, что за надуманные великие страсти? И в то же время она была пугающе далекой, будто он отрешенно любовался ею. Но Дуня знала, что это невозможно, ему — любоваться ею, ведь она никогда не была ни так красива, как он, ни так умна.

Она хотела уж было прикрикнуть на него, но не могла, горло оказалось сжато: ни слова не протолкнуть, ни рыдания, и Авдотья лишь сдвинула в одну линию рыжие брови: давай же, выбирайся!

И тогда он будто подтянулся к ней поближе, чтобы сказать что-то важное, разлепил припорошенные солью сухие губы и прошептал:

— Прощай, mein Herz.

И прежде чем она смогла что-то ответить, разжал тонкие пальцы, а она, казалось, перестала дышать, замерев с ненужной теперь ладонью над темным зевом, и видела, как он летит вниз. А через пару секунд вверх донесся тугой удар оземь мяса и хруст костей, и с этим ударом к ней вернулась способность дышать, и, вобрав воздух, Авдотья закричала, но сама не слышала своего крика, не чувствовала, как подбежал и схватил ее сзади в охапку, пытаясь отвести от края шахты, Андрон. А она вырывалась, крича, вся обратившись во взгляд, и искала, искала в глубине колодца своего брата. Но там, в глубине, красноватое пламя освещало одно пустое, лишенное грешной души и оттого ставшее безгрешным тело: принужденно вывернутые руки, запрокинутая окровавленная голова.

А Андрон, сжимая со всех сил отвердевшую от крика барышню, увидел в провале шахты француза. Тот замер, обратив бледное лицо вверх, но барышня его не замечала. Осознав это, басурманин кивнул Андрону, и старик понял, кивнул в ответ, оттащил барышню в сторону, нажал на плечи, усаживая на расстеленный на траве армячишко. И та вдруг замолчала, но не села, а легла, вжавшись с силой в землю, подтянув к груди, будто от острой боли, колени. Так и лежала, пока Андрон сидел рядом и часто смаргивал одну за другой мутные стариковские слезы.

ГЛАВА ДВАДЦАТЬ ШЕСТАЯ

S'amor non è, che dunque è quel ch'io sento?[1]

Петрарка

В ночи, при свете факелов, закопали тело. Без креста, без отпевания, без последнего слова над могилой. Веки жгла вездесущая соль, во рту было горько от непролитых слез. Дуня сидела неподвижно, прижимая к себе тощее Анфискино тельце. Она дала похоронить своего брата, похоронить навсегда. Пусть для семьи он сгинет на полях сражения — вечно юный, влюбленный в отчизну, с именем матери и императора на устах. Что бы ни случилось, и она, и старый доезжачий никогда не выдадут тайны. И Этьен тоже унесет ее — как бы высокопарно сие ни звучало — с собой в могилу: случись та могила средь российских заснеженных степей, или под пышущим ультрамарином небом Гаскони.

Оставалась Анфиска, но в своем сбивчивом рассказе: как подсторожил ее в лесу зверь, как оттащил к лодке, как приковывал, как голову брил — девочка ни разу не упомянула «барина». Все это время в подземелье было темно, размышляла Авдотья. Да и видала Анфиска молодого князя два года назад — в этом слишком скоро на войну ушел. В ее возрасте два года — солидный срок, впечатления сменяются быстро, а девчачья память коротка.

---

[1] Если это не любовь, так что же? (*ит.*) — цитата А. Пушкина к повести «Метель».

Переглянувшись с Андроном, Дуня подвела про себя итог: девочка не узнала в грязном заросшем душегубе элегантного, гарцевавшего обыкновенно мимо на породистом рысаке молодого барина. И тогда есть шанс, что этот постыдный страшный секрет так и не выйдет на поверхность. А если выйдет, устало погладила девочку по бритой голове Авдотья, что ж... значит, на то воля Божья.

Андрон и де Бриак подошли к сидевшей в обнимку с Анфисой княжне. Руки их были в земле. Авдотья отвернулась.

— Мы вернемся домой на лодке, — сказал Этьен.

— Хорошо, — наконец произнесла она и перевела Андрону.

Пусть вернет девочку родителям. Скажет, что никого не видел, нашел ее уже на холме над соляной шахтой. А они вернутся отдельно: ей следует решить, что говорить родителям, а до тех пор отвлечь маменькино внимание на ее возвращение тет-а-тет с майором. А покамест княгиня страдает из-за неподобающего поведения дочери, Дуня что-нибудь придумает. Но не сейчас, а хотя бы завтра. Когда впервые за эти пару дней выспится.

Андрон кивнул, повернулся к Анфиске:

— Ну-тка, забирайся, голуба, ко мне на закорки. Поедем лесом к тятьке с мамкой.

А Этьен протянул Авдотье ладонь, и она медленно приподнялась, чувствуя вновь проснувшуюся боль во всем теле. И там, где треснули ребра, и там, куда впивалась пеньковая веревка, и в распухшей ноге, и в голове, которая казалась тяжелой, будто старый церковный колокол.

— Вы сможете идти? — склонился над ней Этьен.

— Смогу.

Она с силой оперлась на его руку, перенесла вес на больную ногу и, охнув, в ответ на его обеспокоенный взгляд качнула головой: смогу, смогу! Только бы поскорее оставить за спиной соляной курган, от которого нынче за версту несет мертвечиной, да выйти к реке, к ее свежему, чистому запаху.

Медленно, в молчании, вцепившись в теплую руку де Бриака, Авдотья прошла весь путь до берега. Тихий плеск речной волны заглушался громогласным птичьим пением. Дуня огляделась вокруг, на еще тяжелые со сна покровы тумана над водой, на лес на другом берегу, на занимавшееся за вертикалями стволов сияние... И вдруг почувствовала, как лежащая на груди тяжкая плита становится легче, давая наконец волю дыханию. Множество раз она, в подражание героиням романов, любовалась красотами окружающих пейзажей, но сейчас впервые замерла в ошеломившем ее прозрении, что красота эта не для того создана, чтобы, подобно угодливому лакею, служить обрамлением ее, Авдотьи, преходящих чувств и настроений. Нет, красота природы выступает в паре со смертью, и грозная сила ее смерти равновелика. И если Алексей прав и Бог бросил их здесь одних, то в красоте он оставил им единственное доказательство своего существования. «А значит, — сказала себе Дуня просто, — красота и есть Бог».

Она обернулась к почтительно стоявшему за ее спиной де Бриаку и заявила:

— Я хочу искупаться.

— Искупаться? — Он явно прикидывал, не повредилась ли она рассудком. — Здесь? Сейчас?

— Да.

Дуня закусила губу, но желание осталось неизменным — опуститься в эту утреннюю парящую воду, как в купель. Смыть с себя разъедающую глаза, губы, кожу, забравшуюся даже под тесный корсаж соляную пыль. А заодно и весь кошмар прошедших дня и ночи.

— Хорошо, — сказал он после паузы. — Вам помочь раздеться?

Дуня не взглянула на него, лишь вздохнула:

— Да, прошу вас.

И прикрыла глаза. Она услышала шорох — он сделал шаг по речному песку — и мгновение спустя почувствовала тепло его дыхания на своей шее. В предрассветных сумерках де Бриак в смятении тщетно пытался разобраться в премудростях ее платья.

— Там четыре крючка, виконт. Уверена, вы справитесь.

И сама удивилась: откуда эта смелость, как вообще она отваживается на то, чтобы мужчина, не являющийся ее мужем, взялся расстегивать ей платье? Впрочем, о ту пору и мужья редко брались самостоятельно разгадывать тайны дамского корсажа — этим ведала женская прислуга, и только.

И тут Авдотья почувствовала горячие пальцы, которые чуть медленнее, чем это делала Настасья, один за другим стали расстегивать крючки. Там, где ткань открывала кожу, она ощутила холодный утренний воздух, и дрожь прошла по позвоночнику.

— Вы уверены, княжна? — замерли за спиной руки.

— Боже мой, вы несносны! — Она подняла руки. — Снимайте же наконец!

Глаза она так и держала закрытыми, и потому лишь по движению воздуха поняла, что он опустился, захватив подол платья, и потянул вверх. Невесомая ткань соскользнула по плечам, и Авдотья осталась в одной изорванной шемиз[1]. Что ж, поежилась она, теперь можно и искупаться. Так же не глядя на француза, она развязала ленту на единственной оставшейся туфле и стянула чулок, на котором когда-то, в иной жизни, Феклуша-мастерица вышила золотой нитью по белому полю пшеничные колосья.

Отбросив грязный чулок в сторону, Авдотья сделала первый шаг к исходившей утренним паром реке. На песке остался неясный в сумерках след. Ойкнув, потрогала воду, потом, мимолетно оглянувшись (сжимая в руках батист ее платья, Этьен, как она и подозревала, пристально смотрел себе под ноги), вошла по щиколотку, дав телу привыкнуть не к холоду, нет, вода еще хранила тепло вчерашнего дня, но к самому факту купания, и так сделала еще несколько шагов. Оказавшись почти по пояс и чувствуя, как прилипла, стреножив ее, мокрая шемиз, склонилась, плеснув горсть воды на ссохшееся

---
[1] Нижняя рубашка, от *фр.* chemise.

от соли лицо. И увидела, как бледные в полутьме пальцы окрасились в розовое — кровь из ссадин. Не обращая внимания на боль, она снова и снова черпала пригоршнями туман пополам с водой, терла глаза и брови, а после, не выдержав, ушла под воду с головой, давая волосам, отяжелев, плыть по течению, увлекая ее за собою. И тут почувствовала руку на своей шее, что тащила ее вверх.

— Безумная! Решили утонуть?! Да еще и в моем присутствии?! — Голос майора гремел над затянутой молочной пеленой рекой, заставив испуганно замолчать утренних птиц.

Дуня не выдержала и рассмеялась.

— Чему вы смеетесь?! Да что здесь такого забавного, скажите на милость?! — Голос его вдруг сорвался, темные губы еще дернулись, но не произнесли более ни звука. Авдотья смотрела в блестящие черные глаза, чувствовала его руку на своем затылке, там, где он держал в горсти мокрую тяжесть ее волос, и другую — обжигающе-горячую — на талии. Золоченое олово пуговиц доломана до боли прижималось к облепившему грудь батисту, не давая вздохнуть. Она могла сказать, что вовсе не собиралась кончать с собой, но его искреннее возмущение, волной исходившие от него жар и дрожь, их тесное объятие стали таким внезапным после пережитого ужаса счастьем, что не требовали уже по большому счету никаких объяснений. Они требовали поцелуя.

* * *

Дочь вернулась. Александра Гавриловна сидела у ее изголовья и смотрела в полумраке задернутых гардин на профиль на подушке: царапина шла через щеку к виску, прикрытые веки и скорбно поджатые губы казались серыми. Княгиня сглотнула, неловко погладила торчавшее под одеялом тонкое плечо. Нахмурилась, вспомнив: француз отказался что-либо объяснять.

Приплыв нынче утром и переполошив своим появлением прачек, он стоял в лодке, придерживая едва держащуюся на ногах княжну.

— Дайте ей отдохнуть, — сказал он.

Острый глаз княгини, невзирая на туманившие его слезы, отметил грязное и оборванное платье под укрывшим дочь майоровым плащом. И мокрого с ног до головы владельца плаща.

— Она сама вам все расскажет, — неловко улыбнулся француз, заметив, как застыло лицо Липецкой в ответ на его почти приказ «дайте отдохнуть».

Да неужто она сама не разберет, что делать с обессиленной дочерью, пережившей неизвестное, но, уже и без слов понятно, страшное? Впрочем, едва ли Александра Гавриловна была готова узнать об этом страшном от де Бриака. Чужака. Мужчины, наконец.

От ванны Авдотья сразу отказалась — без слов, лишь мотнув головой, молча же дала себя раздеть, высушить горячими простынями. Выпила настой из кипрея с мятой и рухнула в постель, потребовав от Акульки, новой своей девушки, еще одну перину.

За хлопотами о дочери пришла вторая добрая весть: в избу на закорках старого доезжачего вернулась пропавшая Анфиска. Андрон на радостях выпил беленькой с Григорием-каретником и также заснул богатырским сном. Забылась, забившись в глубину теплых полатей, и сама девочка. Так, из всех воротившихся из жуткого леса не оказалось никого, кто мог бы предоставить их сиятельствам какие бы то ни было разъяснения по поводу событий минувших двух дней и ночи. Будто заколдованные одной темной силой обитатели замка из сказки Перро, все они укрылись на сто лет в объятиях Морфея. Все, кроме майора.

И прошел день. И прошла ночь.

А на следующее утро, когда семья сидела за завтраком, на пороге появился де Бриак: мундир высушен и вычищен, пуговицы и сапоги надраены верным денщиком. И по одной его прямой спине и военной четкости шага, когда тот зашел в столовую, Липецкие поняли, что «их» майор покидает, вслед за своим дивизионом, Приволье. Будто уже не здесь он, а в походе: пылит по уходящим за горизонт российским трактам — до первого боя с русским воинством. И оттого, еще не став врагом, он словно уже отделился душой от этого дома и его обитателей. Пусть князь говорил ему все положенные слова благодарности за спасение дочери, а княгиня кивала, глядя на красное с золотым отражение майора в начищенном боку самовара, но... но вместо благодарности думала о своем первенце, уже пропавшем на этой войне, хотя возможно, пока живом. Живом, но тогда все еще на наковальне будущих жестоких баталий, где любой неприятельский солдат, подобный де Бриаку, да что там, даже сей любезный француз, до полуобморока влюбленный в ее дочь (нет, ни с чем нельзя спутать тоскливый взгляд, коим он проводил княжну, когда сенные девушки уводили ее, обессиленную, в дом), ни на мгновение не задержит ни клинка, ни штыка, ни выстрела картечи, твердила себе княгиня и, зная свою неправоту, еще пуще гневалась, но не на себя, а на того же майора. Потому ей было тяжко повернуть голову и взглянуть ему в глаза — пусть даже по обязанности учтивой хозяйки.

И француз, будто почуяв это, так и не произнес вслух той просьбы, которая — Господь и женская интуиция княгини тому свидетель — рвалась у него наружу. А Александра Гавриловна поднялась и протянула ему холодную маленькую кисть для прощального поцелуя.

— Я передам ваши наилучшие пожелания княжне. Боюсь, перенесенные испытания оказались слишком суровы для ее хрупкого здоровья. Со вчерашнего утра она еще не вставала с постели.

— Но жара нет?

Впервые подняв на него глаза, она увидела, как дернулось узкое лицо. Ведь Пустилье, чтобы выручить их волшебными снадобьями, рядом уж не было.

— Нет, — улыбнулась ему ласково княгиня, сразу переменившись к бедняге: в конце концов, он уезжает, и навсегда. Больше они никогда его не увидят, и сей невозможный союз так и останется лишь в пылких мечтах майора.

— Что ж, — попытался улыбнуться в ответ де Бриак. — В таком случае желаю здравствовать всему вашему семейству. Княгиня, князь, позвольте вновь выразить свою благодарность за ваше гостеприимство.

Он запнулся. Формула вежливости требовала упомянуть возможную будущую встречу, но иногда формулы, придуманные для облегчения общения между хорошо воспитанными людьми, дают осечку. И потому, ничего более не добавив, он щелкнул каблуками: глухо звякнули шпоры.

И, развернувшись, вышел из столовой, быстрым шагом прошел по анфиладе парадных комнат к главному крыльцу, у которого уже ждал верный Лизье с оседланными лошадьми, бегом спустился по лестнице — не оглядываться! — вскочил в седло и, всадив шпоры в бока своему Азирису, пустил его с ходу в галоп.

Александра Гавриловна подошла к окну, провожая майора взглядом, вспоминая, как впервые увидала его — под проливным дождем, ожидая от пришедшего в дом врага одного разорения и позора. А он спас двух из трех ее детей...

Блеснуло на утреннем солнце золотое шитье мундира, крупный черный жеребец тяжело ронял копыта на расчерченный светом и тенью песок аллеи меж старыми липами. Вот он доскакал до ворот со львами и пропал из виду. И княгиня, хоть и чувствовала вину за собственную неблагодарность, со вздохом облегчения отпустила гардину — будто поставила точку в этой истории.

— Маменька! — услышала она и, обернувшись, едва успела принять дочь в свои объятия.

Умытое лицо княжны светилось румянцем, глаза блестели, утреннее голубое платье, отороченное золотой тесьмой, удивительно ей шло — Аврора и Диана в одном лице. Княгиня чуть отстранилась от дочери, чтобы полюбоваться и вновь прижать к груди. Авдотья вскрикнула: это не выдержали силы материнской любви сломанные ребра.

— Ай! Больно!

— Бог мой, Эдокси, — вздрогнула княгиня. — Так ты меня саму в могилу сгонишь! Где больно?

Авдотья указала на левый бок:

— Тут.

— Устроим тебя в карете поудобнее, — уже не любующимся, а озабоченным взглядом окинула дочь Александра Гавриловна. — Дорога предстоит дальняя, — вздохнула она. — Но, покамест ты нежилась на перинах, я успела собрать самое необходимое.

Лоб маменьки собрался в морщины — конечно, сборы были более чем поспешны.

— Выезжать надобно уже сегодня, после чаю. Нынче нас уж никто не защитит — ни от мужика, ни от другого француза...

Авдотья вскинула на нее непонимающие глаза.

— Он уехал, душа моя. Не хотел тебя беспокоить.

— Уехал? Не попрощавшись? — Дуня схватила мать за руку так крепко, что та поморщилась.

— Приходил, но ты еще спала...

— Когда?

— Да минут пять как со двора выехал, мой ангел.

* * *

С тяжелым сердцем де Бриак покидал Приволье. С галопа перешел на рысь, с рыси и вовсе на шаг. Партизан они не боялись — в слово дворянина Потасова он верил так же, как в свое. Но сердце ныло, отдаляясь от дома с белыми колоннами в глубине липовой аллеи. И сердечный взор свой, как о ту пору писали авторы сентиментальных романов, обращал он на высокое крыльцо, круглую ротонду. И далее — на залитый изобильным светом цветущий сад и кружевную беседку, ловящую под своей сенью солнечные всполохи от лежащей в низине реки. Все, происшедшее днем ранее в водах этой реки, казалось ему уже навеянным Оссианом сном: и туманные струи, и девушка, что вошла в них. И то, как она прижималась к грубой шерсти его доломана, и как улыбалась разбитой губой, прежде чем отважилась его поцеловать. Она улыбалась и всю обратную дорогу, уж после того, как он — как ему показалось, с необыкновенною ловкостию! — застегнул изорванное платье поверх мокрой шемиз и накинул ей на плечи единственное, что оставалось еще сухим, — свой кавалерийский плащ. Хотя, в сущности, ни о комфорте, ни о подобии приличий думать уже не приходилось. Тело в облепившем его батисте больше демонстрировало жадному взгляду, чем скрывало, — лишь тонкая влажная ткань отделяла его от ее наготы. И тут плащ весьма пригодился: да, плащ спас Этьена от последнего падения. Впрочем, и обернувшись в синюю шерсть, княжна не стала менее привлекательна. Солнце, поднимаясь над рекой, сотворило из утреннего тумана нимб вкруг темных от влаги рыжих кудрей. И ничто — ни опухшая губа, ни царапины на скуле, ни кровоподтеки на шее — не властно было затмить этой торжествующей красоты.

Он греб, не отрывая от нее зачарованного взгляда, а она улыбалась в ответ: так улыбается своему мужу молодая жена в первые дни медового месяца — с ощущением общей счастливой тайны. И Этьен, не выдержав, стал нести какую-то чушь, восхваляя свое имение в Гаскони и тамошние виды. Тут улыбка княжны исчезла, и она заявила, что брат ее всегда настаивал на прелести самостоятельности. И что русские дворянки, в отличие от англичанок и француженок, сохраняют и в браке свое приданое, что делает их свободными, да, свободными в выборе сердца. Брат, продолжала Дуня, дал ей читать мадам де Гуж, и она согласна с запрещенной Олимпией: женщина имеет право распоряжаться собой, она равна мужчине, и потому... Глядя в изумлении на свою княжну, Этьен внимал потоку вольнодумных речей, и был окончательно, бесповоротно сражен. В дымчатых глазах Эдокси блестела слеза, вызванная воспоминаниями о брате, но еще в них горело бесстрашие. Бесстрашие и обещание общего будущего. И как же тяжко было ему нынче от него отказываться, вновь мирясь с тем, что ранее он принимал с такою легкостью: с пылью военных дорог, с диареей и вшами, с кровью и близостью бессмысленной смерти!

Де Бриак вздохнул и поймал на себе косой взгляд денщика. Теперь они с Лизье завершали колонну — и ежели майор не покажет людям должного примера, они еще не скоро нагонят своих.

Но едва Этьен собрался пришпорить Азириса, как услыхал за спиной стук копыт, и из-за поворота в облаке пыли явилась прекрасным виденьем рыжая княжна с совсем не ласковым выражением лица. Резко осадив свою Ласточку, она скривилась — бешеный аллюр, взятый ею от ворот имения, отдавался всполохами боли в подреберье.

— Княжна, — снял двууголку с примявшихся кудрей де Бриак. — Счастлив...

— Как могли вы... — задыхаясь от боли и возмущения, перебила его она, — как смели не попрощаться со мной! Где была ваша хваленая галантность, если уж иные чувства не... — Она оселклась.

Дебриаков денщик смотрел на нее с веселым любопытством. Этьен жестом отослал Лизье вперед к остальным, а оставшись наедине, счастливо улыбнулся: он все-таки ее увидел! Она рядом, пусть явно не склонна к пылким объятиям.

— Княжна позабыла, что общается с бастардом. — Этьен спешился, подошел и взял поводья ее лошади.

— Нет, это майор запамятовал, что говорил мне вчера на реке.

Дуня покраснела. Она тоже говорила вчера на реке многое из того, что девушка ее круга...

— Я от своих слов не отказываюсь, — перебил ход ее мыслей де Бриак.

Он также порозовел.

Несколько секунд оба молчали.

— Я приму ваше предложение, Этьен, — торжественно начала Дуня и вновь замолчала, пытаясь сдержать готовые хлынуть из глаз слезы, — единственно в случае победы русского оружия.

Этьен растерянно сморгнул, думая, что плохо расслышал. Победы над Наполеоном? Сердце, только что выбивавшее счастливый галоп, сжалось.

— Вы могли бы выбрать более правдоподобный способ отказа.

Он попытался усмехнуться, но вместо этого просто смотрел на нее, конную, снизу вверх и в который раз не мог оторвать глаз.

Ласточка нетерпеливо переступила грациозными ногами. В нескольких шагах от них он услышал говор и смех. Слов было не разобрать, но он был уверен — солдаты обсуждали своего командира.

— Это не отказ, — между тем произнесла она тихо. — Это, напротив, согласие.

Что за глупое место для объяснений! Этьен вздохнул и снова заговорил тем тоном, что выбирают родители для особенно непонятливых детей.

— Эдокси, вы не понимаете. Наш император властвует над всей Европой. А чем может похвастаться ваш? Поражениями под Аустерлицем и Фридляндом?

— Это вы не понимаете. — Дунино лицо побледнело от возмущения. — Это наша земля, а не Пруссия и не Австрия. Мы не дадим Буонапарту...

Она замерла, не в силах более произнести ни слова. Как же объяснить ему? Россия не государство, могла бы сказать Авдотья, а мир. Здесь, увы, не действуют правила. Россию ведет вперед сила, с логикою не связанная. И потому она вопреки логике принимает предложение, полученное при столь оригинальных обстоятельствах. А Этьен, похоже, и впрямь уверен, что она вздумала над ним потешаться.

— Эдокси, — он снова вздохнул, — да слезайте уже с вашей чертовой кобылы! — А когда она соскользнула с седла прямо к нему в руки, зашептал ей на ухо: —

И к черту же вашего и моего государей. Я готов на любые ваши условия, даже самые невыполнимые. Вот... — Он снял с мизинца кольцо. — Возьмите, прошу вас. Торговец в Риме уверял, что этой гемме две тысячи лет, я оправил ее сам. Даже если, — он с грустью улыбнулся, — мой император продолжит свое победоносное шествие по миру, тем самым навек заказав для меня путь к счастию, я буду знать, что оно у вас, и это знание согреет мне сердце.

Дуня сняла перчатку и взяла в руки кольцо. Оно было тяжелым, без свойственных женским украшениям излишеств: овальная камея с женским профилем утоплена в гладкое золото.

— Это Психея, — пожал плечами де Бриак, — по крайней мере, так меня уверял торговец.

Ни слова не говоря, она надела кольцо на безымянный палец. Оно оказалось впору. И, счастливый этим знаком судьбы, не в силах произнести более ни единого слова, он молча взял ее руку и поцеловал, а княжна склонилась над его головой и зашептала ему в макушку:

— Ради Бога, Этьен, вы же обещаете мне беречь себя?

А де Бриак так и не поднимал головы, и они стояли так целую, целую вечность.

А на самом деле — несколько смешных минут седьмого дня, месяца июля 1812 года от Рождества Христова.

И в то время, пока они стоят, смертельно испуганный гением Наполеона русский император скачет из ставки 1-й западной армии в Москву, а едва ли в двустах верстах от застывшего над рукой княжны де Бриака отряд генерал-лейтенанта Левиза упорно сражается при Гросс-Экау с превосходящими силами прусского корпуса. Свистят ядра, отрывая ногу майору Киселеву. Майору Кузнецову отрывает два плеча. Казаки рубятся с драгунами. Лошади топчут тела. Из-за каменной ограды Экауской кирхи сквозь прорехи в заборах бьют английские, австрийские и тульские ружья.

К ночи, когда счастливый майор, прижимая к груди подаренный княжной тот самый акварельный портрет забытого крепостного гения, воссоединится наконец со своим дивизионом, русские войска в Гросс-Экау, будучи окружены со всех сторон неприятелем, пойдут в рукопашную на прорыв — штыком и саблей. Как и столетие с лишним спустя, в совсем иной Отечественной войне, рукопашная останется для русских вечным рефреном любых баталий. Так они прокладывают себе путь среди пруссаков и, потеряв 175 человек убитыми и 221 пропавшими без вести, прорываются к мызе Даленкирхен. Не самый одаренный из наполеоновских военачальников, битый Суворовым маршал Макдональд несказанно обрадуется сей первой победе и отправит в ставку императора реляцию с добрыми вестями.

Победа эта окажется не последней. Ведь всего через две недели Наполеон войдет в Смоленск.

А еще через месяц под звуки «Марсельезы» вступит с гвардией в Московский Кремль.

И понадобятся еще долгие и страшные полтора года, прежде чем русские войска займут Париж.

ПОСЛЕСЛОВИЕ

> И пусть искусство не может, как бы нам этого
> ни хотелось, спасти нас от войн и лишений, за-
> висти, жадности, старости или смерти, оно мо-
> жет хотя бы придать нам сил. ...И реальность не
> сможет тебя уничтожить.
>
> *Рэй Брэдбери*

Неизбывность интеллектуального снобизма заключа-
ется в неизбывной же склонности его представителей
поместить книгу развлекательного жанра в один ряд
с компьютерными играми, кино-блокбастерами и се-
риалами. А поместив, презрительно отмести — как еще
один бесславный способ убить время. Однако отметим
главную несхожесть: книга (любая книга!) в отличие от
тех же блокбастеров не предлагает нам готовой картинки. Она требует самостоятельной работы над созданием чудесных миров, и с этой точки зрения много ближе
к наркотикам. Но если с наркотиком мы остаемся один
на один с собственной персоной, то книга есть игра вол-
шебного фонаря, созданного в авторском воспаленном
мозгу и переданная посредством письменного знака
читателю: картинки, возникающие в нашем воображе-
нии, разнятся, но остаются узнаваемыми. И да — высо-
кая литература призвана заполнять лакуны, раздвигая
границы того, что способен выразить наш бедный язык,
обозначая тончайшие оттенки переживаемого опыта... Но литература жанровая служит не менее высокой
цели — она сострадает человеку. Ведь даже обозначен-

ный верным словом, переживаемый опыт бывает подчас невыносим. И тогда нам не нужна хирургическая точность слова — она не утоляет боли. Нам нужна просто передышка, чужая история внутри собственной головы. Путешествие, которое совершает, отключившись от происходящего вокруг, наше сознание. Странствие, в которое отправляются и тот, кто читает, и тот, кто пишет. «...Не будь у меня в голове и на кончике моего пера некой французской королевы пятнадцатого века, жизнь бы мне окончательно опротивела и пуля уже давно избавила бы меня от этой нелепой шутки, каковую именуют жизнью», — писал Флобер. Потому что автор здесь вовсе не третьеразрядный факир, погружающий вас в литературный транс. Автор — такая же жертва реальности, как и читатель. Вместе они пытаются скрыться в несуществующих ныне западных провинциях несуществующей же империи, отдышаться в позабытом позапрошлом веке — в его быту и слоге; пробуя их на вкус, проникаясь чуждыми нашей эпохе дилеммами между долгом и чувством, чувством и честью, честью и — смертью.

И если кому-то чтение моих страниц даст передышку, а вместе с ней — силы встретить новый день, вновь отдавшись на растерзание жестокой жизни, значит, там, внизу, на речной отмели, Де Бриак не зря снова и снова наводит пистолет на барона...

Прислушайтесь — еще секунда — и раздастся выстрел.

ОГЛАВЛЕНИЕ

Литературно-художественное издание

Дезомбре Дарья

СЕТЬ ПТИЦЕЛОВА

Руководитель группы *И. Архарова*
Ответственный редактор *А. Антонова*
Редактор *В. Ахметьева*
Младший редактор *В. Лосева*
Художественный редактор *А. Сауков*
Технический редактор *Г. Этманова*
Компьютерная верстка *Г. Клочкова*
Корректоры *О. Башлакова, Е. Савинова*

Разработка серии *А. Саукова*
Иллюстрации на обложке. форзаце и в тексте *В. Ненова*

ООО «Издательство «Эксмо»
123308, Москва, ул. Зорге, д. 1. Тел.: 8 (495) 411-68-86.
Home page: www.eksmo.ru   E-mail: info@eksmo.ru
Өндіруші: «ЭКСМО» АҚБ Баспасы, 123308, Мәскеу, Ресей, Зорге көшесі, 1 үй.
Тел.: 8 (495) 411-68-86.
Home page: www.eksmo.ru   E-mail: info@eksmo.ru.
Тауар белгісі: «Эксмо»
Интернет-магазин : www.book24.ru
Интернет-дүкен : www.book24.kz
Импортёр в Республику Казахстан ТОО «РДЦ-Алматы».
Қазақстан Республикасындағы импорттаушы «РДЦ-Алматы» ЖШС.
Дистрибьютор и представитель по приему претензий на продукцию,
в Республике Казахстан: ТОО «РДЦ-Алматы»
Қазақстан Республикасында дистрибьютор және өнім бойынша арыз-талаптард
қабылдаушының өкілі «РДЦ-Алматы» ЖШС,
Алматы қ., Домбровский көш., 3«а», литер Б, офис 1.
Тел.: 8 (727) 251-59-90/91/92; E-mail: RDC-Almaty@eksmo.kz
Өнімнің жарамдылық мерзімі шектелмеген.
Сертификация туралы ақпарат сайтта: www.eksmo.ru/certification
Сведения о подтверждении соответствия издания согласно законодательству РФ
о техническом регулировании можно получить на сайте Издательства «Эксмо»
www.eksmo.ru/certification
Өндірген мемлекет: Ресей. Сертификация қарастырылмаған

16+

Подписано в печать 06.08.2019. Формат 84x108 $^1/_{32}$.
Гарнитура «GaramondBookCTT». Печать офсетная. Усл. печ. л. 20,16.
Тираж 15 000 (1-й завод 7 000) экз. Заказ №4772/19.

Отпечатано в соответствии с предоставленными
материалами в ООО "ИПК Парето-Принт",
170546, Россия, Тверская область, Промышленная зона
Боровлево-1, комплекс № 3А, www.pareto-print.ru

Москва. ООО «Торговый Дом «Эксмо»
Адрес: 123308, г. Москва, ул. Зорге, д.1.
Телефон: +7 (495) 411-50-74.   **E-mail:** reception@eksmo-sale.ru

По вопросам приобретения книг «Эксмо» зарубежными оптовыми
покупателями обращаться в отдел зарубежных продаж ТД «Эксмо»
E-mail: **international@eksmo-sale.ru**

International Sales: International wholesale customers should contact
Foreign Sales Department of Trading House «Eksmo» for their orders.
international@eksmo-sale.ru

По вопросам заказа книг корпоративным клиентам, в том числе в специальном
оформлении, обращаться по тел.: +7 (495) 411-68-59, доб. 2261.
E-mail: **ivanova_ey@eksmo.ru**

Оптовая торговля бумажно-беловыми
и канцелярскими товарами для школы и офиса «Канц-Эксмо»:
Компания «Канц-Эксмо»: 142702, Московская обл., Ленинский р-н, г. Видное-2,
Белокаменное ш., д. 1, а/я 5. Тел./факс: +7 (495) 745-28-87 (многоканальный).
e-mail: **kanc@eksmo-sale.ru**, сайт: **www.kanc-eksmo.ru**

Филиал «Торгового Дома «Эксмо» в Нижнем Новгороде
Адрес: 603094, г. Нижний Новгород, улица Карпинского, д. 29, бизнес-парк «Грин Плаза»
Телефон: +7 (831) 216-15-91 (92, 93, 94). **E-mail:** reception@eksmonn.ru

Филиал ООО «Издательство «Эксмо» в г. Санкт-Петербурге
Адрес: 192029, г. Санкт-Петербург, пр. Обуховской обороны, д. 84, лит. «Е»
Телефон: +7 (812) 365-46-03 / 04. **E-mail:** server@szko.ru

Филиал ООО «Издательство «Эксмо» в г. Екатеринбурге
Адрес: 620024, г. Екатеринбург, ул. Новинская, д. 2щ
Телефон: +7 (343) 272-72-01 (02/03/04/05/06/08)

Филиал ООО «Издательство «Эксмо» в г. Самаре
Адрес: 443052, г. Самара, пр-т Кирова, д. 75/1, лит. «Е»
Телефон: +7 (846) 207-55-50. **E-mail:** RDC-samara@mail.ru

Филиал ООО «Издательство «Эксмо» в г. Ростове-на-Дону
Адрес: 344023, г. Ростов-на-Дону, ул. Страны Советов, 44А
Телефон: +7(863) 303-62-10. **E-mail:** info@rnd.eksmo.ru

Филиал ООО «Издательство «Эксмо» в г. Новосибирске
Адрес: 630015, г. Новосибирск, Комбинатский пер., д. 3
Телефон: +7(383) 289-91-42. E-mail: eksmo-nsk@yandex.ru

Обособленное подразделение в г. Хабаровске
Фактический адрес: 680000, г. Хабаровск, ул. Фрунзе, 22, оф. 703
Почтовый адрес: 680020, г. Хабаровск, А/Я 1006
Телефон: (4212) 910-120, 910-211. **E-mail:** eksmo-khv@mail.ru

Филиал ООО «Издательство «Эксмо» в г. Тюмени
Центр оптово-розничных продаж Cash&Carry в г. Тюмени
Адрес: 625022, г. Тюмень, ул. Пермякова, 1а, 2 этаж. ТЦ «Перестрой-ка»
Ежедневно с 9.00 до 20.00. Телефон: 8 (3452) 21-53-96

Республика Беларусь: ООО «ЭКСМО АСТ Си энд Си»
Центр оптово-розничных продаж Cash&Carry в г. Минске
Адрес: 220014, Республика Беларусь, г. Минск, проспект Жукова, 44, пом. 1-17, ТЦ «Outleto»
Телефон: +375 17 251-40-23; +375 44 581-81-92
Режим работы: с 10.00 до 22.00. **E-mail:** exmoast@yandex.by

Казахстан: «РДЦ Алматы»
Адрес: 050039, г. Алматы, ул. Домбровского, 3А
Телефон: +7 (727) 251-58-12, 251-59-90 (91,92,99). E-mail: RDC-Almaty@eksmo.kz

Украина: ООО «Форс Украина»
Адрес: 04073, г. Киев, ул. Вербовая, 17а
Телефон: +38 (044) 290-99-44, (067) 536-33-22. **E-mail:** sales@forsukraine.com

**Полный ассортимент продукции ООО «Издательство «Эксмо» можно приобрести в книжных
магазинах «Читай-город»** и заказать в интернет-магазине: www.chitai-gorod.ru.
Телефон единой справочной службы: 8 (800) 444-8-444. Звонок по России бесплатный.

Интернет-магазин ООО «Издательство «Эксмо»
www.book24.ru
Розничная продажа книг с доставкой по всему миру.
Тел.: +7 (495) 745-89-14. E-mail: imarket@eksmo-sale.ru

В электронном виде книги издательства вы можете
купить на www.litres.ru

ЛитРес:
один клик до книг

ISBN 978-5-04-100271-8

9 785041 002718 >

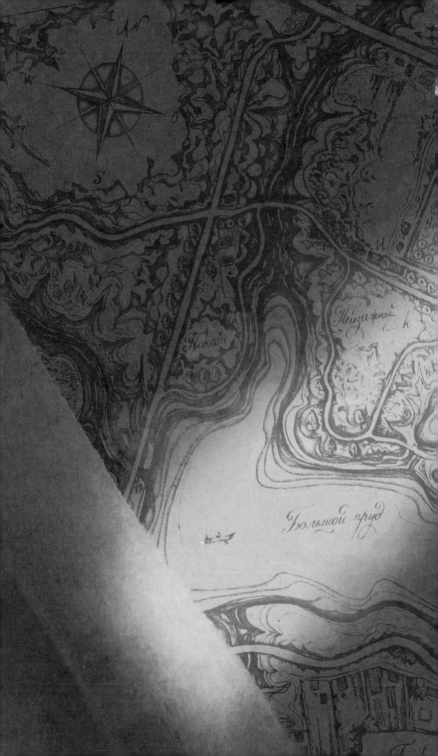